Actor's
Room

일러두기

☞ 이 책은 '씨네플레이'에 연재한 인터뷰 시리즈 〈정시우의 Aroom〉을 기반으로 정시우 기자의 에세이와 함께 새롭게 묶었습니다.

☞ 배우의 공간을 주제로 한 인터뷰이므로, 작품 이야기보다는 배우의 생각에, 배우의 얼굴보다는 그의 공간에 집중했습니다.

☞ 영화 · 드라마 · 방송 프로그램명은 홑꺾쇠표(〈〉), 잡지명은 겹꺾쇠표(《》), 단행본은 겹낫표(『』), 단편 및 수록작은 홑낫표(「」)를 사용했습니다.

☞인터뷰 속 배우가 언급한 작품의 정보는 각주(423p)로 확인할 수 있습니다.

Presented by

a Room of one's Own

배우 ________ 의 방

Actor's Room

Casting

박정민
천우희
안재홍
변요한
이제훈
주지훈
김남길
유태오
오정세
고두심

Interview

정시우

Subtitle

연기가 끝나고
자기만의 방으로 돌아갔다

Published by

자기만의 방

Invitation

Actor's Room

'연기가 끝나고, 배우는 어디로 갈까?'

배우가 자신의 사적인 공간에서는
어떤 방식으로 삶을 일굴지 궁금했던 나는
호기심 가득한 마음을 담아 배우들에게 조심스레 청했다.

"당신의 공간을 보여주세요."

그렇게 탄생한,
배우 10인의 '자기만의 방'에서 나눈 인터뷰

배우의 집, 배우의 동네, 배우의 작업실….

작품 속 역할에서 빠져나와
배우의 민낯을 볼 수 있는 곳.

배우의 방으로
초대합니다.

Prologue.
"인터뷰를 왜 그렇게 좋아하나요?"

무수히 많이 받았던 질문인데, 돌이켜보니 선뜻 대답해본 적이 없다. 그저 "진짜로 좋아하는 것에는 이유가 없다고 들었습니다"라고 얼버무리며 대답을 회피하곤 했다. 나에게는 '좋아서 하는 일'에 거대한 의미를 부여하는 순간, 그것의 즐거움이 훼손되거나 괜히 진지한 일이 되어버리지 않을까 우려하는, 요상한 마음이 있다. 그래서 그 질문에서 요리조리 도망쳐 다녔는데, 이젠 막다른 골목이다. '인터뷰집'이라는 선물과도 같은 결과물을 받아들게 되니, 그저 좋아하는 것에서 그치면 안 될 것 같은 기분이 들어 자문해볼 필요를 느꼈다. 나는 왜 인터뷰에 매료되었나.

혹자는 인터뷰어로 활동하는 나를 보고 굉장히 잘 듣는 사람일 거라고 과대평가해주지만, 계속 오해해주길 바라긴 하지만, 실상은 그렇지 않다. 오히려 반대이기에 인터뷰에 더 끌리는 면이 있다. 허당끼 넘치고 취향도 많이 타는 나는 집중력이 그리 좋지 못하다. 그런데 인터뷰할 때만큼은 온몸의 감각이 상대를 향해 예민하게 열린다. 심지어 주위 모든 소리가 소거되고 오로지 앞에 있는 인터뷰이 목소리만 들리는 현상도 자주 겪는다. 그러니까 내가 인터뷰를 좋아하는 건 '평소 잘 듣는 사람'이어서가 아니라, 그렇지 못한 사람인데, 인터뷰에서만큼은 그런 사람이 될 수 있기 때문인지 모른다. 상대의 말을 잘 듣는 사람을 동경하는 나에게 인터뷰는 내가 조금은 그런 사람이 된 것 같은 기분을 선사해준달까.

두 번째, 누군가를 온전히 사랑하고 싶어서 인터뷰를 좋아하는 것일 수 있다. 조금 거칠게 표현해서 인터뷰는 일종의 '짝사랑'이다. 평소 눈여겨본 이에게 조심스럽게 만남을 타진한 후 상대가 내 호출에 응답해줄 것인가 말 것인가를 기다리며 마음 졸이는 시간의 초조함이란! 운 좋게 인터뷰이가 섭외를 수락하면 그날부터 세상 모든 것들을 그 인물과 결부해서 바라보게 된다. 인터뷰이가 평상시 흘린 정보를 수집하거나, 취향을 탐색하거나, 인터뷰 전날 밤 설렘에 잠을 뒤척이는 것 역시 영락없이 사랑에 빠진 자의 그것과 흡사하다.

보통의 짝사랑은 외로움을 동반하지만 축복되게도 인터뷰에서 파생된 짝사랑은 외롭지 않다. 외롭기는커녕, 하면 할수록 풍만해진다. 그것은 '덕질'의 즐거움과 통하는 면이 있는데, 아마도 나는 이 감정에 중독된 사람일 것이다. 누군가에게 온 힘을 다해 애정을 쏟는 게 갈수록 조심스러워지는 세상에서, 인터뷰는 일말의 고민 없이 내 감정을 쏟을 수 있게 해주는 소중한 창구다. 한마디로, 이 인터뷰집은 내 '덕질'의 흔적들이다. 나에게 '덕질'의 기쁨을 알게 해준 인터뷰이들에게 '당신을 흠모했노라' 수줍게 고백한다.

그러나 내가 인터뷰에 빠진 가장 큰 이유는 그곳에 '시간이 만들어내는 기적'이 동행하기 때문이다. 인터뷰는 인터뷰어와 인터뷰이가 '상대에게 온전히 시간을 내어주겠다는 마음'이 없으면 성립 자체가 불가능한 일이다. 시간을 내어준다는 건, 삶의 일부를 공유한다는 것. 나는 이것이 너무나 아름답다. 게다가 인터뷰에서 파생돼 나온 말은 그것을 읽는 누군가의 시간에 스며들어 파장을 안기기도 하지 않는가. 너무 낭만적인 생각이라고 할 수 있지만, 나는 낭만이라고 부를 수 있는 일이라 믿기에 인터뷰가 좋다. 『배우의 방』은 그 낭만에 근거한 결과물이다.

책에는 영화 콘텐츠 전문회사 '씨네플레이'에 연재한 〈정시우의 Aroom〉 인터뷰 가운데 열 분의 대화가 담겼다. 'Aroom = Actor's room.' 배우의 공간에서 배우의 생각을 들여다보려 출발한 게 〈정시우의 Aroom〉이다. 공간에는 그 사람이 살아온 역사가 새겨진다고 믿는다. 시간을 보낸 공간이 그 사람을 만든다고도 생각한다. 그래서 묻고 싶었다. 캐릭터에 빠져 사는 배우가 나로 돌아갈 수 있는 공간이 어디인지를. 그 공간이 어떤 의미인지를.

배우의 공간 인터뷰를 진행하며 놓지 않으려 한 것이 있다면, 자기만의 보폭으로 연기라는 세계를 확장해나가는 배우, 시행착오와 실패까지도 자기가 선 세계의 디딤돌로 삼을 줄 아는 배우, 세상이 정해놓은 성공을 향해 경주마처럼 달리기보다는 그 안에서 얻은 깨달음을 너그럽게 나눠줄 줄 아는 배우를 만나려 애썼다는 것이다. 그리고 간절한 마음으로 한 글자 한 글자 꾹꾹 눌러썼다. 해당 배우를 지지하는 이들이 그의 숨겨진 매력을 새롭게 발견하고 애정이 더 깊어질 수 있기를. 그를 잘 몰랐던 이들이 인터뷰를 계기로 그의 작품 세계에 호기심을 갖게 되기를. 독자들이 우리의 대화 자리에 동석해서 함께 대화를 나누는 듯한 기분으로 읽을 수 있기를. 부디, 그런 인터뷰가 될 수 있기를 많은 날 기도했다.

타인이 알고 싶어 인터뷰를 시작했는데, 그 길은 나를 돌아보는 시간이기도 했다. 질문이라는 이름의 물음표를 던진 나에게, 인터뷰이들은 삶의 태도에 관한 느낌표를 돌려주었다. 완성형으로서의 존재가 아니라, 끈기와 노력을 추진력 삼아 한 뼘 한 뼘 나아가는 아름다움을 보여주기도 했다. 완전무결한 연기를 해내는 것만이 재능이 아니라, 끝없이 노력하는 끈기도 재능이라는 걸 그들에게 배웠다. 이 책에는 열 분의 인터뷰 외에 나의 지극히 개인적인 열 편의 에세이도 담겼는데, 인터뷰이들이 건네준 영감 덕분이다. 그들이 자기만의 공간에서 풀어놓은 삶의 조각들이 당신들에게도 삶의 정답이 아닌 영감을 주길 간절히 바란다. 그리고 깊이 감사드린다. 온전히 이 책에 시간을 내어주어서. 이 또한 '시간이 만들어내는 기적'이라고, 믿고 있다.

2022년 3월 제주에서, 정시우

Contents

Actor's Room

Actor's

Room

#1

배우 박정민의

방

추억의 극장 ~ 집 ~ 야탑동 언저리

PM 02:00 ~ 10:00

너무 잘하고 싶으니까

불안한 거죠.

PM 02:00

추억의 극장 (CGV 야탑점)

"그저 평범한 당신의 옆집 남자." 2016년 출간된 산문집 『쓸 만한 인간』에서 박정민이 스스로를 표현한 문장이다. 그는 늘 그랬다. 겸손이 자신감에 자리를 내어준 적이 없다. 자신의 부족함을 고발하고 불안을 털어놓고 반성하는 타입. 그러나 자신의 능력을 과소평가하는 듯한 그의 화술은 유약함을 드러내는 부정적 언사라기보다 이 배우의 지금을 만든 거대한 힘이자 다짐들임을 어느 순간 눈치채게 되었다. 열등감을 발전의 질료로 삼고, 결핍을 나태함의 방패로 세우는 박정민은 그렇게 뒤를 돌아보며 걷는다. 충실히, 성실히, 절실히, 길게 걷는다. 오늘의 박정민보다, 내일의 박정민이 더 궁금한 이유다.

Scene 1. 태양이 기록 경신 내기라도 하려는 듯, 최고 기온을 갈아치우는 날들의 연속이었다. 뜨거운 태양을 끼고 박정민과 접선하기로 한 장소는 분당에 자리한 CGV 야탑점. 자기만의 방으로 소개할 공간을 고민하던 박정민은 '야탑동 언저리'를 선택했는데, 분당에서 어린 시절을 보낸 그에겐 추억이 퇴적층처럼 쌓인 곳일 테다. '언저리'라는 어감이 주는 경계 없음이 이날의 만남에 대한 기대를 높이기에 충분했다. 약속 시간에 늦을까 봐 헐레벌떡 뛰는데 문자가 울린다. 발신인 박정민. "제 임의대로 아아(아이스 아메리카노) 시켰는데 괜찮으실까요?" 약속 장소에 일찍 당도해 자리를 살피고 메뉴판 앞에서 잠시 고민했을 그를 상상하니, 그 배려가 고마워 마음에 시원한 바람이 일었다.

기분 탓일까요? 얼굴이 굉장히 좋아 보입니다.

아, 그런가요? 제가 심리 상태에 영향을 많이 받아요. 기분이 안 좋거나 우울하면 얼굴도 확 안 좋아지죠. 요즘은 기분이 좋은 상태인가 봐요. (웃음)

이 극장에서 만나자고 한 건 당신에게 어떤 추억이나 의미가 있는 장소여서겠죠?

태어나 처음으로 와본 극장이 여기예요. 중1 때 부모님 따라 쫄래쫄래 와서 본 영화가 〈쉬리〉였어요. 이후 얼마간 조폭 코미디를 자주 봤어요. 〈달마야 놀자〉, 〈조폭 마누라〉류의 영화들이 한창 붐이었거든요. 그때까지만 해도 제겐 좋아하는 영화 장르라는 게 없었어요. 인기 있는 영화다 싶으면 휩쓸려서 보곤 했죠. 그러다가 만난 영화가 〈와이키키 브라더스〉[1] 예요. 역시 이 극장에서 봤습니다.

당신 인생에 엄청난 방향키가 됐다는 〈와이키키 브라더스〉 말이군요.

네. 중학생 때 친구들과 강원도에 놀러갔다가 자신을 연극배우라고 소개하는 분을 만났어요. 무슨 영화에 나오냐고 여쭸더니 조만간 개봉하는 〈와이키키 브라더스〉에 출연한다고 하더라고요. 나중에 영화를 찾아보니까 그분이 그 안에 진짜로 딱! 알고 보니 박원상 선배님이셨죠. 당시 제가 열여섯 살이었어요. 〈와이키키 브라더스〉는 '미성년자 관람 불가'였기에 다른 영화 티켓을 끊고 들어가서 화장실에 숨어 있다가 나와서 봤죠. (웃음) 그리고 인생이 바뀌었습니다. '와, 세상에 이런 영화가 있다고?' 영화라는 것에 호기심이 생기는 순간이었어요.

저는 그래서 영화의 힘을 믿어요. 한 사람의 인생을 이렇게!

하하하. 〈와이키키 브라더스〉가 던지는 메시지는 제가 늘 고민하는 거예요. 그 대사, 너무 좋아하거든요. "너, 행복하니? 그렇게 좋아하는 일 하면서 사니까 행복해?"

박정민이 태어나 처음으로 본 극장 영화는 〈쉬리〉,
인생에 절대적인 영향을 미친 영화는 〈와이키키 브라더스〉.
모두 이 영화관에서 봤다.

당신은요? 당신에게 연기는 가장 좋아하는 일인가요?
네. 가장 좋아하는 일입니다.

그래서 고민인 거군요.
좋아하는 일을 하며 산다고 해서 늘 행복한 건 아니니까요.

왜, "좋아하는 일은 직업으로 하면 안 된다"고 말하는 사람이 있잖아요? 반대로 "좋아하는 일을 하며 살아서 행복하다"는 사람도 있고요.
어느 순간에는 그래요, 지난 내 모든 선택을 후회할 때가 있어요. '그때 왜 그분을 만났지?' '왜 그 영화를 봤지?' '그 학교(한국예술종합학교, 이하 한예종)를 왜 들어갔을까? 안 그랬더라면!' '그랬다면 지금 이렇게 불안하지 않을 텐데'라고요. 그런데 이게, 참… 치유를 가장 많이 받는 것도 '이 일'이에요. 그러니까 왔다갔다해요. 아직 확고하게 자리잡지 못한 것에서 오는 불안 때문이라는 생각도 해봤는데, 한편으론 또 그렇더라고요. 자리를 잡으면? 자리를 잡는다고 과연 불안이 없어질까? 아닐 것 같더라고요.

한계를 깨면 또 다른 한계가 오죠.
또 다른 불안이 오고요.

무엇이 가끔 당신을 불안하게 하나요.
제 직업이 불특정 다수에게 칭찬도 받고 욕도 먹는 직업이잖아요? 관심을 받는다는 건 참 감사한 일입니다. 그런데 제가 하는 일에 대한 관심이 아니라, 박정민이라는 한 개인에 대한 관심도 점차 커지는 걸 느껴요. 그게 부담스러울 때가 있습니다.

어쩌죠. 제가 보기에, 당신을 향한 대중의 관심은 앞으로 더 커질 텐데요.
하, 그렇게 말씀해주시니 제가 또…. (웃음) 그런 생각을 해요. 연기라는 게, 누군가를 속이는 일이잖아요?

배우는 그 거짓을 진실되게 표현해야 하는 존재고요.
네. 아이러니죠. 거짓을 진실처럼 연기한다는 게 말입니다. 그러다 보면 저 자신까지 속이는… 음, 속인다기보다 뭐라고 해야 할까요. 연기할 때 뭔가 잘 안 풀려서 그럴싸하게 넘어가려고 할 때가 있는데, 그 순간이 저는 두려워요.

타인을 실망시키는 것보다, 자신에게 실망하는 게 더 두려운가요?
그건 정할 수 없는 것 같습니다. 다만 적당히 타협하고 넘어가자 하게 되면, 함께하는 사람들에게 미안하고 저 자신에겐 수치스러운 거죠. 그러지 않으려고 노력하는데 혹여나 들킬까 봐 늘 불안한 겁니다. 너무 잘하고 싶으니까, 나의 능력치를 꽁꽁 숨기고 전전긍긍하는 거예요. '아씨, 이거 들키면 안 되는데….'

그런데 모든 장면을 진심으로 연기한다는 게… 그럼 너무 힘들어서 기진맥진할 거예요.
왜냐하면, 저는 천생 배우의 피를 가지고 있는 사람은 아니라는 자격지심 같은 게 있거든요. 그러다 보니 남들보다 더 해야 한다는 강박이 있습니다.

천생 배우의 피를 가진 사람이라. 당신도 남들의 눈엔 그렇게 보일 수 있는데요.

글쎄요. 제가 살아온 과거도 그렇고… 누군가 저보고 '와, 쟤는 배우다' 생각해주신다면 그건 고마운 일이에요. 그런데 저는 그걸 왜 그렇게 못 받아들이겠는지 모르겠어요.

간질간질한가요.

그런 것도 있고, 저 정말 평범한 사람이거든요. 배우가 되겠다고 했을 때 어머니가 그러셨어요. "아이고~ 우리 정민이가 그런 애가 아닌데, 큰일났네." (웃음) 어릴 때 누구 앞에 서는 걸 극히 싫어하는 아이였어요. 좋아도 좋은 티 못 내고, 화 자체를 내지 않았던 사람. 어떤 규제 안에 사는 게 너무 편했던 사람. 그게 저였어요. 감정들을 자제했던 거죠. 감정을 표현하는 순간 일을 망칠 거라는 징크스 같은 것도 어렸을 때 가지고 있었어요. 시험을 잘 봐서 너무 좋아하면 다음 시험은 망칠 것 같다든지 하는 것들요.

스스로를 어떤 틀 안에 가둬놓는 경향이 아직 남아 있나요?

있죠. 그건 피가 그래요, 아버지 닮아서. 아버지가 남에게 피해주는 걸 극도로 꺼리는 분이에요. 늘 자기 자신을 채찍질하셨죠. 어릴 땐 그 모습이 답답해 보이기도 했습니다. 그래서 '나는 우리 아버지처럼 답답하게는 살지 않을 거야' 생각하기도 했죠. 그러다가 〈7년의 밤〉[2] 오디션을 보게 됐어요.

영화 〈7년의 밤〉은 아버지와 아들에게 일어나는 슬픈 이야기잖아요?
네. 자유 연기를 준비해오라고 해서 아버지와 관련된 대사를 직접 만들어 갔어요. 오디션 땐 긴장해서 울컥하는 게 쉽지 않은데, 그날은 독백하면서 엉엉 울었어요. 아버지 관련 이야기를 하다 보니, "어어어… 어어… 흑… 크아앙" 이렇게 된 거죠. (일동 웃음)

뭐가 그렇게 슬펐나요.
아버지와 너무 닮아 있는 내 모습이 소름 끼치더라고요. (폭소)

세상의 많은 부자들을 보면서 그런 생각을 종종 합니다. 아들에게 아버지란 받아들여야 하는 존재인지, 뛰어넘어야 하는 존재인지.
저는 개인적으로 받아들여야 하는 존재라고 생각해요. 아버지 성격도 그렇고, 제 성격도 그렇고, 서로에게 살가운 편이 아니에요. 애정 표현에 서툴고 무뚝뚝하죠. 하지만 그렇다고 아버지의 마음을 모르는 건 아닙니다. 클수록 점점 그렇더라고요.

영화 〈변산〉[3] 홍보를 위해 박정민이 기획, 연출한 뮤직비디오 〈히어로HERO〉에는 박정민의 아버지가 '박병관/ㄹ ㅇ아빠' 자막과 함께 카메오로 출연한다. 아들이 연출하는 뮤직비디오에 힘을 보태는 아버지의 마음은 얼마나 뿌듯했을까. 애정 표현이 서툴다는 박정민만의 사랑 표현법이리라.

중3 때 영화에 대한 꿈을 품었는데, 이듬해 수재들만 모인다는 공주의 자율형사립고등학교에 갔단 말이죠. 입시 사관학교로 불릴 정도로 엄격한 곳으로요.

그건, 엄마 손에서 벗어날 수 있겠다는 생각 때문이었어요. 어릴 때 엄마에게 많이 혼났는데, 제가 열심히 공부한 것도 다 혼나지 않기 위해서였죠. 받아쓰기 틀리면 혼나고, 아침에 눈높이 수학 세 장 안 풀면 혼나고…. 하루는 너무 화가 나서 엄마가 출근하고 안 계실 때 집에 있는 물건들을 막 어지르고 학교에 갔어요. 밤에 집에 왔더니 엄마가 "집에 도둑 들었다"고…. 그거 내가 한 건데. (좌중 웃음)

그렇게 엄마의 손에서 벗어난 후 해방감을 만끽하셨나요?

크크크. 이 학교는 아침 6시에 기상해서 점호해요. 운동장에서 체조한 후 7시에 밥 먹으면 이제 오후 6시까지 수업 릴레이. 이후 밤 12시까지 또 자습이에요.

스파르타식이었군요. 군대 같은.

군대는 10시에 자기라도 하죠. 공부하는 애들이 또 그냥 자나요. 새벽까지 공부하는 친구들 보면 저도 괜히 불안해서 공부하는 척하고. (웃음) 그게 너무 싫어서 2학년 때 해외 도피 유학을 꿈꿨어요. 사실, 입학 통보도 받았고요. 비행기 타고 미국만 가면 되는 상황이었는데 거기서 갑자기 교수인 이모부가 뜯어말리셨어요. 엄마는 거기에 혹해서 유학을 취소하시고. 너무 화나서 화장실 가서 또 엉엉 울었습니다. 하하.

그때 유학을 갔다면 다른 인생이 펼쳐졌겠군요.

그렇죠. 그렇긴 한데 고등학교 가서도 많이 바뀌었어요. 중학교 때까지는 정말 '찌질이'였거든요, 콧물 닦고 다니는. 알레르기 비염 때문이긴 했지만요. 그러다가 공주에 있는 학교로 간 건데 거기에는 제 중학교 때까지의 모습을 아는 아이가 한 명도 없잖아요? '변해야지, 변해야 돼!' 하면서, 어떻게 보면 3년 동안 연기를 한 거예요. 굉장히 잘 놀고 활발한 애로 말입니다.

억압이 풀리면 또 무서운 법이잖아요? (웃음)

당시 '칠거지'라고 학업 분위기를 망치는 일곱 명이 있었어요. 그중에 제가 '왕거지'. 밤에 몰래 비디오테이프 빌려와서 보다가 걸려서 얻어맞고, 기숙사에서 떠들다가 얻어맞고, 사감 선생님께 개기다가 얻어맞고. (웃음) 그 학교는 선생님들이 다 부모였어요. 되게 좋은 분들이셨죠. 제자들을 진심으로 아끼는 마음이 느껴졌는데, 다만 너무 엄격했어요.

졸업 후 고려대학교에 입학했다가, 연기에 대한 꿈을 놓지 않고 한예종 영상원 영화과에 들어갔습니다. 처음 스크린에 비친 본인의 연기를 보는 기분은 어떠셨습니까.

엉망이었죠. (웃음) 한예종 시절 찍은 〈연애담〉[4]이라는 단편영화가 졸업영화제에서 상영됐어요. 긴장된 마음으로 보는데 제가 연기를 너~무 못하는 거예요. 제 대사가 나올 때마다 뒤에서 사람들이 "킥킥" 웃고. 너무 창피했어요. 그날 혼자 차 몰고 충주에 있는 할아버지 산소에 가서 "할아버지, 제가 이렇게 연기를 못하는지 몰랐어요. 한 번만 더 기회를 주세요. 진짜 열심

히 해볼게요, 엉엉" 하면서 울었어요. 공동묘지에서 새벽 3시에, 혼자. (웃음)

크크크크. 그래서 할아버지가 들어주셨나요?
그러고 몇 달 있다가 〈파수꾼〉[5]으로부터 연락이 온 거예요.

역시 조상에게 공덕을 쌓아야 하는군요.
제가 출연한 단편영화 〈세상의 끝〉[6]을 보고 윤성현 감독님이 연락을 주셨어요. 오디션에서 대사를 읽는데 감독님 표정이 거짓말 하나 안 하고… (절망과 좌절의 몸짓) 이러셨어요. "날것의 느낌을 살려서 대사를 읽으면 좋겠어요. 자, 그럼 해볼까요?" 이렇게 큐를 받아서 읽는데, 이건 완전 햄릿이거든! (일동 웃음) 운 좋게 합류했는데 감독님이 대단하신 게, 배우마다 디렉션이 다 달랐어요. 배우의 성향, 캐릭터 특징 등에 맞게 디렉션을 주셨죠. 저의 경우 연기 회로 자체가 닫혀 있었던 사람이다 보니 이걸 열어주는 일부터 하셨던 거예요. 저에겐 스승이고 은인이죠.

〈파수꾼〉은 영화과에서 연기과로 전과한 후 만난 영화예요. (영화과 → 연기과 전과는 한예종 사상 유례가 없는 사건이었다.) 〈파수꾼〉을 만날 줄 알았다면 전과를 안 했을까요.
그랬을 수 있어요. 연기과로 전과했던 가장 큰 이유는 '연극이 너무 하고 싶어서'였으니까요. 그런데 인생이라는 게 참 재밌죠. 저는 〈파수꾼〉이 제 인생의 발판이 되리라고는 1퍼센트도 생각해보지 못했어요. 사람들이 너무 좋아서 신나게 찍었을 뿐

2014년, 한예종 출신 친구들과 함께 올린
연극 〈G코드의 탈출〉[7].

극장 내 북 카페. 약속 장소에 도착했을 당시 박정민은
'희곡 & 시나리오' 섹션 앞에서 책을 보고 있었다.

인데, 어느 날 "그 영화 잘 나왔다더라?"라는 이야기가 들려요. 그러더니 부산국제영화제를 간대요. "우리도 가는 거야?" 호텔도 준다기에 "와~ 진짜?" 가서 함께 방 쓰면서 신나게 놀고 왔죠. 그런데 갑자기 또 해외영화제를 간대요. 그러더니 또 큰 배급사에서 개봉을 해준다고 하고…. 저는 그래서 '반강제 데뷔'라는 말을 써요. 제 의지로 영화배우가 된 게 아닌 거예요.

뭔가 의미심장하네요. '반강제 데뷔'라.
뭐랄까요. 길을 걷고 있는데 누군가 툭 쳐서 어떤 선을 넘어온 느낌이랄까요. 그렇게 만난 게 영화인 거죠. 졸지에 영화배우라는 타이틀을 누군가가 붙여주고, 데뷔를 하게 되고, 회사도 생기게 된 거죠.

당신은 소속사가 단 한 번도 바뀌지 않은 케이스입니다. '샘컴퍼니(배우 황정민이 아내 김미혜 대표와 이끄는 회사)'와 지금까지 함께하고 있는데요, 공연 예술의 창작성도 중시하는 회사 분위기가 당신과 찰싹 달라붙는 느낌이 있어요.
우리 회사는 자유방임이에요. 방치한다는 의미가 아니라 배우들을 많이 믿어주세요. 그러다 보니 오히려 '뻘짓'을 못해요. (황)정민이 형부터 그래요. 혼자 버스 타고 다니시고, 배우라고 해서 뭔가 '척'하지 않으시죠. 그런 형을 보면서 배우는 게 참 많습니다. 정말 존경하는 형이에요. 뭐랄까, 서로가 말하지 않아도 좋아하는 게 느껴지는 관계 있잖아요? 항상 저에게 "내 새끼~"라고 해주시니 감사하죠.

황정민에 대한 용비어천가를 기분 좋게 털어내던 박정민은 시계를 확인하더니 "밖에 나가서 조금 걸으실래요?"라고 제안했다. 카페에서 나와 야탑동 이곳저곳을 걸으며 그의 추억이 깃든 것들에 대해 대화를 나누었다. 그러면서 확인한 것. 이 구역의 주인은 박정민! 길을 걷던 할머니가 "총각~ OOO 가려면 어떻게 가야 하나~?"라고 묻자, 그는 1초의 막힘도 없이 할머니의 내비게이션이 되어준다. 야탑동 지도가 그의 머릿속에 내장되어 있는 게 분명했다.

박정민이 안내하는 야탑동.

친구들과의 추억이 가득한 성남시청공원.

PM 04:10

박정민의 집

Scene 2. **야탑동 산책을 마치고 탐방한 곳은 박정민의 집. 이곳은 인간 박정민의 공간임과 동시에, 배우 박정민의 흔적이 혼재해 있었다.**

(범상치 않아 보이는 테이블에 놀라며) 〈타짜: 원 아이드 잭(이하 타짜3)〉[8]의 흔적이군요.
마작 테이블이에요. 카드는 바닥에서 잘 안치니까. 제가 극 중 타짜로 나오거든요. 연기 연습하려고 중고나라에서 쿨거래했어요.

〈타짜3〉 준비로 마카오에 현장 학습을 간다고 들었습니다. 공식 일정인 줄 알았는데 개인적으로 짠 계획이더군요. 〈동주〉[9] 때는 고故 송몽규 열사의 묘지를 찾아 북간도에 다녀오셨고요. 캐릭터를 맡으면 정말 치열하게 파고드시는 것 같습니다.
(쑥스러워하며) 미리 몸에 붙여놔야 해요, 저 같은 사람은.

안 그럼 불안한가요?
제가 상상력이 부족해서…. (웃음) 물론 상상으로도 연기할 수는 있지요. 그런데 상상에는 한계가 있다고 봅니다. 결국 자신이 본 것, 느낀 것 안에서 상상할 테니까요.

〈그것만이 내 세상〉 당시 연습용으로
사용한 전자 피아노.

(피아노를 보고) 예상이 맞다면….

〈그것만이 내 세상〉[10] 찍을 때 감독님이 사주신 거예요. 골방 같은 곳에서 퉁탕퉁탕 연습하는 걸 보시고는 "정민아, 이거 너무 곤혹이겠다"며 주시더라고요. 전자 피아노예요. 실제 피아노와 가장 타격감이 비슷한 녀석입니다.

피아노 위에는 악보인가요? (들여다보며) 뭐라고 쓴 거지…?

아, '시레솔시레파'. 제가 콩나물을 못 봐서…. (웃음) 피아노는 좋아하는 곡이 생기면 칩니다. 최근에는 〈변산〉 OST 〈노을〉과 박원의 〈노력〉을 가장 많이 쳤어요. 뭐 하나에 꽂히면 온종일 그것만 치고 앉아 있어요. 그러다 손 놓으면 싹 까먹고. 그 패턴의 반복이죠.

〈그것만이 내 세상〉에서 박정민의 연주를 보고 생각했더랬다. 'CG 기술 많이 발달했네!' 그것이 6개월간의 연습 끝에 나온 실제 장면이라는 추후 설명이 없었다면 여태껏 CG인 줄 알고 있었을 것이다. 〈변산〉에서 수준급 힙합 실력을 드러낸 그를 본 후엔 박정민의 다음 작품을 상상하는 놀이에 빠졌다. 캐릭터를 위해 초인적 능력을 발휘하는 그의 다음이 궁금하지 않을 수 없어서였다. '메이드 인 박정민'을 위해 그는 어떤 시간을 견디는 것일까.

그런데 〈그것만이 내 세상〉의 피아노도 그렇고 〈변산〉의 랩도 그렇고 제 기준에서는 많이 부족합니다. 연습만 24시간 주구장창 한 건 아니니까요.

본인에게 너무 엄격한 거 아닌가요?

왜냐하면 엉덩이 싸움을 해본 적 있으니까. (웃음) 제가 공부라는 걸 나름 열심히 해봤잖아요? 공부는 엉덩이 싸움이에요. 오래 앉아 있는 놈이 이길 가능성이 크죠. 연기는 조금 다르게 해보고 싶어서 방식을 바꿔도 봤는데, 안 되겠더라고요. 다시 '그냥 엉덩이 싸움으로 돌아가자'가 됐죠. 캐릭터를 내 몸에 붙이는 과정만큼은 그러자 싶더라고요.

배우를 위협하는 것은 어쩌면 밑도 끝도 없는 비난이 아니라, 무조건적인 찬사다. 박정민은 이에 대해 그 누구보다 잘 알고 있는 듯했다.

많은 분들이 박정민은 어디까지 노력할 수 있는지 궁금하다고 해주세요. 감사한 말입니다. 그런데 사실, 제가 잘하면 그렇게까지 노력 안 하겠죠. 제가 남들만큼 잘하지 못하다 보니 뭐라도 하는 건데, 그것들이 홍보 포인트로 사용돼서 미안해요. 마치 나만 노력을 많이 하는 사람인 것처럼 포장되는 것 같아서…. 다른 배우들도 다 그렇게 노력할 테니까요.

(책상 위 수첩) 이 수첩은 뭔가 굉장히 시적이네요. '썩어빠진 당신의 무엇'이라니.

군대 이등병 때 만든 수첩이에요. 너무 힘들어서 선임들 몰래. 첫 장을 열잖아요? 깜짝 놀라요. 저도 오랜만에 열어보고 '헉' 했어요. 정말 다 썩어 있어서. 사람이 가지고 있는 밑바닥의 모습들, 제 열등감과 피해의식이 여기에 다 적혀 있어요.

박정민의 생각들이 적힌 수첩, '썩어빠진 당신의 무엇'.
그 위로 박정민의 코가 그려진 예전 사인이 보인다.

배설 창구 같은 거군요.

시나리오 콘셉트나 명언들이 적혀 있기도 한데, 속박돼 있을 때 쓴 거라서 부정적인 게 좀 많아요. 다시 보면 새록새록 떠오릅니다. '그때 그랬지. 아, 이땐 이랬구나….' 아, 이건 예전 사인이에요. '언희言喜 박정민(말로 기쁘게 한다는 뜻을 가진 박정민의 필명)'. 제 코가 커서 사인에 코를 그렸는데 안 예뻐서 지금은 사인을 바꿨죠.

책 『쓸 만한 인간』에서 "가끔씩 이건 내가 잘할 수 있는 일이 아닌데 그저 좋아한다는 이유 하나로 집착하고 있는 건 아닐까 하는 순간이 찾아온다"고 하셨어요. 지금은 어떤가요.

그 고민을 안 하지는 않아요. 다만 이전보다는 고민의 횟수가 많이 줄었어요. 생각을 고쳐먹게 된 계기가 최근 있었거든요. 모 선배님께서 그러시더라고요. "정민아, 많은 사람이 널 배우라고 생각하는데, 너는 왜 아직도 배우가 되려고 하는 거야? 그 마음이 뭔지는 아는데, 많은 사람 눈에 너는 이미 배우니까 그 다음 스텝을 밟는 게 더 좋지 않을까? 배우로서 뭘 할지를 고민하는 게 더 효율적이야"라고요. 그 이야길 듣고 뭔가 빡 맞은 느낌이 들었어요.

배우의 기준은 다들 다르겠지만 당신에게 배우란 어떤 의미입니까.

배우는 작품이 말하고자 하는 이야기를 정확하게 전달해줘야 하는 역할이죠. 문제는 그걸 하고 있음에도 여타의 너무 많은 잣대들이 절 쪼그라들게 할 때가 많다는 겁니다. 보이지 않는 어떤 잣대들로 인해 '아, 나 아직 아무것도 모르는 초짜지? 죄송합니다. 제가 깝칠 뻔했습니다!'가 되는 거예요. 그러다 보니 이렇게 팔에 타투도 새긴 거고요. (오른쪽 팔에 '참을 인忍'이 새겨져 있다.) 내 안에 끓어오르는 게 너무 많은데 어떻게 할 수는 없고, 견뎌야겠다는 생각이 들어서 새긴 거죠. 그걸 저는 '좆밥근성'이라고 표현하는데…. (일동 웃음)

유추하건대, '좆밥근성'이 당신 성장에 큰 힘이 되지 않았을까 싶기도 합니다.

맞아요. 그 '좆밥근성'으로 몇 년을 버틴 거예요. 어떤 과도기에 있었다고 생각합니다. 저는 비관론자에 가까워서 저를 몰아세우긴 하지만, 그래서 열등감에 시달리기도 하지만, 그것이 결국 제가 성장하는 동력이 된다고 믿어요.

이 턴테이블은 역사가 있는 건가요? 근사하네요.

음악 듣는 걸 좋아해요. LP로 듣고 싶은 음악들이 있어서 장만한 놈이에요. 이 LP에 얽힌 역사가 하나 있어요. 〈변산〉이 개봉하는 주의 일요일이었는데, 제가 새벽에 술을 엄청 먹고 들어와서 인스타그램 라이브를 켜고 LP 음악방송을 한 거예요.

취중 디제이를 하셨군요. 몇 시에요?

새벽 3시? 200~300명 정도가 들으셨나 봐요. 화면을 턴테이블에 고정해두고 책도 읽어주고 음악도 들려주고… (머리를 감싸쥐며) 악! 술에 취해서 그만… 무슨 소릴 했는지 기억이 띄엄띄엄… 엄청 횡설수설했다는데 다행히 사고 친 건 없었대요. 그때 제 지인 한 명이 불안해서 듣고 있었더라고요. 제가 사고 치면

박정민의 귀를 책임져주는 턴테이블.

바로 전화하려고 대기 타고 있었던 거죠.

앞으로 술버릇이… 디제이?
(화들짝) 아닙니다! 다시는! (절망) 하, 그날 왜 그렇게 많이 마셨을까.

나름 아름다운 술버릇이에요. '팬들과 소통하기'라니.
그날 이후 팬들이 술을 계속 선물로 주더라고요. 소주 됫병을! 라이브 해달라고요. (웃음) 주량이요? 술이라는 게 늘더군요. 진짜 못 마셨는데 지금은 늘어서 소주 두 병 정도 돼요. 여기 스피커 놓인 공간이 제가 술 마시는 자리예요. 구석에 이렇게 쪼그려 앉아서 마셔요.

운치 있군요. 〈인사이드 르윈〉 LP가 눈에 들어오는데, 이 영화에서 포크송을 두고 '새롭지는 않지만 결코 나이들지 않는 것'이라고 표현하죠. 박정민에게 나이들지 않았으면 하는 게 있다면 그건 뭘까요?
전 기본적으로 철이 좀 들어야 하는 인간이라 나이가 필요한데. (웃음) 굳이 찾아보자면 우리집 개들. '복이', '덕이'요.

연기는 타고나지 않았다고 했는데, 글은 타고난 자질 같다는 생각을 당신 글을 읽으면서 했습니다. 당신 글엔 리듬감이 있어요.
제가 쓴 글은 글이라고 하기는 뭐하고요. 그냥 말을 글자로 써 넣은 거예요.

그게 글인 거죠. 책 『쓸 만한 인간』에서 누군가에게 이런 질문을 하

셨습니다. "현상이 중요하다고 보시나요, 이면의 사정이 중요하다고 보시나요?"라고. 역으로 같은 질문을 드린다면요.

유기적인 건데, 이면을 우선 들여다봐야 한다고 생각합니다. 요즘 같은 시대엔 더더욱. 인터넷 댓글만 봐도 그렇잖아요. 현상만 바라보고 달리는 의견들이 너무 많아요. 보면서 생각해요. '지금 이걸 정확히 아는 사람이 얼마나 될까?' '왜 더 들여다보지 않지?' 진심은 통하기 마련이라는 생각은 하나, 조금 더 기다려주는 태도가 필요하지 않을까 싶습니다.

이 질문을 배우에게 대입해볼까요. '현상'을 '배우 이미지'라고 생각할 수도 있잖아요? 어쩌면 우리는 어떤 배우의 진짜 모습보다 그 배우의 이미지를 좋아하고 있는 것일 수도 있고 말이죠.

그건 제가 글을 썼던 이유이기도, 요즘 들어 더욱 글을 조심하는 이유이기도 한 것 같아요. 저는 그 말이 참 좋아요. "이 책을 보면 박정민 씨와 친해지는 것 같은 기분이 든다"라는 말이요. 그런데 사실 그 300쪽 정도 되는 내용은 저의 극히 일부거든요. 그걸로 박정민이라는 인간을 판단하기엔 무리가 있죠. 심지어 그 글엔 '구라'도 있어요. 내 이야기를 재미있게 전달하고 싶어서 각색도 하고 편집도 했으니까요. 그러다 보니 그걸로 저를 완전히 판단하는 분들을 만나면 속으로 '엇!' 하게 되더라고요.

연기 혹평을 받았다고 가정해볼까요. 당신에게 그 혹평을 돌아보고 고쳐나가는 게 중요할까요, 아니면 후회하지 않고 다음으로 나아가는 게 중요할까요.

음… 잊어버리고 앞으로 나아가는 게 나은 것 같습니다. 다음 연기에서 잘 보여드리는 것 말고는 만회의 방법이 없다고 생각하거든요. 그러지 않고 혹평에 대해 "제가 이래서 이랬고요, 저래서 저랬고요" 하면 변명밖에 안 되지 않을까 싶기도 하고요. 그리고 너무 오래 생각하다가 자칫 "니들이 뭘 안다고!"가 돼버리면 혼자 괴로우니까. (웃음)

잠시 사랑에 대해 묻고 싶어요. 언젠가 '찌질하다'의 반대말은 '찌질했었다'라고 하셨습니다. 그렇다면 '사랑하다'의 반대말은 '사랑했었다'일까요.

음. '사랑하다'는 그 안에서 여러 가지 반대말이 이루어지지 않을까요. '사랑하다'는 '행복하다'와 동의어인 동시에 '괴롭다' 혹은 '두렵다'의 동의어가 될 수도 있으니까요.

그렇다면 이상한 질문일 수 있는데, 박정민의 반대말이 있다면 뭘까요?

박정민의 반대말. 하하하. 이것도 '사랑하다'와 마찬가지라고 할 수 있을 것 같아요. 내 속에 내가 너무도 많아서요. (웃음)

직장인들이 하나둘 퇴근하는 저녁. 자연스럽게 박정민의 23년 지기 '절친'들이 퇴근 후 야탑동으로 모여들었다. 막역한 사이인 사내들의 대화가 이렇구나. 무자비한 폭로와 상대를 향한 거침없는 태클이 이어진다. 박정민의 개인적인 모습을 엿볼 수 있는 기회. 술집으로 자리를 옮겨 그의 친구들에게 박정민에 대해 묻기로 했다. 독한 혀들의 전쟁!

pm 07:00

야탑동 언저리의 술집

Scene 3.

어디에서 봤더라. 좋은 친구를 갖는다는 것은 또 하나의 인생을 갖는 것이라고 했다. 박정민에겐 인생을 공유하고 있는 네 명의 친구가 있다. 그가 '야탑동 양아치들'이라 명명하는 친구들로, 초등학교 때 만나 서로에게 볼 꼴 못 볼 꼴 다 보이며 우정을 쌓아가는 중이다. 사회생활을 하다 보면 각자 사는 게 바빠 소홀해지기 쉬운데, 이들은 한 달에 서너 번씩 모여 여전히 퉁탕거린단다. 밤 11시까지 이어진 이날 자리에는 야탑동 양아치들 중 두 명의 양아치가 함께했다.

곽지훈: 박정민과는 부부 같은 관계를 형성한 친구로, 곽지훈은 박정민의 귀여운 투정을 사랑으로 다 받아내는 느낌이었다. 박정민이 어딜 가자고 하면 늘 순순히 따라나선다는 실과 바늘 사이.

남궁수: 온화한 성향으로, 발랄한 양아치들 사이에서 조율자의 느낌이 강했다. 그의 결혼식 사회를 보던 박정민은 딸 시집보내는 아빠의 표정으로 눈물을 왈칵 쏟아 하객들로부터 눈물 연기의 달인이란 평을 받았고, 친구들에겐 10년 치 놀림거리를 제공했단다.

곽지훈 저는 소화기 만드는 일을 하고요, 얘(남궁수)는 소화기 파는 일을 합니다.

박정민 지훈이는 제 팬클럽 우수 회원이기도 해요. 팬미팅에도 매번 와요.

곽지훈 제가 팬카페 초창기 때부터 1호 팬이다 자처하고 다녔거든요.

박정민 이제는 팬들도 많이 알아봐요. 제 친구인 걸.

남궁수 정민이 시사회를 갔는데 정민이만큼 지훈이도 유명한 거예요. 팬들이 "지훈 님이다~!" 해서 놀랐던 기억이 나요.

박정민 학창 시절, 저희가 다 '찌질이'들이었어요.

남궁수 난 아닌데.

박정민 왜 이래, 찌질이.

남궁수 아니야. 나는 그래도 교복 바지통 줄여 입고 그랬어!

일동 ……?

남궁수 저희 때 바지통 줄여서 입는 게 유행이었어요. 잘 나가는 애들은 다들 줄여서 입었는데, 저도 그중 하나.

박정민 으이구~ 이런 애들이에요. 이해해주세요. 그래도 수, 네가 우리 중 유일하게 여자친구가 있긴 했다. 필통 주고 사귄 여자친구.

남궁수 야야~ 아직 아픈 손가락이다.

박정민 그 친구, 서울대 다닌다고 하지 않았냐?

남궁수 서울대 (강조한다) '의대' 갔어.

곽지훈 (소리 지르며) 걔가, 서울대 의대를 갔어? 너, 첫사랑을 너무 미화하는 거 아니야?

남궁수 아니야. 정민이보다 걔가 공부 더 잘했어.

박정민/곽지훈 (발끈) 야, 걔보다 '내가/정민이가' 더 잘했지!
곽지훈 정민이가 공부를 정말 잘했거든요. 전교에서 놀았어요. 그래서 고등학교도 공주에 있는 수재들이 모이는 곳에 가고.

멀리 떨어져 지내게 됐을 땐 서운하기도 했겠어요.
남궁수 그때 그래서 편지를 주고받았어요.
곽지훈 (설마 하며) 편지를 썼어?
박정민 왜 이래? 네가 나한테 쓴 편지도 있어.
곽지훈 (화들짝) 내가 너한테 편지를 썼다고? 뭐라고?
박정민 잘 지내고 있냐고.
곽지훈 눈물 자국 있었냐?
박정민 잉크 번진 거 찾아봐? 있었던 것 같은데.
곽지훈 와~ 편지는 전혀 기억이 안 나는데.

남자들끼리 손편지를 쓰는 게 일반적이지는 않죠?
박정민 네. 그런데 우린 그때가 처음 헤어져본 거라. 그전까진 붙어살다시피 했었거든요.
남궁수 방학 땐 아침에 눈 뜨자마자 정민이 집에 모이곤 했어요.
박정민 그거 기억나냐? 하루는 분식집에 떡볶이를 먹으러 갔는데, 주머니에 천 원밖에 없는 거예요. 딱 1인분 먹을 수 있는 돈이었죠. 떡볶이랑 서비스로 나온 어묵 국물을 먹는데 양은 모자라고, 배는 고프고, 더 먹고 싶고… 그런데 다들 소심해서 더 달라고는 말을 못 하니까 간장에 물 타서 먹고 그랬어요. 여기가 그런 추억들이 곳곳에 있는 동네예요.
곽지훈 그땐 그랬지!

남궁수 우리 중학교 1학년 때 신민아 선배가 같은 학교 3학년 선배였어요. 본명이 양민아. 그때 보고 '와 연예인은 이렇게 생겼구나' 했어요.
곽지훈 그때도 모델이었어. 유명했지. 진짜 멋있었어.
남궁수 빛이 날 정도였으니까. 그런데 정민이는….
일동 하하하.

정민 씨가 배우가 될지, 친구들은 상상도 못 한 일이죠?
남궁수 처음엔 PD를 하고 싶어 했어요. 정확하게 말하면 영화감독. 그런데 어느 날 갑자기 연기를 진지하게 해보겠다고 하더라고요.

그래서 어땠어요?
곽지훈/남궁수 (무심) 아, 그렇구나~
남궁수 고대(고려대학교)를 갔는데, 학교를 그만두고 한예종에 다시 간다고 했을 때, 그때 진짜구나 했죠.
박정민 무심한 놈들! 저도 애네들 하는 일에 별 관심 없어요. 얘들은 어디 들어가잖아요? 소화기부터 봐요.
곽지훈 안 그래도 이미 확인했어, 이 가게 소화기!
박정민 둘이 동업하는 게 꿈이래요.
곽지훈 사실 정민이가 이리 대단해질 줄 몰랐어요. 더 대단해지면 어떻게 될까, 걱정도 되고요.

어떤 걱정이죠?
곽지훈 지금도 바쁠 때는 못 놀 때가 많거든요.

박정민 픕. 같이 못 놀까 봐?
남궁수 픕. PC방 같이 못 갈까 봐?
일동 하하하하.
박정민 그런데 내가 일로 바쁠 때보다 연애할 때 더 못 만나잖아. 연애할 땐 이 친구들 아예 안 만나거든요. 근데 근 몇 년 너무 자주 불러내서 아주 귀찮았겠~어? (웃음)
곽지훈 연락 안 되는 게 오히려 마음 편해요. 갑자기 연락되면 불안해! 또 무슨 일 생겼나 하고… 혹시 오늘 성남시청공원 가보셨어요?

네. 정민 씨가 자주 가는 공간이라면서요? 생각할 게 있거나 스트레스받을 때 찾는.
곽지훈 저희끼리 부르는 말인데 '성시발령'이라고 있어요. '성'남'시'청공원으로 오라는 말의 줄임말이죠. 정민이 신상에 무슨 일이 생겼다 싶으면 제가 친구들에게 문자로 '성시발령'을 내요. 그럼 다들 성남시청공원으로 달려오죠.
박정민 제가 우울해질 때가 가끔 있는데, 한 친구가 그러더라고요. 너부터 먼저 챙기라고. 어릴 때부터 성향이 그랬어요. 타인을 만족시키는 게 우선이었죠. 그래서 학창 시절 남들이 해달라는 건 거의 다 해줬어요. 공연 무대 만드는 거 도와달라고 하면 가서 돕고, 연기 연습해야 하는데 같이 해달라고 하면 대본 맞춰주고. 내 시간이 없어도, 타인이 나로 인해 만족을 느끼면 그게 그냥 좋은 거예요. 그게 열심히 사는 거라 생각했는데, 어느 날 돌이켜보니 꼭 그렇지도 않더라고요. 어떻게 보면 타인의 기준에 제 행복을 맞추며 살았던 거죠.

지금 정민 씨가 연기를 하는 것은 본인의 쾌락을 위한 건가요? 아니면….

박정민 지금은 제 만족을 위한 게 커요. 그럼에도 이 일이 여러 사람과 하는 일이다 보니 타인을 신경쓰지 않을 수 없죠. 타인의 시선 안에 놓인 일이기도 하고요.

그래서 친구들이 '성시발령'을 만들었군요. '성시발령'은 자주 호출되나요?

박정민 이전에는 꽤 잦았는데 요즘엔 별로 없어요.

곽지훈 이 친구 뉘앙스가 있어요. 장난으로 힘들다고 할 때랑, 진짜 힘들다고 할 때랑 달라요. 투정 부리면서 힘들다 하면 그냥 "꺼져" 이러는데, 바닥까지 떨어졌다 싶으면 바로 '성시발령'을 공지하죠.

박정민 소리치며 울다가 성남시청공원 그늘에서 잠들어버린 적도 있어요. (웃음)

곽지훈 그때 너무 난리를 치길래, 빨리 보내버리려고 술을 엄청 먹였어요. 그 사진 어디 있을 텐데… 너 더 유명해지면 그 사진 풀어버릴 거야! (감사합니다. 여기에 풀어주셨습니다.)

정민 씨 연애사 좀 들려주세요.

박정민 순정파죠.

남궁수 좋게 말하면 순정파죠. 다음 생엔 정민이 여자친구로 태어나려고요.

소리치며 울다가 공원에서 잠들어버린 과거의 박정민.
베개로 사용한 신발이 포인트다. (사진 제공 곽지훈)

순정파 중에서도 순정파인가 보군요.

곽지훈 정확히 말하면 여자친구가 된 다음에 한번 차고 싶은 거 아냐?

남궁수 그럼 돌아오라고 차도 사줄걸?

박정민 사줬던 거 같기도 하고. (웃음)

남궁수 그래서 다음 생엔 정민이 전 여친으로 태어나는 게 꿈이에요.

박정민 넌 내 스타일 아니야.

일동 하하하.

첫사랑은 언제였어요?

박정민 끝사랑이 첫사랑이죠.

곽지훈 미친.

일동 하하하.

친구들이 보는 박정민의 장점은 뭔가요?

곽지훈 정민이가 굉장히 섬세하고 예민한데, 저는 이게 이 친구의 큰 장점이라고 생각해요. 생각 자체가 다른 애들과는 달라요. 저희가 생각하지 못하는 것까지 생각하고 또 챙기죠. 그런 지점들이 이 친구가 하는 일과 잘 맞지 않나 싶어요.

박정민 생각이 많은 거죠.

남궁수 조금 오그라드는 말인데, 머리가 좋아서 그런지 뭐든 금방 배워요. 사실 정민이가 노래를 못해요.

(영화 〈변산〉에서 확인한 노래 실력을 떠올리며) 설마!

남궁수 그러니까 이놈이 무서운 거죠. 얼마 전 〈유희열의 스케치북〉 나가서 노래하는 걸 보는데 놀랐어요. 피아노 치면서 노래하는데, 그게 진짜 어렵거든요. 신기했죠.

박정민 저는 그렇게 생각해요. 그것도 연기예요. 잘하는 척하는 연기를 하는 거죠. 원래 잘하는 것과, 못하는 걸 진짜 잘하게 되는 것과, 잘하는 것처럼 보이게 하는 건 차이가 크다고 생각하거든요. 저는 잘하는 게 아니라, 그냥 잘하는 척하는 걸 조금 할 뿐이에요. 약간의 캐치를 한다고 해야 하나? 잘하는 척하는 걸 배우는 거죠.

곽지훈 이것도 장점이에요. 정민이가 겸손해요. 뻐기기나 그런 게 전혀 없어요. 사람이 인기 얻으면 변한다고도 하는데 안 그래요. 늘 같아요.

박정민 얘네한테는 센 척 엄청 해요. 여기에 다 푸는 거죠. (웃음) 가장 저다운 모습을 보여줄 수 있는 친구들이에요. 짜증나면 숨김없이 짜증내고요.

곽지훈 잔소리 좀 안 했으면 좋겠어요. 밥 좀 잘 먹고!

박정민 제가 지훈이에게 유독 화를 많이 내요.

남궁수 그럼 지훈이는 또 저에게 풀어요.

곽지훈 넌 누구한테 푸니?

남궁수 나도 나한테?

일동 하하하.

박정민의 어떤 영화를 가장 좋아하나요.

박정민 일단 〈파수꾼〉은 재미없다고 했어요. 영화 보는 눈이 떨어지는 애들이에요. (웃음)

곽지훈 그래도 〈파수꾼〉 네 번이나 봤어. 저는 정민이의 새로 나오는 영화가 늘 가장 재미있어요.

남궁수 저는 〈전설의 주먹〉[11]! 그게 정민이 첫 상업영화인데, 우리가 생각하는 큰 영화에 처음으로 출연한 거니까 신기하면서도 좋더라고요. 박카스 CF 찍고 할 때는 그러려니 했는데. (웃음) 〈동주〉 땐 다른 이유로 좋았는데, 〈왕의 남자〉 이준익 감독님을 시사회에서 볼 수 있어서 참 설레더라고요.

박정민 저는 이런 게 신기한 거예요. 이준익 감독님이 대단한 감독님인 건 잘 아는데, 워낙 오래 만나다 보니 저에겐 아저씨 같은 느낌도 있거든요. (웃음) 그런데 누군가에겐 너무 대단한 사람인 거예요. 그래서 친구들의 이런 반응을 보면 다시금 숙연해지죠. '맞다! 내가 막할 분이 아닌데' 하면서. (웃음)

남궁수 〈동주〉의 경우 정민이답게 나온 영화라고 생각해요. 송몽규 시인이라는 역할 자체가 글 쓰는 작가의 느낌이 나잖아요? 정민이도 글 쓰는 걸 좋아해서 느낌 있더라고요.

글솜씨는 어릴 때부터 좋았군요.

곽지훈 저희가 고등학교 때 '싸이월드' 그룹 다이어리를 함께 사용했어요. 그때 정민이가 쓴 걸 보면, 비속어도 많고 다듬어지지 않긴 했지만 정말 재밌었어요. 정민이 책도 재밌잖아요? 그런데 대부분의 다른 배우들은 학창 시절부터 끼가 두드러지는 편인가요?

반반인 것 같아요. 학교 다닐 땐 조용했던 경우도 많더라고요. 실제로 만나면 낯가리는 배우도 많고요. 정민 씨도 낯을 좀 가리죠?

박정민 예전에는 더 심했어요. 특히 배우들에게 낯을 가렸던 가장 큰 이유는 '저 배우가 나를 모를 것이다'라는 생각이 커서였어요. 이제는 얼굴 정도는 아시지 않을까 하는 생각이 조금 있어서 "안녕하세요, 박정민입니다" 하고 먼저 다가가기도 해요. 이전에는 "저는 어떤 영화에 나왔던 누구입니다"라고 얘기하는 게 저 사람도 불편하고 나도 불편하고… 그러다 보니 피하게 됐는데 지금은 그러지는 않아요.

참, 〈변산〉은 부자 관계를 다룬 영화지만 우정에 대한 영화이기도 했어요.

곽지훈 정민이는 불효자예요.

박정민 아니야, 요즘 돈 많이 드려. (웃음)

남궁수 너희 부모님 그거 없어도 문제없으시거든!

곽지훈 맞아. 나쁜 놈. 돈이 전부가 아니야~ 어머니께 연락은 자주 드리냐?

박정민 얘네가 저희 부모님을 저보다 더 잘 챙겨요.

남궁수 어머니 아버지가 정민이에게 못 물어보는 것도 저희에겐 물어보시죠.

박정민 저보다 얘네들을 더 좋아해요. 대화를 더 잘 해주니까. 통화도 저보다 이 친구들이 더 많이 할걸요?

곽지훈 그래도 다 네 걱정이지. 정민이가 걱정되면 저에게 연락하세요. "정민이 별일 없니? 밥은 잘 먹고 다니니?"

남궁수 백상예술대상에서 정민이가 〈동주〉로 신인상을 받았을 때, 어머니가 펑펑 우셨어요. 그때 제가 현장에 모시고 갔었는데 너무 좋아하시더라고요.

박정민 많이 우셨다고 그러더라….

뭔가, 〈변산〉의 한 장면을 보고 있는 듯한 기시감. 〈변산〉에서 박정민이 연기한 '학수' 곁에는 절친한 고향 친구 '구복(최정헌)'과 '상렬(배제기)', '석기(임성재)'가 있다. 그들은 퉁명스러운 학수 대신 학수 어머니의 산소를 돌보고, 학수 아버지에게 살갑게 아들 노릇을 한다. 현실의 '박정민-그의 친구들' 관계와 유사한 지점이 엿보여 슬며시 미소가 지어졌다.

남궁수 어릴 때 정민이가 아버지 생신이 가까워오면 선물 사는 데에 저희를 끌고 갔어요. 그런데 선물 사러 가면 꼭 자기가 갖고 싶은 걸 골랐어요. 아버지껜 필요 없는 물건을요. 그래서 아버지에게 드리잖아요?

박정민 (아버지 흉내) "에잇, 너나 가져라!"

일동 하하하.

남궁수 그럼 지가 그냥 쓰는 거예요.

곽지훈 머리가 좋아.

남궁수 정민이 아버지는 우리 아버지 같기도 해요. 제가 취업 못 하고 빌빌거리고 있을 때 "어디 원서는 써봤니" 하시며 조언해주고 그러셨어요.

곽지훈 우리에겐 또 한 분의 아버지시지.

정민 씨 또래 중에 좋은 활약을 보여주고 있는 배우들이 참 많잖아요? 특히 독립영화에서 출발해서 지금 많은 사랑을 받는 배우들이

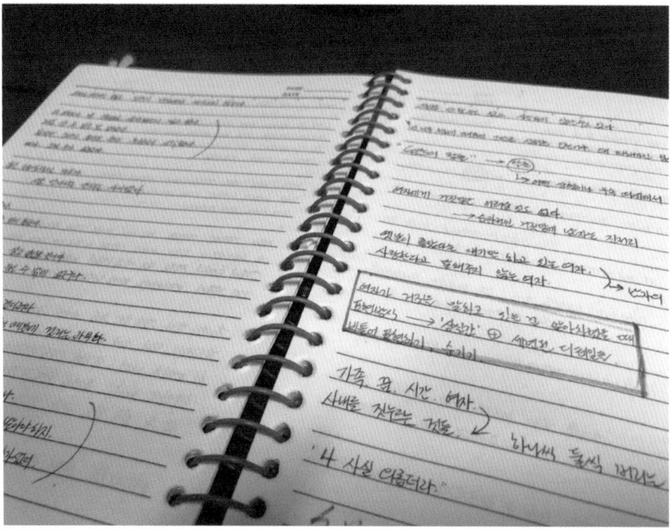

2014년 극단 '경'을 통해 무대에 올린
연극 〈G코드의 탈출〉. 당시 그의 대본.

여러 낙서와 단상에서 그의 치열함과 위트가 엿보인다.

요. 이 층이 매우 탄탄하다고 느껴요. 각자가 가는 길이 매우 흥미롭기도 하고요.

박정민 맞아요. 제 또래에 좋은 배우들이 정~말 많아요.

관객 입장에서 굉장히 고무적인 일이에요.

박정민 그런 생각이 들어요. 저희가 한국영화 황금기를 이끈 선배님들이 나오는 영화를 보며 꿈을 키운 시네마 키드들이잖아요. 한국영화가 잘될 때도 있고 당연히 잘되지 않을 때도 있겠죠. 이 상황에서 우리가 할일이 많지 않을 수도 있지만, 그럼에도 제 또래 배우들이 앞으로 어떤 선택을 하느냐는 참 중요하겠구나 생각해요. 선배님들께서 잘 닦아오신 길을 꾸준히 잘 이어가는 게 중요하지 않을까 싶기도 하고요.

곽지훈 정민이가 우리랑 있을 때와 쓰는 어휘가 달라. 우리끼리 있을 땐 막 인터넷 용어 쓰고 그러는데.

남궁수 의미 없는 삼행시 짓기 놀이 하고.

일동 하하하.

곽지훈 정민이에게 연기는 어쨌든 사회생활이잖아요? 사적인 공간을 벗어나서 일하는 걸 보면 멋있다 싶어요.

아무리 생각해도 정민 씨는 인생을 잘 산 것 같아요. 이런 친구들이 있다는 게. 말은 툴툴거리지만 기본적으로 서로에 대한 애정이 있음이 느껴집니다.

박정민 사회에 나와서 만나는 사람과는 자칫 오해가 생길 수 있잖아요? 그런데 이 친구들에겐 그 어떤 말을 해도 용서가 되니 편하고 좋아요.

곽지훈 저희는 정말 친구 없는 애들이 모여서 친구가 된 느낌이에요.

박정민 맞아. 다들 뭔가가 결여돼 있어서 잘 맞는 거지. '인싸'가 되고 싶었으나, 결국 '아싸'였던! (웃음) 한잔하자.

인터뷰 며칠 후, 박정민은 자신의 인스타 라이브를 통해 또 한 번 기습적으로 셀프 LP 음악방송을 했다. 새벽 5시가 조금 넘은 시간이었고, 아쉽게도(?) 음주 방송은 아니었다. 추측건대 배역을 맡으면 연출이 요구하는 것에 한술 더 떠 캐릭터로 걸어 들어가는 습성을 지닌 그는, 새로운 캐릭터를 받아들이느라 뜬눈으로 밤을 통과했을 것이다. 평소보다 더 낮게 깔린 나긋한 음성에서 고된 수련을 묵묵히 이어가고 있는 자의 기분 좋은 노곤함이 느껴졌다. 이날 그의 선곡 중 하나는 제이슨 므라즈의 〈아임 유어스I'm Yours〉. 아마도, 그가 세상에 하는 말.

유추하건대, '좇밥근성'이 당신 성장에
큰 힘이 되지 않았을까 싶기도 합니다.

맞아요.
그 '좇밥근성'으로 몇 년을
버틴 거예요. 어떤 과도기에
있었다고 생각합니다.

저는 비관론자에 가까워서
저를 몰아세우긴 하지만,
그래서 열등감에 시달리기도
하지만, 그것이 결국 제가
성장하는 동력이 된다고
믿어요.

Essay

불안을 이겨내는 각자의 방법

꿈을 꿨다. 날아다니는 꿈이었다. 그러나 하늘을 난다고는 할 수 없었다. 날기는 나는데, 지면 가까이에서만 낮게 날았다. '꿈속의 나'는 하늘로 치솟고 싶어 온몸에 힘을 빡 줘보지만, 요령 부족인지 실력 부족인지 바닥 언저리에서 벗어날 수 없었다. 답답함과 초조함이 밀려왔다. 에라, 이건 안 나는 만 못한 재능 아닌가! 꿈에서 깨도 기분은 영 찝찝했다. 어릴 때 자주 느끼던 불안이었다. 남들이 하는 것보다 두 배 이상은 해야 그나마 남들만큼 할 수 있다고 광광하던 과거들.

고등학교 때 도서관을 즐겨 찾았다. 여러 학교 학생들이 모이는 그곳에서 내가 '의자왕'으로 불린다는 사실을 알았다. 책상에 한번 앉으면 엉덩이를 떼지 않고 책과 대치한다고 해서 붙은 별명이었는데, 처음엔 '삼천궁녀와 의자왕'의 그 의자왕인 줄 알고 애꿎은 국사책만 스캔했었다. 별명의 뜻을 알고 난 후엔, 나를 의자왕이라 부르는 친구들의 기대와 재미를 꺾으면 안 될 것 같아 더 끈질기게 의자에 앉아 있기도 했던 것 같다. 그러고 보니, '의자왕 사연'을 라디오에 보내 당첨도 됐었다. 당시 상품은 의류 상품권이었는데, 내가 사는 제주도에는 그 의류 브랜드가 없었다는 의자왕에 얽힌 웃픈 이야기.

각설하고, 누가 말했더라, 공부는 '엉덩이 싸움'이라고. 그 이론에 의하면 의자왕인 나는 전국은 몰라도 전교는 제패해야 했지만 그러지는 못했다. 다만, 지구력 강한 엉덩이 덕분에 뒤처지지 않았을 뿐이다. 그러니까 그마저도 하지 않으면 안 되는 인간이 나라는 걸 일찍이 간파하고 만 것이다. 공부 머리를 지니고 태어나지 못했으니 후천적으로 노력했다, 는 이야기를 하려는 건 아니다. 내게 엉덩이 싸움은 '노력의 일환'이라기보다는 '불안을 잠재우기 위한 방법'에 가까웠음을 말하고 싶음이다. 스스로에 대한 의심이 많다 보니, 남들보다 더 해야 중간이라도 간다는 강박이 늘 아스팔트 위의 껌딱지처럼 심중에 들러붙어 있었다.

엉덩이 싸움은 글 쓰면서 먹고사는 지금도 진행 중이다. 글쟁이 프리랜서의 장점은 어디에서든 글을 쓸 수 있다는 것이고, 단점 역시 어디에서든 글을 쓸 수 있다는 것이다. (응?) 이태원 카페든, 제주도 바닷가든, 베를린 에어비앤비 숙소든 노트북과 손가락만 있으면 작업 준비 끝. 그래서일까, 어디를 가든 노트북이 없으면 뭔가 허전하고 불안하다. 어느 정도 중증이냐면, 해외로 여행을 갈 때도 부러 노트북과 마감 거리를 가지고 간다. 여행지에 좋은 글쓰기 아이템이 있다 싶으면 그걸 취재해서 쓰겠노라! 글을 기고하는 잡지사 등에 말해놓고 비행기를 타기에, 빼도 박도 못하는 마감 인생이 바다 건너에서도 이어진다. 그럴 때마다 1. '내가 왜 그랬을까' 하는 후회 2. '맘 편히 놀 걸 미련하게'라는 자책 3. '그래도 놀면서 원고료도 벌었다'라는 자기 위안의 3단계를 겪곤 한다. 뭐랄까. 약간 사서 고생하는 스타일이랄까. 바쁘게 돌아가는 상황에서 마음의 안정을 느끼는 타입인 면도 있다.

물론 노트북을 끼고 있다고 해서 효율이 좋은 건 아니다. 글 조금 쓰다 인터넷 쇼핑하고, 글 조금 쓰다 SNS 확인하고, 글 조금 쓰다 뉴스 훑어보고… 왜 '딴짓'은 일할 때 가장 재미있는가. 하얀 백지 위, 깜빡거리며 입력을 압박하는 노트북 커서 앞에서 언어가 엉켜 아무것도 쓰지 못하는 좌절도 자주 겪는다. 토해내고 싶은 말들은 분명 있는데, 어디서 시작해야 할지 모르겠는 막막함. 이걸 '작가의 장벽 Writer's Block'이라고 한다나. 비유가 '작가'일 뿐이지 사실 누구나 맞닥뜨릴 수 있는 벽이다. 기준점이 높을 때, 자기 의심이 지나칠 때, 뭔가 '훅' 있게 잘해내고 싶을 때.

이걸 이겨내는 최고의 방법은 '꾸준함'이라고들 하는데, 내가 박정민이라는 배우를 리스펙트하는 이유이기도 하다. 천재 피아니스트로 분하든, 전설의 타짜가 되든, 래퍼를 맡든, 정말 그런 사람인 것처럼 연기해내는 배우. 그러나 모두가 '연기 천재'라 칭하는 이 배우는 정작 자기 의심이 많고, 실력이 '뽀록'날까 불안하다고 스스럼없이 밝혀오곤 했는데, 그런 그에게 발견한 흥미로운 지점은 (박정민 표현을 빌리면) '좆밥근성'이었다. 반성과 불안을 오가며 괴롭더라도 견뎌내려는 자세. '좆밥근성'을 언급하며 그는 "저는 비관론자에 가까워서 저를 몰아세우긴 하지만, 그래서 열등감에 시달리기도 하지만, 그것이 결국 제가 성장하는 동력이 된다고 믿어요"라고 덧붙였는데, 이상도 하지. 그런 그를 보며 나를 겁나게 몰아세웠던 지난 과거와 '급' 화해를 하고 말았다. 그리고 불안이라는 감정을 조금 더 긍정적으로 받아들일 수도 있게 되었다.

생각해보면, 우리는 누구나 어느 정도의 '좆밥근성'이 필요하다. 세상에 진정한 천재라 불리는 이들은 소수이고, 그런 소수들조차 확신을 얻기 위해 자기만의 안간힘을 쓰니까. 오래전 신형철 문화평론가를 인터뷰로 만난 적이 있다. 당시 그는 《씨네21》에 영화칼럼을 기고하고 있었고 나는 그가 쓰는 글의 열혈 팬이었다. 아니, 도대체 어떻게 하길래 그런 대단한 문장들이 나오는 걸까. 돌아오는 답변은 놀라웠다. 그는 어떤 영화를 쓰겠다는 게 결정되면 극장에 가서 대여섯 번 관람하고 메모하며 글의 개요를 짠다고 했다. 이게 맞나 안 맞나 불안하면 극장에 가서 다시 확인하고, 놓친 대사가 있으면 그 대사 때문에 또 극장에 간다고 했다. 아, 천하의 신형철 평론가도 이렇게 엉덩이 싸움을 하는데, 하물며! 위안이 됐다. 세상에 정답은 없으며, 자기만의 방법과 근성으로 불안을 뚫고 나가는 게 중요하다는 생각이 들어서다.

얼마 전 또 꿈을 꿨다. 바다 한가운데를 떠다니는 꿈이었다. 그러나 헤엄친다고 할 수는 없었다. 떠다니긴 떠다니는데 폼이 거의… 아니, 폼이라 명명하기도 민망한, 그냥 팔다리 젓기였다. 한국 수영의 희망 황선우 선수처럼 아름답게 헤엄치고 싶었으나, 자세는 계속 허술하고 속도는 느렸다. 그러나 '꿈속의 나'는 풀이 죽지 않았다. 더디더라도 부력을 이용해 바다 위를 버티며 물의 흐름을 살피면서 나아가고 있었다. '좃밥근성'을 떠올리며.

Presented by

a Room of one's Own

배우

Casting

박정민

Room

No. 1

의 방

Actor's
Room

To be continued.

Actor's

Room

#2

배우 천우희의

방

연희동 가족 식당

PM 02:00 ~ 06:30

내 사람만
나를 믿어주면
버틸 수 있어요.

PM 02:00

친오빠가 운영하는 한정식집

누가 그랬더라. 충무로에서 고난도 연기력을 요하는 20~30대 여성 캐릭터의 상당수는 천우희에게 가는 것 같다고. 그녀의 연기를 보며 생각하곤 했다. 감독들은 천우희를 만나면 그녀를 한계 이상으로 밀어붙이고 싶은 자극을 받는 게 아닐까, 하고. 그래서 또 상상했다. 그렇다면 스크린을 뚫고 나오는 저 에너지는 고갈돼서 바닥을 드러내야 할 텐데, 도대체 어떤 신비의 묘약을 숨겨뒀길래 매번 나타나느냐고. 이번 만남은 그에 대한 해답을 엿보는 시간이었음을 대화를 하면서 알아챘다. 그건 그녀가 초대한 공간 속에 있었으므로. 살짝 예고하자면 그건 사물이 아니라 사람이고, 온기이고, 어떤 정서였다.

Scene 1. **시야를 흐리게 하는 미세먼지가 오랜만에 물러난 1월의 어느 날, 연희동에 위치한 천우희의 공간으로 들어섰다. 얼핏 보면 2층짜리 가정집인데, 들어서니 1층과 지하는 정갈한 한정식 전문점으로 개조돼 있었다. 정확히 말하면 천우희 어머니의 정성이 깃든 곳이고, 그녀 오빠의 작업실이자, 그녀의 조카들이 뛰어노는 가족 공간. 화장기를 거의 들이지 않고 나타난 천우희의 얼굴에서 봄을 부르는 싱그러움이 묻어났다. 천우희에겐 들뜨지 않는 깊은 속내와 아이 같은 천진함이 공존하는데, 그 둘이 서로를 보완하며 상대를 편하게 해준다는 점이 인상적이었다.**

영화계 대표 '집돌이'라면서요?

하하하. 그래서 인터뷰 콘셉트가 공간이라고 해서 '어떡하지?' 했어요. 집은 너무 단출해서 보여드릴 게 없거든요. 자주 가던 합정동 카페들을 생각해봤는데, 제가 '폐점 여왕'이라, 가는 곳마다 다 문을 닫았지 뭐예요. (일동 웃음) 고민 끝에 오빠 가게를 아지트로 꼽은 건, 그래도 제가 이 공간에 머물러 있는 시간이 많아서예요. 선배님들도 자주 오세요. 얼마 전에도 이곳에 모여 식사를 함께했죠.

이 공간은 어머니가 하시다가 지금은 오빠가 운영하고 있다고요.

가게가 합정동에 있었는데 몇 년 전에 이곳으로 옮겨왔어요. 옮기면서 부모님은 힘들다고 손을 떼시고, 지금은 오빠가 맡아서 하고 있죠.

가족들을 도와 가게 일도 많이 했나요?

그럼요. '전달'이라고 해서 제가 전 부치기의 달인이랍니다. 이전에는 서빙도 많이 했는데 영화 〈한공주〉[1] 이후로는 주로 주방에서 일해요. "〈한공주〉에 나오신 분 맞죠?" 하고 알아봐주시는 손님들이 생겼는데, 감사하면서도 당황하게 되더라고요. 그때부터 저는 "주방에서 전을 부치겠다!"고 한 거죠.

고향 이천에 대한 애착이 크다고요.

스무 살 때까지 이천에서 자연과 함께 자랐어요. 이천의 정서라고 해야 하나? 자연스럽게 제 안에 스민 그 정서가 너무 좋아요. 마당에는 강아지부터 오리, 닭들이 뛰어다니곤 했죠. 이천 친구들과는 지금도 계속 만나요. 드라마 〈SKY 캐슬〉 방영 때 한 친구가 그러더라고요. "우리는 순수하게 커서 정말 다행이야"라고. (웃음)

동식물을 사랑하나 봐요.

동물, 좋아해요. 반려견 '망고'가 있죠. 식물도 좋아하긴 하는데, 제가 '식물 킬러'예요. 제 손에만 오면 다 시들어버리는 슬픈 현상이….

대화가 오가는 동안 상이 차려졌다. '따뜻한 밥 한 끼' 함께하자는 천우희의 '따뜻한 말 한마디' 때문이었다. 고향 이천에서 직접 밭을 일구는 그의 어머니가 보내온 재료로 만들어진 반찬에서 몸에 좋은 자연의 냄새, 집밥의 향기가 났다. 그 옆으로 이천 쌀로 지어진 밥이 고운 빛깔을 뽐내고 있었다. 인터뷰 중엔 대화에 집중하느라 식욕이 뚝 떨어지는 경향이 있다… 고 여겨온 나의 믿음은 그날부로 과거형이 됐다. 젓가락을 멈추지 못하는 스스로를 보며 생각했다. 아, 내가 '집밥'이 그리웠구나.

(밥 한가득 물고) '이천 쌀'의 장점 좀 소개해주시죠.
일단! 윤기가 다르고요, 아주 찰지답니다. (웃음) 토양이 좋아서 그런지 확실히 쌀이 좋아요. 이천 분들 입맛이 은근 까다로운데, 기본 밥 자체가 맛있어서 그런 게 아닐까 싶어요.

혹시 쌀 종류도 구분해내는 수준인가요?
그 정도 '만렙(최고 레벨)'은 아니고요. 하하하.

영화에서 엄청난 에너지를 보여주시는데, 그 모든 게 '밥심'에서 나온 게 아닌가 싶군요.
저, 저질 체력이에요. 촬영은 정신력으로 하죠. 평소 기력이 없어서 연기할 때만 집중해서 빡 쓰는 스타일이에요. 잔병치레가 있는 편이라 응급실도 자주 가는데 현장에서만큼은 몸이 아픈지, 컨디션이 어떤지, 그런 생각 자체가 안 나요. 재미있어요, 현장은. 스태프분들이나 감독님, 함께 연기하는 분들의 기운을 받으니까요.

이천의 정서를 머금은 따뜻한 밥상.

이천(천우희 고향) 쌀로 만든
돌솥밥이 압권이다.

영화마다 현장 분위기가 다르잖아요. 그 영향도 받나요?
영향은 받는데 그 흐름을 타지는 않아요. 자칫 현장 분위기에 말리면 연기에 영향을 줄 수 있으니까요.

배우 할 '팔자'인가 봐요. (웃음)
영화 〈버티고〉[2] 쫑파티 때 조감독님이 "우희 씨! 우희 씨는 연기하려고 태어난 게 맞아요"라고 하시더라고요. 이유를 여쭸더니 "연기 안 하면 아마 몸이 아플 거예요!"라고. (웃음) 내가 연기를 안 했다면 어땠을까, 상상해보면 딱히 떠오르는 게 없어요. 다른 걸 안 해봐서 그런 건지, 제가 평범해서 다른 재능이 없다고 생각해서인지는 잘 모르겠지만요.

아세요? 많은 인터뷰에서 "난 평범하다"라고 버릇처럼 말씀하시는 거.
저, 진짜 평범해요.

당신이 생각하는 '평범하다'의 기준은 뭔가요.
글쎄요. 어떤 아티스트를 보면 독창적인 느낌이 있다거나, 성격 자체가 특별하다거나 그런 게 있잖아요. 그런데 저는 평범한 가정에서 평범하게 자랐고, 성격 자체도 무난해요. 그렇다고 연기력이 타고난 것도 아니고.

그녀는 일관되게 자신이 평범해서 재미없다고 말했지만, 미안하게도 그 말에 동의할 수 없었다. '뭔가 특별해 보여야 한다'고 자기 최

면을 거는 유형의 아티스트보다, '꾸미지 않고 자신을 드러내는' 그녀가 오히려 더 특별해 보였기 때문이다. 천우희는 이후에도 여러 번 자신이 부족하고 평범한 사람이라고 했는데, 행간의 의미들을 복기하며 뒤늦게 깨달은 점. 그건 '버릇'이라기보다 '심성'에 가깝다는 확신이었다.

연기는 타고나야 하는 걸까요?

그 이야기, 연기, 음악 하는 친구들과 종종 해요. 저희가 합의한 결론은 '노력으로 안 되는 건 없다. 하지만 기본적인 재능은 있어야 한다.' 그나마 연기는 다른 예체능에 비해 노력으로 채울 수 있는 부분이 크죠. 기술이나 기교로 넘어갈 수 있는 부분이 있으니까요.

절박한 심정은 직접 겪어봐야 연기로 잘 표현할 수 있을까요?

왜 그런 말 많이 하잖아요. 경험을 많이 해봐야 연기에 도움이 된다는 말. 그 말에 저는 완전히 동의하지 않아요. 상상으로 더 풍부하게 표현할 수 있는 부분이 있다고 믿거든요. 그리고 제가 이제껏 연기한 캐릭터들이 현실과 동떨어진 경우가 워낙 많아서…. (웃음)

기구한 캐릭터들을 많이 맡았죠.

네. 경험을 대입할 만한 캐릭터가 많지 않았어요. 많은 경우, 저의 상상력을 믿고 나아갈 수밖에 없었죠. 그러면서 상상의 힘을 더 믿게 된 측면이 있어요.

이날 천우희는 휴대폰에 자신의 기록이 담긴 물건들을 찍어왔다. 연기 노트와 일기장, 그리고 주제별로 과거를 일목요연하게 정리한 파일들이었다. 그 양이 상당해 보일 뿐 아니라, 질서정연해서 나도 모르게 이렇게 외쳤다. "이걸로 천우희 특별전 열어도 되겠어요!"

사진도 연도별, 작품별로 정리해둬요. 기억력이 좋지 않아서 메모를 쓰기 시작했는데, 그러다 보니 일기도 습관이 됐죠. 가계부도 따로 쓰고요. 기록에 대한 어떤 편집증이 저에게 있나 봐요.

정리된 걸 보면 뿌듯한가요.
(함박웃음) 뿌듯합니다.

올해의 버킷리스트도 만들었나요?
올해부터는 안 만들기로 했어요. 버킷리스트 열 개 중에 절반도 못 지키더라고요. 계획만 세우다 시간 보내지 말고, 일단 뭐든지 해보자 쪽으로 마음을 바꿨어요. 제가 살아온 방식을 조금 바꿔보려고 해요.

일기장에는 보통 뭘 남기나요. 자기반성? 내일의 다짐?
그날 느낀 감정의 흔적들, 고민들… 불현듯 생각나는 건 바로 메모해요. 왜, 그런 사람 있죠? 메신저에 '1'이 떠 있는 걸 못 보는 사람. 바로 확인해서 없애야 하는. 제가 그래요. 메모도 밀려 있는 게 싫어서 컴퓨터에 옮겨놔요. 제가 딱히 취향이 있는 편이 아니에요. 물욕도 없고요. 그런데 이상하게 사진과 감정들

주제별-연도별로 일목요연하게 정리된

천우희의 과거 기록들.

천우희의 '연기 노트'와 '5년 일기장'.

은 모으게 되더라고요.

기록들은 다시 찾아보나요?

작품 들어가기 전에 다시 다 봐요. 과거를 복기하면 작품 준비할 때 큰 도움이 되거든요.

당신에겐 이 모든 게 연기를 위한 투자이기도 하네요.

맞아요. 마음을 다잡게 해주는 기록들인 거죠. 이건 '5년 일기장'인데 기자님에게도 추천해드릴게요. 5년 동안의 같은 하루를 한 장에 적는 거예요. 자연스럽게 작년이나 재작년에 어떻게 살았는가를 파악할 수 있죠. 과거를 보면 많은 자극을 받아요. '작년 오늘 열심히 살았네?' 싶으면 스스로 칭찬하고, '이때는 조금 게을렀네?' 싶으면 반성을 하게 되죠. 지금 네 번째 칸까지 채웠어요. 앞장엔 소망과 목표를 적는데, 신기하게도 썼던 게 모두 이뤄졌어요.

오, 마법 노트군요.

저에겐 그래요. 그래서 주변에 "여러분, 한번 써보세요. 글의 힘이 이렇습니다!" 홍보하고 다니는데, 다들 "좋다, 좋다" 하면서 실천은 안 하시더라고요. (웃음)

그동안 어떤 소망과 목표들을 썼나요.

여우주연상 수상, 칸국제영화제 초청 같은 것들요.

"유명하지 않은 제가 이렇게 큰 상을 받다니…." 2014년 〈한공주〉로 청룡영화상 여우주연상 트로피를 안은 그녀가 눈물을 흘리며 한 말이다. 아마도 이건 청룡 역사에서 가장 겸손한 여우주연상 수상 소감이 아니었을까. 많은 이들이 〈한공주〉로 '배우 천우희'를 발견했고, 스크린 밖 그녀의 눈물을 통해 '사람 천우희'를 유추했다.

2년 후 천우희는 칸국제영화제 무대를 밟았다. 나홍진 감독과 함께한 〈곡성〉[3]을 통해서였다. 〈곡성〉에서 그녀는 산 자인지 죽은 자인지, 악인인지 선인인지, 거짓을 말하는 것인지 진실을 내뱉는 것인지, 혹은 그 무엇도 아닌지, 도통 알 수 없는 표정으로 스크린에 팽팽한 긴장과 서늘함을 선사했다. '무명'이란 이름마저도 미스터리했던. 출연 시간은 10분 남짓이었다. 하지만 이 배우는 '중요한 것은 분량이 아니라 존재감'이라는, 기본이지만 결코 쉽지 않은 사실을 증명해 보였다.

굵직굵직한 목표를 달성했네요. 마지막으로 쓴 목표는 무엇인가요.
칸영화제 갔으니까 이제 할리우드 가면 좋겠다 했는데, 제가 영어 공부를 적극적으로 안 하고 있어서…. (웃음) 여러 경험을 해보고 싶은 마음이 있어요. 미국은 캐릭터도 다양하고, 시장 규모도 크니까요. 현장 진행 시스템도 다를 텐데 배우와 감독이 어떤 이야기를 나누고, 어떻게 디렉션을 주고받는지, 프리프로덕션Pre-Production(촬영 준비)은 어떤지 많은 것들이 궁금해요.

일단 뭐든지 해보자, 라고 하셨는데 유튜브 채널 〈천우희의 희희낙

낙〉(이하 〈희희낙낙〉)은 그런 계획의 일환이었나요?

〈희희낙낙〉은 사연이 조금 있어요. 제가 영화 〈우상〉[4]을 7개월 간 찍으면서 많이 지쳤어요. 이수진 감독님과 〈한공주〉에 이어 두 번째로 함께하는 작품이라 감사한 마음이 컸고, 그래서 더 잘해야 한다는 욕심도 있었나 봐요. 그런데 상황적으로 안 따라 준 부분이 있었어요. 제 능력만큼 연기해낸 것 같지 않다는 생각에 애도 많이 탔고요. 게다가 '연기 신'으로 불리는 두 선배님과 함께했잖아요?

한석규, 설경구 씨요.

네. 경력 차이가 있기는 하지만, 두 분을 보면서 '나는 별 게 아니구나!'라는 생각이 들었어요. 두 분과 비교해서가 아니라, 이 힘든 상황을 이겨내지 못한다는 것 자체에 스스로 실망한 거죠. 저는 아무리 힘든 상황 앞에서도 이타심과 평정심으로 버티는 사람이에요. 버거울 때마다 스스로 잘 견딘다는 것도 알아요. 그런데 그땐 그게 안 되더라고요. 그러면서 바닥을 친 거죠. 심할 정도로요. 저의 그런 모습이 처음이라 주변에서 많이 당황스러워 했는데, 사실 가장 당황스러웠던 건….

당신이었겠네요.

네. 시기적으로 그럴 타이밍이었던 건지, 작품 때문인 건지, 여러 가지가 복합적으로 겹쳤던 것 같아요.

생각이 꼬리에 꼬리를 무는 시기였군요.

너무 지치다 보니 농담 반 진담 반으로 "〈우상〉을 7개월 동안 촬영했으니, 7개월 동안 쉬어야겠어요" 했어요. 그러면서 정말 아무도 없는 곳으로 혼자 숨어든 거죠. 그때 주위에서 유튜브를 해보는 건 어떻겠냐고 제안을 주셨어요. 처음에는 부담스러워서 거절했는데, 어느 정도 마음을 추스르고 나니 그런 생각이 들더라고요. '내가 배우라는 직업을 너무 무거운 짐처럼 생각하나 보다'라는 생각.

서른이 되면서 마음이 조급해진 것도 있었어요. 30대가 인생에서 가장 재미있을 것 같다는 기대는 있는데, 마음만 조급했지 행동으로 뭔가를 옮기고 있지 않으니 불안이 저를 괴롭혔던 거죠. 제게 주어진 귀한 시간이 계속 카운트되고 있는 느낌이었달까. 그래서 하게 된 거죠. '어렵게 생각하지 말고 일단 해보자. 누군가는 그걸 도대체 왜 하냐고 할 수 있지만 그래도 해보자' 하고요.

사실 당신은 기질적으로 '외로움이 있는 사람' 같다는 인상이 있었어요.
그런 이미지가 있죠. '다크하다'는.

그런 편견을 〈희희낙낙〉 보면서 많이 깼죠. '어? 천우희에게 저런 면이 있네? 애교도 되게 많네?' 하면서.
엇! 저에게 애교가 있어요?

모르셨어요? 일상 속 말투에 애교가 묻어나오는 거. (웃음)
하하하. 잘 모르겠어요. 처음 영상을 보고는 어색하고 민망하기만 했어요. 작품이나 인터뷰 때 말고는 카메라에 담긴 제 모습을 본 적이 없으니까요. 기본적인 습관이라든지 제스처 같은 것들 말이죠. "이거 정말 나가도 돼요?" 물어볼 정도였죠. 이젠 많이 편해졌어요.

〈우상〉으로 이수진 감독님과 재회하면서 〈한공주〉 생각도 많이 났을 것 같습니다. 〈한공주〉는 당신에게 어떻게 남아 있나요?

〈한공주〉는 촬영부터 개봉, 그리고 수상 사이의 시간 격차가 꽤 컸던 작품이에요. 상을 받기 전에 제 존재는 희미했어요. 그런데 상을 받고 나니까 사람들이 저를 다르게 바라봐주기 시작하더라고요. 그런 반응이 저에겐 조금 씁쓸하게 다가오기도 했어요. 〈한공주〉에 대한 제 마음은 늘 한결같았고, 이미 의미가 큰 작품이었거든요. 시간이 많이 흘러서 덤덤하기도 했고요. 그래서 그랬던 것 같아요. 상이라는 게 중요하긴 하지만, 그럼에도 결과에 따라 바라보는 게 달라지는 현상이 많은 생각을 하게 했죠.

그런데… 그게 인생이죠.

맞아요. 그땐 사회생활이 익숙하지 않다 보니, 더 그랬던 거죠.

지금은요?

다 안다고 할 수는 없지만, '그럴 수도 있지~!' 그러죠. (웃음) 그런데 저 또한 그래요. 잘 모르는 영화라도 어디서 상을 받았다거나 평론가 극찬을 받은 작품이라고 하면 괜찮은가 보다 하게 되는 게 있어요. 뭐랄까, 나의 기호가 점점 사라지고 있는 느낌이랄까. 지금 시대가 또 그런 것도 같고요. 자신만의 기호가 있을 것 같지만, 주변 정보가 너무 많다 보니 무의식적으로 그런 것들에 휩쓸리는 게 아닌가 싶은 거죠. 그러다 보면 한 번씩 '현타'가 와요. '이걸 내가 정말 좋아서 좋다고 하는 건가?' 하는 순간이요.

주변 분위기에 휩쓸려 변할까 봐 두렵나요.
적어도 제가 지키고자 하는 부분들이 있잖아요. 그런 것들을 조금씩 나도 모르게 외면하게 될까 봐 조심하죠.

그녀는 '양치기 소년'이 되지 않기로 다짐한 소녀처럼 대답했다.

정서적으로 받아들이지 않은 상태에서 연기한 적이 있는지요.
상을 받은 후에 생각했어요. '흔들리지 말아야 한다.' 그런데 너무 많은 이야기와 너무 많은 기대가 쏟아졌어요. 그러다 보니 안 그래야지 하면서도 귀가 얇아졌죠. 그렇게 해서 안 좋은 결과가 나오면 '그것 봐, 내 뜻대로 해야 했어!' 후회하기도 했고요. 그런데 그 또한 제 선택이었던 거잖아요. 제가 책임져야 하는. 저는 아직 헤매는 중이에요. 제가 하고 싶은 것과 할 수 없는 것, 그리고 사람들이 저에게 바라는 것들 사이에서. 달라진 지점이 있다면, 이전보다는 조금 더 현명해졌다는 거?

가령 어떤 거죠?
저는 단역부터 차근차근 밟아왔어요. 아까 말씀드렸듯 원하는 일들이 현실이 되는 순간들을 하나씩 목격해왔고요. 그러면서 '노력의 힘'이라는 걸 너무 믿었던 것 같아요. 흔히 말하는 스타성이라는 것도 내가 노력하면 되겠지, 라고 생각했던 거죠. 그런데 그건 완전히 다른 문제더라고요. 최선을 다해도 바꿀 수 없는 것들이 있다는 걸 알게 됐어요.

노력과 결과가 늘 비례하지는 않죠.

네. 그런 문제에 골몰하고 있을 때 전도연 선배님께서 너무 좋은 말씀을 해주셨어요. "우희야, 그건 어쩔 수 없는 거야. 그런데 어쩔 수 없다는 게 나쁜 게 아니야. 포기의 의미도 아니고. 인력으로 할 수 없는 것들이 있을 뿐인 거야"라고 하시는데, 그 순간 비로소 받아들여지더라고요. 저는 사실 '어쩔 수 없다'라는 말 자체를 나약한 것으로 생각해왔어요. 그래서 그런 생각을 하는 저 자신을 용납하지 않으려 했고요. 하지만 이젠 알죠. 꼭 그렇지만은 않다는 걸.

그래서일까요. 당신 표정, 참 많이 차분해 보여요.

지금은 약간 해탈한? (일동 웃음) 지금 굉장히 편해요. 그런데 이러다가 어느 순간 또 걱정이 기습해오겠죠. 그때 또 잘 넘어볼 생각이에요.

김혜수 배우도 좋은 조언자 중 한 명이죠? 종종 만나는 것으로 알아요. 김혜수 배우가 여러 인터뷰에서 당신에 대한 애정을 비추는 것도 봤고요.

몇 년 전이었지? 운동을 가고 있는데 혜수 선배님에게 전화가

왔어요. 그때까지 문자는 했지만, 통화하는 사이는 아니었거든요. 선배님이 물으시더라고요. "지금 (엄)정화랑 둘이 있는데 네 이야기가 나왔어. 혹시 올 수 있니?" 너무 좋아서 바로 운동 취소하고 달려갔죠. 그때부터 두 분과의 모임이 시작됐어요. 감사하게도 저랑 놀아주시는데, 점심때 만나면 이야기가 새벽까지 이어지죠.

기댈 수 있는 믿음직한 선배들이 있다는 건 큰 힘이죠.
엄청난 행운이죠. 두 분은 저뿐 아니라, 이쪽에서 일하는 후배들을 굉장히 잘 챙겨주세요.

반대로 연기 지망생 중에 당신을 롤 모델로 삼는 이도 많은 것으로 알아요. 당신은 하루아침에 떠오른 스타가 아니죠. 아까 얘기했듯 차근차근 쌓아온 배우고요. 그래서이지 않을까 싶어요.
저도 그 이야기 듣고 깜짝 놀랐어요. 그런 이야길 들으면 너무 고맙기도 하고 부담도 되고 만감이 교차하죠.

연기하면서 자신을 발견해나간 쪽인가요?
카메라라는 매개체 앞에서는 또 다른 내가 되는 거죠. 내가 어떤 걸 표현하든 카메라는 모든 걸 포용해줘요. 화를 내든, 미치광이가 되든, 가슴 아픈 사랑을 하든. 그래서 해방감을 느끼죠. 평소에는 '쫄보'면서. (웃음) 큰일에는 대범한데, 어떤 부분에서는 겁이 많아요.

데뷔 초, 오디션 볼 땐 어땠어요? 많이들 떤다고 하던데.

저, 굉장히 편하게 봤어요. 그러다 보니 다들 속으셨던 것 같아요. '재, 뭔가 있으니 저러는 걸 거야' 하셨던 거죠. (일동 웃음)

천우희는 무대 위에서 춤추고 싶은 사람, 춤출 무대를 제공해줄 사람을 기다리는 사람, 없다면 기어코 먼저 무대를 만들어갈 사람 같다는 생각이 문득 들었다.

당신은 당신이란 존재가 왜 지금 이 시기에 여기에 있는지 생각해본 적 있어요?

많아요. 우디 앨런의 영화 〈미드나잇 인 파리〉[5]를 보면 과거(1920년대)로 시간 여행을 떠난 주인공에게 그곳은 황금시대지만, 그곳에서 만난 여인은 1890년대 파리를 완벽한 황금시대라고 말해요. 많은 사람이 그런 것 같아요. 손에 쥔 것보다, 그러지 못한 것들을 동경하죠. 현실에서의 완벽한 만족이란 얼마나 어려운지. 영화를 다 보고 나면 지금 이 순간에 대해 더 생각하게 돼요. 그리고 제가 왜 이 순간에 있는지도요.

배우에게 만족이 있으면 행복할까요?

음. 아니요. 그럼 발전이 없을 것 같아요. 나홍진 감독님이 그런 말씀을 해주신 적이 있어요. "아티스트는 시대를 선택할 수 없다. 선택받는 것이기에 받아들이고 앞으로 나아가야 한다"라고. 듣자마자 와, 했어요. 결국 중요한 건 내게 주어진 환경에 나의 색을 융화시킬 수 있는 방법을 찾는 것 같아요. 바꿀 수 없는 걸 껴안고 고민하기보다는.

'식물 킬러'라는 천우희.
그녀의 손에서 기특하게 잘 자라고 있는 식물.

식당 한편에 가지런히 놓여 있는 와인.

지금 알고 있는 걸 그때도 알았더라면 당신은 다른 배우가 돼 있을까요?

그렇다면 조금은 달라졌겠죠.

지금보다 더 좋았을까요?

아니요. 너무 많이 아는 게, 과연 좋을까요.

공감해요. 인생은 의도한 대로 되는 게 아니니까.

연기도 똑같아요. 저는 캐릭터와 작품 분석을 많이 하지만, 분석한 의도를 현장에 가지고 가지는 않아요. 어떤 일이 벌어질지 모르는 게 현장이거든요. 내 안의 것들을 비우고 감독님 디렉션이나, 그때그때 느껴지는 감정이나, 상대방 연기에 맞춰서 연기해야지, 의도를 가지고 하면 오히려 엉망진창이 될 때가 많죠.

당신에게 현명한 싸움이란 어떤 건가요?

일단 내가 진짜 원하는 게 무엇인가를 잘 알고 있는 거겠죠. 그리고 제가 타인에게 피해 주는 걸 정말 싫어해요. 누군가가 제게 무례하게 구는 것 역시 참지 못하고요. 그랬을 때, 상처를 주지 않으면서 서로 원하는 걸 얻는 게 현명한 싸움이 아닐까 하는 생각을 해요.

당신 성향상 연기와 계속 싸워나가지 않을까 싶어요.

그랬으면 좋겠어요. 연기에 있어서만큼은 계속 싸우고 싶어요. 재능도 단련하지 않으면 연기처럼 사라진다고 생각하니까요.

그녀의 뒤로 '남자 천우희'인가 싶은 사람이 다가왔다. 미소마저 꼭 닮은 사람. 눈썰미가 좋지 않은 사람이라도 단박에 알아차리리라. '아, 우희 씨 오빠구나!' 양해를 구하고 천우희 오빠에게 잠시 질문을 던졌다. "동생은 어떤 사람인가요?"

PM 04:00

가족이라는 공간

Scene 2. **드라마를 보다가, 유독 다정한 남매가 나오면 생각했다. '아, 이거 드라마지?' 실제로 현실에선 그런 남매가 드물다는 의미로 '현실 남매'란 신조어도 등장하지 않았던가. 그러나 속단은 금물. 어디에나 예외는 있는 법이니까. 천우희와 그녀의 오빠 사이가 그렇다. 서로가 서로의 고민 상담 대상 1순위이자, 가장 친한 친구이고, 가끔 둘만의 여행도 훌쩍 떠나는 사이. 그러니까 '비현실 남매'랄까. 동생의 얼굴로 쏟아지는 햇살까지도 세심히 신경쓰는 오빠의 손길은 달달하기 그지없었다.**

어쩜 남매 사이가 이토록 훈훈할 수 있죠?

천우희 하하하. 특이하다고 많이 그래요, 주변에서도.

오빠 그런 이야기 들을 때마다 '이게 이상한 건가?' 했어요. (웃음) 친구들에게 물어보니 남매는 보통 데면데면하다고 하더라고요. 저희는 어릴 때부터 워낙 친했어요.

천우희 그렇다고 영화나 드라마에서 나오듯 오글거리고 그러지는 않아요.

오빠 네. 신파는 없습니다. (웃음)

천우희 오빠와는 시시콜콜한 것들도 모두 공유해요. 처음에 일 이야기는 잘 안 했어요. 괜히 걱정할까 봐. 그런데 힘든 순간이 오니까 어디라도 털어놔야겠다는 생각이 들더라고요. 그랬을 때 가장 가까운 게 가족이잖아요? 특히 오빠는 저와 나이가 비슷하기도 해서 공감할 여지가 많으니까, 더 많이 털어놓게 되더라고요.

자매 같은 관계군요.

천우희 (설)경구 선배님도 그렇고 저희 가게에 오시는 선배님들이 그런 말씀 많이 하세요. 남매가 아니라, 자매 같다고.

그나저나, 가족을 스크린에서 보는 건 어떤 느낌일지, 궁금해요. 긴장도 될 것 같고요.

천우희 그보다 가족들이 훈수를 참 많이 뒀죠.

오빠 참견을 많이 했어요. (웃음)

천우희 그러다가 〈한공주〉로 제가 상을 받고 나서 이야기가 쏙 들어갔죠.

오빠 이전에는 "너, 그렇게 연기하면 안 되는 거 아니냐~" "넌 톤은 좋은데, 자세가~" 막 이랬거든요. 〈한공주〉 관련해서는 아찔한 순간이 있어요.

천우희 혹시?

오빠 촬영 전에 우희가 슬럼프가 조금 있었어요. 그런데 들어간 촬영도 너무 힘들어 보이니까 속상하더라고요. 그래서 제가 밥 먹다 말고 큰소리쳤죠. "야~ 그거 하지 마!"

천우희 그게 아마 첫 촬영에서 멍들고 들어왔을 때일 거예요.

오빠 마포대교에서 뛰어내리는 장면도 있다고 하더라고요. 그때 되게 추웠거든요. 그래서 격양되게 소리쳤는데, 〈한공주〉를 뜯어말리려 했다니… 지금 생각하면 가슴 철렁하죠.

동생 배우 인생엔 큰 영향을 미친 영화가 됐으니까요.

오빠 그러니까요. 지금도 종종 생각하죠. '아, 그때 큰일날 뻔했다.' (웃음)

배우들의 사인 흔적을 볼 수 있는 1층.

도란도란 이야기 나눌 수 있는 지하 공간.

친오빠가 담은 동생 천우희(feat. 파리 여행).

지금은 동생이 대견한가요? 어떤 마음일까요?

천우희 그래, 어디 들어보자! (일동 웃음)

오빠 부모님도 그렇고 저도 그렇고, 처음에는 우희가 배우 하겠다는 말을 믿지 않았어요. '배우를 하겠다고? 생뚱맞은데?' 하는 느낌이 있었죠. 우리집이 터치하는 스타일이 아니라서 '그래, 한번 해봐라' 하고 있었는데, 어느 날부터 진짜 연기를 하더라고요. 대학도 그쪽으로 진학하고. '아, 진짜 연기의 길을 걸으려나 보다' 바라보면서도 많이 도와주지는 못했어요. 오디션도 늘 혼자 보러 다니고 했으니까. 그런 동생을 보면 대단하다 싶죠. 대견하기도 하고요. 동시에 걱정도 돼요. 더 잘해야 한다는 부담감이 있을 테니까요.

동생이 가장 자랑스러울 때는요?

오빠 엔딩 크레딧에 이름이 올라갈 때. 그땐 정말 뭉클해요. 작품에 참여해서 결과물을 만들어내고, 거기에 이름을 남긴다는 건 참 멋진 일 같아요. 동생 연기요? 최대한 객관적으로 보려고 노력하죠. 감정에 취해서 보면 저 혼자 좋고 말 수 있으니까요. 최측근으로서 도움이 될 만한 이야기를 하기 위해 감정을 억누르면서 보려고 해요.

노골적인 질문 하나 할게요. 가장 좋아하는 배우는 누구인가요?

오빠 당연히 천우희죠!

연기를 가장 잘한다고 생각하는 배우도 천우희인가요?

오빠 그건 또 다르죠~ (일동 웃음)

천우희 오빠가 나름 냉정해요!

오빠 가장 좋아하는 배우는 천우희지만, 가장 잘하는 배우라고까지는 아직 이야기하면 안 될 것 같아요. 하지만 언제고 이야기하게 되지 않을까 싶은 마음이 있어요.

천우희 (들릴 듯 말 듯) 내가 노력할게.

아직 우희 씨가 대중에게 보여주지 않은 면이 많다고 느끼나요?

오빠 많아요. 제가 영화를 전문적으로 아는 사람은 아니지만, 우희가 슬픈 연기를 제대로 보여주지 못했다는 생각이 들어요.

잠깐만요, 슬픈 연기요? 그건 우희 씨 장기 아닌가요?

오빠 제가 느끼기에 동생은 객석을 눈물바다로 만들 수 있는 역량을 가지고 있어요. 그런 부분에서 남들보다 뛰어나다고 생각하는데, 그 모습을 아직 덜 보여준 것 같아요.

배우에겐 민감한 질문일 수 있는데, 오빠니까 편하게 물어볼게요. 어떤 감독님께서 우희 씨 내면의 슬픔을 깊게 꺼내봐주면 좋겠어요?

천우희 오, 어려운 질문이다.

오빠 제 견해로는… 이창동 감독님. 이창동 감독님이 캐스팅해주신다면 우희가 정말 제대로 보여줄 수 있을 것 같아요.

천우희 와, 너무 해보고 싶다. 이창동 감독님이 또 인간에 대해 주로 이야기하시잖아요? 그게 특히나 궁금해요.

갑자기 그런 생각이 드네요. 앞으로 누가 됐든, 우희 씨 남자친구

입장에서는 오빠가 '허들'일 수 있겠다는 생각. 너무 친하니까요.

오빠 그럴 것 같아요. 저를 어려워하거나 경계하지 않을까 싶긴 해요.

천우희 그런데 연애에 있어 저라는 사람 자체가 남자 만나기 쉬운 타입은 아닌 것 같아요. 남자든 여자든 가식이나 허세를 보이는 사람에겐 매력을 거의 못 느끼거든요. 조금만 으스대거나 진정성이 없어 보이면 호감이 바로 달아나버리죠. 그럴 때마다 '나, 사람 만나기 참 쉽지 않겠다' 생각해요.

오빠 (끄덕끄덕) 남자친구 입장이라면 맞추기 힘든 성격이 아닐지.

천우희 왜 이러세요, 저 그렇다고 변덕스럽지는 않아요! (웃음)

오빠 그러니까… 보는 눈이 다르다고 할까요? 핵심은 눈이 '높다'가 아니라, '다르다'예요. 일반적으로 사람들이 연애할 때 바라는 걸, 우희는 우선시하지 않아요.

천우희 그건 그래. 저는 연애할 때 상대에게 기대는 타입이 아니에요. 선물 같은 것도 "됐어! 필요 없어!" 이러고.

오빠 우희는 정말 외유내강이죠.

자신이 세운 기준을 지키려 하는 걸 보면 우희 씨는 자기 자신을 사랑하는 사람이란 생각도 들어요.

천우희 저를 사랑하죠. 안 그러면 이 일을 못 할 거예요. 배우는 보여지는 직업이잖아요. 제가 저 자신을 사랑하지 않으면서 남들에게 사랑받는다는 건 쉽지 않다고 생각해요.

오빠 우희를 이해해주고 좋은 점을 더 좋게 평가해주는 착한 남자를 만나면 좋겠어요.

너무 착한 남자에겐 매력을 못 느낀다는 사람도 있는데요.

천우희 저는 착한 남자가 좋아요. 제 성격이 상대적이거든요. 연애뿐 아니라 일반적인 관계에서도 저는 강한 사람 앞에서 강하고, 유연하고 젠틀한 사람 앞에선 똑같이 부드러워져요.

'강한 사람 앞에서 약하고, 약한 사람 앞에서 강한 사람'은 아니군요.

천우희 네. '강강 약약'인지라 좋은 사람을 만나면 저도 마냥 좋을 수 있어요. 반대로 상대가 '나는 너를 이겨먹을 거야' 이러면….

서로 피곤해지는?

천우희 그렇죠. 하하하. 늘 좋을 수는 없겠지만 그래도 '이 사람이 나를 이해하려고 하는구나'라는 생각이 들면 저도 똑같이 베풀게 되는 것 같아요.

그런데 좋은 남자를 어떻게 알아볼 수 있을까요.

천우희 오빠가 사람을 잘 봐요. 남자로서뿐만 아니라 전반적으로요. 가끔 무서울 때도 있어요. '신기'가 있나 하고.

오빠 느낌인데 거의 맞더라고요. 어머니가 가게 하는 걸 곁에서 오래도록 지켜봤고, 또 제가 직접 장사를 한 지도 10년이 됐어요. 어렸을 때부터 워낙 많은 사람을 만나다 보니, 어느 순간 사람에 대한 감이 생긴 것 같아요. 레이더가 조금 발달했다고 해야 하나? 그런데 우희도 그런 쪽으로는 발달된 것 같아요.

천우희 서로 그래요. 내가 더 사람 잘 본다고. 하하하.

모자 달린 털옷을 입은 반려견 '망고'.
제부도로 가족 여행을 떠나는 길이다.

배우는 인간을 연구하는 직업이기도 하니, 연관이 있겠네요.

천우희 네. 아무래도 관찰을 많이 하다 보니 사람을 어느 정도 파악하게 되는 게 있어요.

우희 씨가 어릴 때 신동 소리를 들을 정도로 그림에 소질이 있었다고 들었어요.

오빠 도예가인 아버지 영향인지, 그림을 잘 그렸어요. 그래서 저는 동생이 미술 쪽으로 갈 줄 알았어요. 동생이 미술을 그만둔 게 아쉽지는 않아요. 어떤 면에서는 지금의 우희가 부럽기도 하죠. 자기 하고 싶은 걸 하면서 산다는 게 되게 힘든 일이잖아요. 하고 싶은 걸 잘해낸다는 건 더 어렵고요. 그걸 평생 업으로 삼아 먹고산다는 것도 어려운 일이죠. 그런 사람이 제 주변에 별로 없거든요. 저도 그렇고요. 가끔 '내 꿈은 원래 이게 아닌데' 하면서 살죠. 그런 면에서 우희가 부러워요. 자기가 하고 싶은 일을 하고 있고, 또 그 꿈을 어느 정도 이뤘고, 앞으로 나아가고 있다는 게.

그런데 미술은 왜 계속하지 않았던 건가요?

천우희 흥미가 떨어졌다고 해야 할까요. 지역적인 영향도 있었던 것 같아요. 그림을 전문적으로 배울만한 곳이 없었거든요. 엄마가 교육열이 높았다면 서울에라도 보내서 공부를 시켰을 텐데, 그때 엄마는 정말 바쁘셨어요. 저희 먹여 살리느라고. 매일 똑같은 것만 하다 보니 어느 순간 시들해지기도 했고요.

만약 연기에 흥미가 떨어진다면요?

천우희 그런 일은 절대 없으리라 생각했어요. 아무리 힘들어도 연기에 대한 의욕이 떨어진 적은 없었거든요. 그런데 그걸 겪은 게, 아까 말씀드린 〈우상〉 즈음이에요.

오빠 힘들어했지.

천우희 제가 본능적으로 경계하는 게, 자기 감성에 빠지는 거예요. 그런데 그땐 그랬어요. 내가 가장 힘든 것 같고, 가장 불쌍한 것 같고. 그런 생각이 들면서 공허해지고 그랬죠. TV에서 아름다운 배우들이 행복해하는 걸 보면서 괜히 제 신세를 한탄하기도 했다니까요. (웃음) '난 뭐 하고 있는 거지' 하면서. 힘들어하는 저를 보고 오빠가 그랬어요. "그들이 하고 있는 걸 네가 못 할 수도 있지만, 반대로 그들이 하고 싶은 걸 네가 하고 있기도 하다"고요. 그때는 그 말이 와닿지 않았어요. 너무 힘드니까. 그런데 시간이 지나면서 종종 그 말을 생각해요. 지금은 참 많은 위로가 되죠.

적확한 조언이었군요.

천우희 돌아보면 제가 스스로를 많이 아끼지 않았단 생각이 들어요. 나는 괜찮다, 나는 괜찮다 하며 버텼던 것들이 쌓여서 결국 폭발했던 거죠. 그렇게 바닥을 치고 나니, 좋은 것들도 있어요. 이제는 저 자신을 조금 보살필 수 있게 됐다고 해야 하나?

오빠 그런 부분이 필요하다고 생각했어요. 우희가 자기에 대한 투자를 너무 안 해요. 가령 저는 100만 원을 벌면 그에 맞게 쓰는데, 동생은 100만 원을 벌면 10만 원도 안 써요. 어느 정도 수입이 생기면 좋은 옷을 산다든지, 가방을 산다든지 할 수 있잖아요. 피부 관리를 받을 수도 있고요. 그런 게 전혀 없어요.

천우희 물론 좋은 옷 입고 좋은 곳에 가고 싶기도 하죠. 그런데 저도 가족애가 크다 보니 나만 누리는 거 아닌가 하는 생각이 먼저 들어요. 그런 미안함 때문에, 저도 그냥 안 쓰게 되더라고요.

오빠 그럴 필요 정말 없다니까. 우희에게 많이 하는 말 중에 하나가 그래서 "야, 돈 좀 써. 너에게 투자 좀 해!"예요.

물욕이 없는 우희 씨의 가장 강한 욕구는… 식욕?

오빠 반박 불가네요. (일동 웃음)

천우희 그게 문제야. 먹는 거에 너무 집착해, 내가. 하하하.

최근 했던 가장 큰 지출이 뭔가요?

천우희 한동안 촬영으로 바빴어요. 그래서 요즘에 사람들을 많이 만나는데, 친구들 만나서 맛있는 거 사주는 거? 아, 결국 또 먹는 거네요. (웃음) 그런데 저는 이게 참 좋아요. 얼마 전 『행복의 기원』이라는 책을 읽었는데, 가장 큰 행복으로 사랑하는 사람과 맛있는 것을 나눠 먹는 걸 꼽더라고요. 크게 공감했어요.

이야기를 나누다 보니 그런 생각이 들어요. 천우희의 공간은 결국 '가족'이지 않을까 하는. 이 가게를 인터뷰 장소로 지정한 것도 가족의 역사가 새겨진 곳이기 때문인 것 같고요.

천우희 그렇게 말씀해주시면 감사하죠. 예전에 '지금의 나를 만들어준 게 무엇이냐'를 주제로 인터뷰한 적이 있어요. 그래서 '가족'이라고 했더니, 그건 인터뷰화하기 힘들다고 양해를 구해오더라고요. 가족이란 개념 자체가 너무 당연하고 포괄적이다 보니 살짝 당황하셨던 것 같아요. 그런데 제가 배우가 될 수 있었던 힘은 정말이지 90퍼센트가 가족이거든요. 남들은 다 아니라고 해도, 내 사람만 나를 믿어주면 버틸 수 있잖아요. 좋은 일이든 나쁜 일이든. 그런 점에서 '나는 참 복 받은 사람이구나'를 느낍니다.

공간을 보면 사람이 보인다. 그의 취향, 그의 취미, 그의 이야기들이. 그리고 때론 그 이상이 보일 때가 있는데, 천우희의 공간이 그랬다. 그녀의 공간에서 발견한 건 그러니까 '가족'이었다. 그건 천우희를 단단히 받치고 있는 거대한 힘임을 느끼며, 나는 그녀의 가족이 차려준 따뜻한 밥 한 끼를 마음에 담았다.

최근 했던 가장 큰 지출이 뭔가요?

한동안 촬영으로 바빴어요.
그래서 요즘에 사람들을 많이
만나는데, 친구들 만나서
맛있는 거 사주는 거?
아, 결국 또 먹는 거네요.

(웃음) 그런데 저는 이게 참 좋아요. 얼마 전 『행복의 기원』이라는 책을 읽었는데, 가장 큰 행복으로 사랑하는 사람과 맛있는 것을 나눠 먹는 걸 꼽더라고요. 크게 공감했어요.

Essay

과자 먹고 갈래요?

미식가도 아니고, 식탐도 없는 편이다. 단 하나, 과자에 있어서만큼은 식욕이 넘치고 혀의 감각도 유별나다. 혀뿐이 아니다. 내 위의 소화 능력은 그다지 특출할 게 없는데, 과자 하나는 블랙홀처럼 빨아들여 위대하게 분해해낸다. 혹시 내 침샘에 과자에 특화된 아밀라아제가 있는 건 아닐까. 과자 감별력도 남다르다. 강냉이 다이어트가 유행하던 고등학교 시절, 강냉이 껍질의 식감만으로 강냉이 브랜드를 유추해내는 대장금 뺨치는 실력으로 절친들의 '찬사'와 참 쓰잘데기 없는 능력이라는 '탄식'을 동시에 받았다. 이 특기를 살려 과자 회사에 취직했더라면, 동그라미 과자로 인생 역전한 드라마 〈국희〉의 '국희(김혜수)'처럼 됐을지 모른다… 라고 '국희 땅콩샌드'를 먹을 때마다 종종 상상하기도 하지만 부질없다. 난 오늘도 과자의 노예일 뿐.

내 혀는 새로운 과자의 유혹에 취약하다. 신상 과자가 출시되면 일단 혀에 닿는 그것의 촉감을 확인해봐야 직성이 풀린다. 최근 '꼬북칩 초코츄러스맛'이 그랬고, '포테토칩 육개장 사발면맛'이 그랬다. 과거 '허니버터칩' 광풍으로 품귀 대란이 일었을 땐 오픈런open run 하지 않고 실물을 바로 손에 넣기도 했는데, 과자에 대한 나의 집념을 알고 계신 '편의점 사장님 찬스' 덕이었다. 그러나 미각의 기억 회로엔 회귀본능이 있는지, 결국 클래식으로 돌아온다. '새우깡'이나 '에이스' 같은 스테디셀러 복고 과자들로. 올디스 벗 굿디스oldies but goodies

라는 수식어에 찰싹 들러붙는 게 내 과자 취향이랄까.

어쨌든 그래서 내가 이 과자 좀 안다고 자부하는데, 과자는 복불복인 면이 있다. 가령 같은 에이스라도 튀겨진 정도, 기름기 농도에 따라 맛이 미세하게 다르다. 같은 이유로 새우깡의 맛을 좌우하는 건 '짠맛의 강도'이고, 강냉이는 눅눅함과 중간중간 단맛이 얼마나 들어갔느냐에 따라 맛의 운명이 결정된다. 제조 공정에서 발생하는 오류, 보관 과정의 변수 등에서 파생되는 돌연변이는 과자를 먹는 또 하나의 재미인 셈이다. '양파링' 봉지 안에서 '자갈치'가 발견되거나, '새우깡' 속에서 '매운 새우깡'이 나올 때는 1+1에 당첨된 기분이 들어 괜히 '심봤다' 심정이 되기도 한다.

과자에 일희일비하는 나에게도 철칙은 있다. 때와 장소 가리기다. '뽀또'나 '버터링 쿠키'처럼 뭉개져서 이에 쉽게 끼는 과자들은 웬만하면 집에서만 먹는다. 어금니에 들어찬 과자를 혀로 사정없이 밀어내는 안면근육을 사람들 앞에 노출하는 참사를 막기 위함이다. 극장에서 과자를 먹고 싶을 땐, 무조건 혀에서 녹여 먹을 수 있는 것들을 선택한다. 과자 부스럭거리는 소리는 관람객들에게 민폐이고 영화에 대한 예의도 아니니까. 그리고 나는 헨젤과 그레텔의 빵가루처럼 과자 부스러기를 연신 흘리고 다니기로 악명 높기에, 부스러기가 많이 발생하는 과자는 친한 지인들 앞에서만 즐긴다. 과자 질질 흘리는 어른아이를 참아내기란 애정 없이는 불가능한 일이라 생각하기 때문이다.

과자가 우리 삶에 미치는 효용에 대해 종종 생각한다. 물론 과자의 해악을 밝히는 연구 자료가 즐비한 건 안다. 대학생 두 명이 '봉지 과자로 만든 뗏목'을 타고 한강 한가운데를 횡단하며 질소 과자를 풍자한 흑역사도 안다. 그럼에도 과자가 담당해내는 역할이 분명히 있다고 믿는다. 행사장에 부담없이 차리기에 과자를 따라올 것은 없다. 주머니 얇은 이들에게 과자는 가성비 좋은 술안주다. 탕비실 과자들은 어떤가. 직장 생활의 쉼표 중 하나가 탕비실 과자 까먹기 아닌가. 인터뷰 현장에 가장 많이 등장하는 것 역시 이 과자 주전부리다. 아이스 브레이킹 과정에서 과자가 발휘하는 능력이란 놀랍고도 굉장한 것이다. 그리고 그 유명한 영화 〈대부〉가 있다. 갑자기 웬 대부냐고? 들어보라. 다음은 〈대부〉에 등장하는 대사다.

"총은 버리고, 카놀리 챙겨. Leave the gun, Take the cannoli."

'돈 꼴레오네' 가문의 행동 대장은 배신자를 처리하는 와중에도 부인이 사오라고 부탁한 '카놀리'를 잊지 않고 챙긴다. 카놀리는 이탈리아 시칠리아를 대표하는 국민 과자다. 거사를 치르는 순간 등장하는 게 과자라니. 그런데 이게 참 멋스럽게 어울린다. "총은 버리고, 스파게티 챙겨." 붙어서 먹을 수 없다. "총은 버리고, 술 챙겨." 반어적인 뉘앙스를 전달하기에 적합하지 않다. 냉혹한 마피아의 세계를 적나라하게 보여주는 이 장면은 카놀리가 아니었다면 그 느낌이 살지 않았을 것이다.

상황은 다르지만, 비슷한 연유로 내가 누군가에게 친근함을 표시하고 싶을 때 종종 쓰는 말 중 하나가 "과자 먹을래요?"다. "술 한잔할래요?"는 뭔가 유혹의 뉘앙스를 풍기기에 오해의 소지가 있고, "커피 한잔할래요?"나 "밥 한 끼 할래요?"는 자칫 무거울 수 있다. 이 모든 부담을 피해가면서, 상대에게 적당한 임팩트를 심어주는 동시에 거절당해도 서로 얼굴 붉힐 일이 없는 것이 바로 "과자 먹을래요?"다. 내 손에 든 과자를 상대의 손으로 넌지시 옮겨주는 행위. 말하지 않아도 아는 말. 그 힘을 경험해보고 싶거든 누군가에게 도전해보길 바란다.

"과자 먹을래요?"

Presented by

a Room of one's Own

배우

Casting

천우희

Room

No. 2

의 방

Actor's
Room

To be continued.

Actor's

Room

#3

배우 안재홍의

방

자전거 대여소 ~ 한강공원 ~ 단골 카페

PM 02:00 ~ 06:20

좋은 연기란 다만
'상태'인 거죠.
지속해서 질문을 던지고,
지속해서 질문을 찾는.

신수동 사거리
따릉이 대여소

어디서 나타난 낭만의 화신인가. 너도나도 '스펙왕'을 추구하는 시대에 '족구왕'이라니. 영화 〈족구왕〉[1]에서 꿈도 백도 스펙도 요원하나, 족구에 대한 열정만큼은 메시 부럽지 않은 복학생 '만섭'으로 분한 안재홍은 우유팩 차기를 유유히 구사하며 영화 속으로 들어왔다. '만섭'이 자신이 좋아하는 것을 향해 거침없이 걸음을 내디딜 때마다 안재홍의 존재감도 스크린에 족족 내리꽂혔다. 이 배우가 전하는 기분 좋은 기운에 반한 이들이 한둘이 아니었으니, 연기라는 무한 상상의 세계에서 흥미로운 결들을 보여주리란 기대를 품게 했다.

이듬해 출연한 드라마 〈응답하라 1988〉[2]은 '정봉'을 연기한 안재홍에게 '봉블리'란 애칭을 선사했다. 선천적 심장병으로 집에서 보내는 시간이 많은 '정봉'은 자신이 처한 상황을 덕후 기질로 승화시키며 맥가이버가 됐다가, 로맨티시스트가 됐다가, 때론 주위 사람을 온기로 끌어안는 '응팔요정'이 됐다. 많은 시청자가 '어남택(박보검) vs 어남류(류준열)'로 나뉘어 팽팽한 응원전을 펼칠 때, 나는 봉블리 안재홍에 웃다가 울다가 하였더랬다.

안재홍이 흥미로운 건 그가 장면 장면에 코믹함을 불어넣어서만은 아니다. 더 눈여겨보게 되는 건, 개구진 표정이 다른 것으로 바뀔 때 감지되는 미세한 동요. 즉 이 배우가 가진 매력의 요체는 발랄한 표정 속에 숨긴 예민함에 있다. 그래서 우린 〈쌈, 마이웨이〉[3]에서 안재홍이 연기한, 흔들리는 청년 '김주만'에게 공감과 돌을 동시에 던졌는지 모른다. 작은 진동도 세심하게 포착해 무심한 듯 실어나르며 '김주만'이라는 캐릭터를 실감나게 연기한 안재홍으로 인해 이 인물이 우리 곁에 진짜 살아 숨쉬고 있다는 느낌을 받았으므로.

그리고 안재홍은 까칠한 드라마국 PD '손범수'로 분한 〈멜로가 체질〉[4]을 통해 그의 연기 체질이 멜로까지 확장 가능함을 알렸다. '정봉스러움'과 '예민함' 사이의 간극, 둥글둥글 선한 인상과 미소를 싹 거뒀을 때 드러나는 텅 빈 무채색 표정 사이의 거리. 그 사이에서 배우가 펼쳐 보일 무궁무진한 가능성이 궁금해 그에게 대화를 청했다.

Scene 1. **광흥창역에서 시작된 우리의 만남은 '따릉이(서울시 공유 자전거)'와 함께 한강을 거쳐 상수동 카페로 이어졌다.**

따릉이에 빠져 있다고요.

보통 자전거는 목적지에 갔다가 다시 타고 돌아와야 하잖아요? 따릉이는 목적지에서 반납할 수 있으니 너무 편해요. 그게 장점이라 계속 타고 있죠. 얼마 전엔 보고 싶은 전시회가 있어서 따릉이를 타고 예술의 전당까지 달렸습니다. 딱 한 시간 걸리더군요. 돌아올 땐 지하철…. (웃음) 두 번은 힘들어서 못 타겠더라고요.

혹시 아세요? 따릉이가 '서울 시민이 꼽은 내 삶을 바꾼 서울시 정책' 1위라고 하더군요.

오, 그것까지는 몰랐습니다. 그런데 정말 제 삶을 바꿨네요. 일주일에 한두 번은 꼭 타요. 바람을 쐬면 기분이 너무 좋거든요.

부산 출신이지만 지금은 서울 시민이죠?

서울 생활 14년 차. 스무 살 때 부산에서 상경했어요.

서울 시민으로서 이건 좋다 싶은 게 있다면요.

(잠시 생각) 한강이요. 한강이 있다는 게 서울의 엄청난 메리트인 것 같아요. 휴식 공간으로 조성이 너무 잘 돼 있잖아요? 오늘도 한강으로 안내할 예정이에요. 심심할 때 자주 가는 코스거든요. 조금 걸어야 하는데 괜찮나요?

걷기가 취미이니 걱정 마세요. (웃음) 만약 서울에서 유럽까지 이동하는데 '자전거, 자동차, 기차, 열차, 비행기, 배'의 소요 시간이 같다면, 어떤 교통수단을 이용하시겠습니까.

그렇다면 비행기! 일로 가든 여행으로 가든, 저는 공항 가는 걸 좋아해요. 공항 가는 길은 뭔가 설렙니다. 사람들 캐리어 끄는 소리도 좋고, 상기돼 있는 그들의 표정도 좋고. 덩달아 저도 기분이 좋아지죠. 그게 좋아서 일부러 공항 가는 사람들도 있다고 하더군요.

공항 관련 노래도 많아요. 마이 앤트 메리의 〈공항 가는 길〉, 박재정의 〈여권〉, 박정현의 〈도착〉….

그리고 하림의 〈출국〉!

아, 좋아하는 노래예요.

얼마 전에 윤종신 님의 '이방인 콘서트'에 다녀왔어요. 〈월간 윤종신〉 뮤직비디오에 출연한 연으로 초대해주셨는데, 하림 님이랑 조정치 님도 오셨죠. 세 분이 함께 무대에 올라 〈출국〉도 부르고 〈난치병〉도 부르고… 와, 너무 좋았죠.

가을 남자 안재홍. 손엔 따릉이 헬멧.

따릉이를 익숙하게 대여하고
있는 모습.

말씀하신 윤종신 씨 뮤직비디오는 〈이별하긴 하겠지(with 김필, 천단비)〉와 〈워커홀릭(with 하동균)〉이죠. 남자주인공으로 연달아 출연하셨습니다.

원래는 〈워커홀릭〉 뮤직비디오에만 출연할 예정이었어요. 그런데 윤종신 님… 아, 형님이라 부르라고 하셨으니, 형님이 〈이별하긴 하겠지〉와 연장선에 있는 감정인 것 같다며 함께 해주면 좋겠다고 제안을 주셨어요. 원래부터 (형님 호칭이 어색한지 다시) 윤종신 님 팬이라 바로 좋다고 했죠. 제가 드라마 〈쌈, 마이웨이〉에서 이별하는 장면을 찍을 때도 감정을 잡으려고 윤종신 님 노래를 듣곤 했어요. 그 정도로 좋아하는 가수입니다.

윤종신 씨 노래는 가사가 굉장히 현실적이면서도 솔직하고 '찌질'해서 마음을 후벼파죠. 자동차 와이퍼까지 소환하는 참신함이란.

와이퍼라면, 〈이별 택시〉에 나오는! (웃음) 종신 님 가사는 구체적이라서 더 와닿아요. 일상적인 말들이 노랫말이 되는 순간, 감정을 더 폭발시키는 힘이 있는 것 같습니다.

〈쌈, 마이웨이〉 때는 어떤 곡을 들었던 건가요?

〈첫 이별 그날 밤〉이라고, 아이유 님이 부른 노래예요. 윤종신 선배님이 (호칭을 또 수정한다.) 작사, 작곡한 곡인데 콘서트에서 당신 버전으로 이 곡을 부른 게 있어요. 아이유 님 버전도 좋지만, 선배님 목소리로 듣는 〈첫 이별 그날 밤〉도 참 좋아서 자주 들어요.

PM 03:00

상수 나들목 한강공원

Scene 2. **한강에 도착한 우린 따릉이를 잠시 즐겼다. 이날 안재홍의 의상 콘셉트가 '가을 남자' 분위기였던 터라 '의상+자전거+헬멧'의 조합이 뭔가 실험적인(?) 느낌을 자아냈는데, 필시 누군가는 그런 그를 보며 '사연 있는 남자'라 생각했으리라.**

촬영이 없을 땐, 시간을 어떻게 운용하나요?

요즘은 동네 기타 학원을 다니고 있어요. 기타는 이전에 짧게 배웠어요. 〈멜로가 체질〉에서 기타 치는 장면 때문에 다시 연습하는데 재미있더라고요. 더 배워보고 싶다는 생각에 아예 학원을 등록했죠. 요리 학원도 취미반으로 다니는 중입니다.

배움에 대한 갈망이 많네요.

부지런한 편은 아니에요. 다만 작품 할 때는 바빠서 아무것도 '못' 하고, 작품 안 할 때는 취미가 없어서 아무것도 '안' 하다 보니 문득 시간을 잘 보내고 싶다는 생각이 들더라고요.

'의상+자전거+헬멧'의 조합이
뭔가 실험적이었던 이날의 안재홍.

PM 04:00

안재홍 단골 카페

Scene 3. **따릉이를 반납하고 안재홍이 종종 간다는 카페를 찾아 상수동 골목을 걷는데, 길을 인도하던 그의 발걸음이 조금씩 꼬였다. 방향을 잘못 잡아 헤매고 있음을 내가 눈치채자, 그가 능청스럽게 한마디 건넸다. "걷는 거 좋아하신다고 해서 일부러 돌고 있습니다!" 어찌 웃지 않을 수 있으랴. 위트 넘치는 이 상황 모면 센스에.**

그나저나 〈멜로가 체질〉 관련해서는 미스터리였어요. 주위에선 반응이 엄청 뜨거웠는데, 시청률이 1퍼센트였다니.
더 미스터리한 게 뭔 줄 아세요? 시청률은 1퍼센트인데 현장 분위기가 너무 좋았다는 겁니다. (웃음)

이병헌 감독님도 1퍼센트의 시청률을 "섹시하다"고 표현했더군요. 현장 분위기를 짐작하게 하는 말이었어요. 〈멜로가 체질〉에서 일찍이 흥행의 맛을 본 '손범수 PD'로 분했는데 당신에게도 감독이란 타이틀이 있죠. 단편영화를 여러 편 만드셨습니다.
연기 전공으로 건국대학교 영화학과에 들어갔어요. 제가 입학할 당시 건국대 영화학과가 신생이었기에 학생 수가 적었습니다. 그래서였는지, 학교에서 학생들이 다양한 활동을 병행할 수 있도록 해줬죠. 단편 작업은 힘들긴 해도 너무 즐거웠어요. 제 영화가 상영될 땐 짜릿하기도 했고요. 많은 자극을 받았죠. 담아보고 싶은 이야기가 생겨서 최근에 다시 끄적이고 있습니다.

그냥 끄적인 게 아니었다. 이날의 인터뷰 후 그는 단편영화 〈울렁울렁 울렁대는 가슴안고〉[5]를 내놓았고, 부산국제영화제에 감독으로 초청받았다.

2009년 연출한 단편영화 〈좋은 연기〉[6]를 찾아봤는데, 도저히 구할 수 없더군요.
그 영화는 제 비밀 폴더에. (웃음) 저만 볼 수 있어요. 아무에게도 안 보여주려고요.

〈좋은 연기〉는 '좋은 연기란 무엇인가'라는 질문에서 시작한 단편인가요?
그 영화에서 제가 표현하고 싶었던 건, 솔직한 나와 사회적인 나 사이의 간극이에요. '사회적인 나'를 생각했을 때 누군가는 가면을 썼다고 이야기할 수 있지만, 그게 나쁜 것만은 아니잖아요? 예의일 수도 있고, 배려일 수도 있으니까요. 반대로 솔직한 게 누군가에겐 무례일 수 있고요. 그런 것들을 담은 영화였어요.

심오한 주제군요.
20대 초반에 제가 좀 심오했나 봐요. (웃음) 왜, 시기별로 화두가 있지 않나요. '가족이 보는 나', '친구가 보는 나', '처음 보는 사람이 보는 나'가 다 다르게 느껴지면서 어느 순간 그런 생각이 들었어요. '나는 뭐지?' '나는 어디에 있지?' 그 고민을 연기에 접목해서 버무려보고 싶었던 거죠.

나를 바라보는 타인의 시선이 다르기도 하지만, 상대에 따라 내 행동이 달라지기도 하죠.

맞아요. 성인이라는 타이틀을 달고 더 넓은 세상에 나오면서 여러 부분에서 혼돈이 있었던 겁니다. 지금은 그런 것들이 자연스러운 일이라는 걸 알기에 고민하지 않지만, 당시의 저에겐 매우 중요한 문제였어요. 그런 고민을 거치며 굳은살 같은 게 박이지 않았나 싶어요.

지금 당신의 화두는 뭔가요?

시간이에요. 제가 스물아홉에 김광석의 〈서른 즈음에〉를 매일 불렀어요. "또 하루 멀어져간다~"를 매일요. (웃음) 연기가 너무 좋아 아등바등 치열하게 살았는데, 그런 20대를 떠나보내는 게 아쉽더라고요. 그런데 새해가 되고 30대에 딱 들어서니까 오히려 상쾌했어요. '어? 20대보다 30대가 더 선명해질 수 있겠는데?'라는 생각이 들면서 시간을 잘 보내고 싶다는 생각이 들더군요. 지금 기타와 요리를 배우는 게 그런 이유이기도 해요. 바쁘게 보내야겠다는 강박은 없는데, 즐기고 싶다는 생각은 강해요.

이 모든 시간이 소중하고 아깝군요. 돌아올 수 없는 시간들이.

지금 나이에 할 수 있는 걸 최대한 겪어보고 싶거든요. 종신 형님이 〈늦바람〉이란 노래에서 겪어보는 게 이득이라고 하셨는데, 듣는 순간 공감했어요. '맞아! 나쁜 일이든 좋은 일이든 많이 겪어보자' 마음먹었죠.

당신의 존재감을 알린 〈족구왕〉이 나온 게….

〈족구왕〉은 스물아홉에 개봉했어요. 서른에 〈응답하라 1988〉을 만났습니다.

서른의 출발이 아름다웠네요. 〈응답하라 1988〉 때 '봉블리'로 큰 사랑을 받았죠.

가끔 '정봉이'를 인스타그램에 검색해봐요. 저를 그 이름으로 익숙해하시는 분들이 많은 것 같아서요. 검색해보면요… 반려동물이 되게 많아요~ (웃음) 이름이 정감 있어서인지 반려동물 이름으로 '정봉이'를 많이 붙여주시더라고요. 고마워요. 영광이고. 제가 연기한 캐릭터를 사랑하는 동물 이름으로 해주셨다는 게. 괜찮아요. 마음껏 웃으세요. 검색해보면 "정봉이 뒷발 뭐냐~" 이런 거 나와요. (일동 폭소)

당신도 반려묘가 있던데요, 이름이 '레이첼'?

네. 할리우드 배우 레이첼 맥아담스에서 따온 이름입니다. (웃음)

지금 서른 중반. 또래 친구들을 만나면 무슨 이야기 해요?

일단 이런 (연기 관련) 이야기는 안 하고요. 정말이지 소소해요. 상수역에 (박)정민이가 연 책방이 있어요. (지금은 운영을 종료한 상태) 얼마 전에도 책방에 놀러갔는데 대화가 대개 "이 의자는 등받이가 불편하다!" "왜 고무장갑 안 끼고 설거지하니?" "핸드크림은 바르냐?" "여기, 나초도 있어?" 이런 것들이에요. (일동 웃음)

카페 한편에 있는 〈꽃보다 청춘: 아프리카〉[7]의 흔적.
처음 이 카페를 왔을 때 그림을 발견하고
기분이 묘했다고 안재홍은 말했다.

이곳의 커피 맛을 그는 참 많이 극찬했다.

배우라는 길을 구체적으로 고민한 건 언제부터인가요.

조금 부끄러운 이야기인데, 연기하고 싶어서 대학을 간 게 아니라 대학생이 되고 싶어서 영화과를 간 케이스예요. 고등학교 때 잘하는 것도, 하고 싶은 것도 딱히 없었어요. 우리 때는 또 꿈보다는 수능 성적 따라 대학을 가거나 줄 세우는 경우가 많았어요. 공부를 열심히는 했지만 잘하는 편은 아니었기에 선택지가 별로 없었죠. 그때 떠올린 게 연극영화과였어요. 사람을 웃기거나, 누군가를 잘 따라 한다는 이야기는 나름 들었거든요.

어릴 때 이미 기질을 보이셨군요.

아주 조금. (웃음) 마침 친형이 서울에서 대학 생활을 하고 있어서, 수능을 치고 형 집에서 한 달 머물며 연기 입시 과외를 받았어요. 지금도 조금 남아 있는데 당시엔 사투리가 엄청 심했어요. 대학 면접 때 리처드 기어 주연의 〈사관과 신사〉[8]를 사투리로 연기했죠. 그걸 재밌게 봐주셨나 봐요. 운 좋게 합격. 입학하자마자 학교 앞에서 하숙을 시작했는데, 친구도 없고 할일도 딱히 없고. (웃음) 영화학과다 보니 수업 외 작업은 많았어요. 잘됐다 싶어서 학교에서 많은 시간을 보냈죠. 나름 열심히 하는 학생이었던 것 같아요.

연기에 대한 간절함으로 이 길에 들어왔다기보다, 이 길을 걷다가 연기에 대한 꿈이 커진 경우라고 봐야 할까요.

그렇죠. 중고등학생 때부터 연기에 꿈을 키운 친구들이 많은데 저는 대학생이 돼서야 뒤늦게 그 꿈을 품은 거죠. '이 일을 잘 붙잡고 건강하게 오래 하고 싶다'가 지금의 제 마음입니다. 이젠 너무 소중한 게 되어버려서요.

"누군가를 잘 따라 한다는 이야기는 나름 들었던" 당신의 어린 시절은 어땠나요.

집이 해운대예요. 희미한 기억 속에, 백사장을 막 뛰어다닌 어린 시절의 내가 있어요. 엄청 활발한 아이였죠. 잘 까불고. 별다른 취미는 없었지만 비디오 보는 건 또 좋아했어요. 비디오 하나를 빌리면, 두 번씩 돌려보곤 했으니까요.

해운대가 집이었다면, 곁에서 부산국제영화제를 지켜보며 자랐겠습니다.

얼마만큼 대단한 영화제인지 사실 체감을 못 하고 있었어요. 그러다 독립영화 〈1999, 면회〉[9]로 '로테르담영화제'에 간 적이 있어요. 인디펜던트에서는 꽤 알아주는 영화제인데 규모가 생각보다 작더라고요. 그때 알았죠. 부산국제영화제가 굉장히 큰 영화제라는 걸. 부산 사람이 외국에 가서야 내 지역 영화제의 대단함을 안 겁니다.

아, 로테르담영화제는 굉장히 재밌었어요. 그때 영화제에서 감독님 숙소 하나와 비행기 티켓 두 장을 줬어요. 감독 1인, 배우 1인이 초청된 셈인데, 다들 너무 가고 싶으니까 모여서 "감독님은 감독님 이름으로 초청됐으니 일단 가시라~!" 하고는, 나머지 티켓 한 장을 저랑 (심)희섭이랑 촬영 감독님이랑 세 명이 삼등분했어요. 100만 원이 나왔다 치면 35만 원씩 자비를 들여서 간 거죠. 가서 네 명이 감독님 방에서 함께 자고. 잊지 못

할 추억이에요.

이후 '정봉이'로 인기를 끌었을 때 안재홍이란 배우는 코믹한 이미지에 최적화된 배우라고 바라보는 시선들이 있었습니다. 일종의 고정관념일 수 있는데요, 스스로에게도 그런 고정관념이 있나요?
고정관념이라. 일단 저 스스로에 대해서는 없어요. 타인에게도 고정관념을 최대한 안 가지려고 하고요. 누군가가 "그 사람 어떻대"라는 이야기를 했을 때 크게 귀담아듣지 않아요. 제 눈으로 직접 보고 느끼는 게 더 가치 있다고 믿거든요. 다만 '정봉이' 캐릭터는 폭넓게 사랑받았기에, 그 이미지가 배우에게 각인되는 면이 있죠. 중요한 건 그 이후 같아요. 이미지란 물 같은 면이 있어서 흐르고 변하기도 하니까요.

'정봉이'는 제가 지닌 모습의 극히 일부분이라고 생각했었기에, 조급함은 없었어요. 오히려 많이 호응해주셔서 반가웠어요. 언제고 또 다른 모습을 보여드릴 텐데, 그땐 또 어떤 반응을 보이실지 궁금하기도 했고요. 다른 카드를 꺼낼 시기가 온다면, 잘할 수 있다는 믿음은 있었습니다.

그 믿음을 〈쌈, 마이웨이〉에서 실천해 보이셨죠. 윤종신의 〈워커홀릭〉 뮤직비디오 때도 그렇고, 반응 보셨어요? "안재홍은 마음이 식은 남자의 마음을 너무 사실적으로 얄밉게 잘 표현한다"는 이야기가 많았습니다.
〈쌈, 마이웨이〉 때는 욕을 어마어마하게 먹었어요. (웃음) 인물과 상황을 생생하게 전달하고 싶은 마음은 있었는데, 그렇게

까지 생생하게 느끼실 줄이야! 어느 순간 시청자들이 자기 친구 이야기처럼 받아들이는 느낌을 받았어요. 처음엔 놀랍고 당황스러웠는데, 시간이 지나고 보니 그게 엄청난 극찬이었구나 싶더라고요.

극찬이죠. 그만큼 시청자로 하여금 감정을 이입하게 했다는 거니까. 〈멜로가 체질〉에선 '멜로도 체질'이라는 사실을 보여줬습니다.
〈멜로가 체질〉 땐 마음의 결들이 잘 담겼으면 했습니다. 누군가가 누군가의 삶으로 들어가는 순간의 감정들. 이를테면, 누군가를 알게 되고, 쳐다보게 되고, 뭔가 부정하게 되고, 그렇지만 생각하게 되고, 머뭇거리게 되고, 그러다가 용기 내게 되는… 그런 순간을 잘 담고 싶었죠. 그런 게 잘 담기면 보시는 분들이 촉촉함을 느끼시지 않을까 생각했어요.

촉촉함을 느꼈습니다.
감사합니다. (커피잔 들며) 건배할 뻔했어요, 지금. (웃음)

촉촉함을 느꼈던, 좋아하는 멜로영화가 있다면요?
왕가위 감독의 〈화양연화〉[10]. 양조위가 앙코르와트 석조 건물 구멍에 대고 뭔가를 읊조리는 장면으로 끝나잖아요? 캄보디아로 봉사활동을 갔을 때, 비행기 시간에 여유가 있어서 일부러 그곳에 찾아간 적 있어요. 보고 알았습니다. 왕가위가 왜 앙코르와트에서 이야기를 끝냈는지요.

궁금하군요, 그게 뭔지.

지극히 개인적인 생각이니 감안하고 들어주세요. 앙코르와트 곳곳이 벽화인데 벽화마다 스토리가 빼곡히 채워져 있어요. 양조위가 구멍에 대고 속삭인 건, 자신의 이야기를 벽화에 영원히 봉인하고 싶어서가 아닐까. 그래서 왕가위가 이곳에서 이야기를 종료했구나 싶었죠.

그 해석에 공감을 표합니다. 당신 이야기도 그곳에 남기고 왔나요?
아쉽게도 관광객 모드로 사진만…. (웃음) 그런데 저는 추억을 어딘가에 남기기보다는, 저라는 사람 안에 그대로 쌓아두고 싶어요. 추억만큼 소중한 건 없다는 생각이 들어서.

〈응답하라 1988〉 이후 박근형 연출가의 연극 〈청춘예찬〉[11]을 선택했는데 그 경험은 어떻게 남아 있나요.
대중이 생각하는 당시의 저와는 결이 다른 성향의 연극이어서 배신감을 느낀 관객도 계셨을 거예요. 웃음기 쫙 뺀, 절박함 가득한 청년을 표현해야 하는 역할이었어요. 그런 생각을 합니다. 그때 그 연극을 하지 않았더라면, 뭔가에 갇혀 있었겠구나. 우리가 아까 고정관념에 관해 얘기했는데, '나는 재미있는 걸 해야 해'라는 고정관념에 갇혔을 수도요. 연극 쫑파티 때 박근형 선생님이 그러셨어요. "아직은 네가 뭘 했는지 모를 수 있지만 시간이 지나면 네 안에 뭔가가 나이테처럼 자라 있을 거다." 그 말씀의 의미를 이제 조금 알 것 같아요.

이야기를 듣다 보니, 안재홍이 SNS에 올린 사진과 문구가 떠올랐

다. '대미필담大味必淡', '정말 좋은 맛은 반드시 담백한 것'이라는 뜻의 문구였다.

하하하. 자주 가는 평양냉면집에 걸려 있는 문구에요. 그 문구를 보는 순간 마음에 팍 박혔어요. 제 가치관에 맞닿은 말이었거든요. 냉면집에서 우연히 인생을 배운 겁니다. 예기치 않은 곳에서 삶의 미덕을 만난 거죠.

냉면, 좋아하시죠? 냉면에 대한 지론도 있나요?
냉면 애호가분들 중에 냉면 먹는 방법에 꼼꼼하신 분들이 있잖아요? 누가 잘못 먹으면 "에잇~! 그거 아니야" 하시는. (웃음) 저는 그 정도는 아닙니다.

〈족구왕〉의 '만섭'은 외치죠. "남들이 싫어한다고 좋아하는 걸 숨기고 사는 것도 바보 같다"고. 당신은 어떤가요? 남들이 싫어한다고 해서 좋아하는 걸 숨기고 살지는 않나요?
일단 남들이 싫어하는 걸 잘 안 해요. 타인에게 피해를 주는 것도, 타인에게 피해를 받는 것도 경계하는 성격이죠. 그렇다고 해서 좋아하는 걸 숨기는 성격도 아닙니다. '만섭'이라는 캐릭터를 연기하면서 대상을 바라보는 폭이 조금 더 넓어졌어요. 그러면서 이전보다 더 많은 것들을 받아들이게 됐고요. 저의 본래 성향은 '만섭'과 상당히 달랐는데, 어느 순간 그 친구가 제 안에 많이 흡수돼 있더라고요.

캐릭터가 배우에게 끼치는 영향이라는 게, 당신에겐 분명 있군요.

저는 그렇다고 생각해요. 가령 저와 너무 다른 지점에 있는 캐릭터라서 제가 그걸 배척하려 하거나 반하는 행동을 한다? 그것 역시 그 캐릭터가 저라는 사람에게 영향을 끼치는 것이라 생각하거든요.

평소, 생각과 고민을 깊게 가져가는 편인가요?

고민은 선택적으로 하는 편이에요. 예민하고 신중하게 생각할 때도 있지만, 중요하게 생각하지 않는 건 그냥 전원을 빼버려요. 영화 〈인사이드 아웃〉[12]처럼 내 안에 여러 가지의 내가 존재하는 거죠.

살다 보면 내 모든 것을 받아주고 알아주는 내밀한 지지가 필요할 것 같아요. 당신에겐 그게 무엇인가요?

보여지는 직업이다 보니, 사랑받고픔에 대한 갈구가 있습니다. 가족, 친구, 관객들이 보내주는 지지는 소중하죠. 그런데 그에 못지않게 중요한 게, 제가 저에게 보내는 지지라고 생각해요. 그건 나 스스로에 대한 만족일 수도 있고 응원일 수도 있죠. 그런 마음이 저를 이끄는 동력이 되고요.

스스로 만족하는 것과 타인이 나에게 만족하는 것 사이에서는 어떤 생각을 하나요.

그 간극을 줄이고 싶다는 생각이요. 제가 전혀 만족하지 못하는데 사람들이 좋아할 수도 있고, 반대일 수도 있죠. 제가 만족하지 못하는 걸 사람들도 싫어하면 그건 정말 최악이고요. 제가 만족하고 사람들도 사랑해주는 곳까지 가보고 싶습니다.

'좋은 연기'에 대한 해답을 찾았나요?

어려워요. 정말 어려워요, 그 물음은. 그런데 '좋은 연기'라는 게 주관적인 부분이잖아요? 뭔가를 찾았다고 단정할 수 있는 종류의 것은 아니라고 봐요. 좋은 연기란, 다만 '상태'인 거죠. 지속해서 질문을 던지고, 지속해서 찾는. 그 상태를 유지하는 것도 좋다고 봅니다.

요즘은 언제 즐거우세요?

일상이 그냥 즐겁습니다. 아까처럼 따릉이 탈 때도 즐겁고, 동네 한 바퀴 산책할 때도 즐겁고, 맛있는 한 끼를 먹을 때도 즐거워요. 제가 또 겨울을 좋아하는데, 겨울이 다가오고 있어요. 겨울이 지니고 있는 냄새를 참 좋아합니다. 코가 상쾌해지면서 찬바람이 들어올 때의 그 느낌, 눈의 분위기 같은 것들. 아… 갑자기 설레네요.

겨울이 온다. 계절이 바뀐다. 안재홍이 존경하는 윤종신은 자신이 쓴 산문집 『계절은 너에게 배웠어』에서 작사가를 '상상 휴게실'을 만들어주는 사람이라고 정의했다. 돌아오는 길에 문득 생각했다. '작사가'란 단어를 지우고 '안재홍'을 넣어도 참 그럴싸하다고.

윤종신 씨 노래는 가사가 굉장히 현실적이면서도
솔직하고 '찌질' 해서 마음을 후벼파죠.
자동차 와이퍼까지 소환하는 참신함이란.

와이퍼라면, 〈이별 택시〉에 나오는! (웃음) 종신 님 가사는 구체적이라서 더 와닿아요. 일상적인 말들이 노랫말이 되는 순간, 감정을 더 폭발시키는 힘이 있는 것 같습니다.

김동률과 윤종신

고 3 졸업을 앞두고 절친들과 타임캡슐 묻기를 모의했다. 각자가 아끼는 소지품과 서른 살의 나에게 쓴 편지를 상자에 담아 학교 체육관 옆 나무 밑에 묻기로. 아끼는 소지품이라… 나는 중고등학교 시절 감수성에 지대한 영향을 미친 토이 2집과 전람회 2집 카세트테이프를 만지작거렸다. 땅에 묻기엔 너무 소중하다는 생각과, 소중하니까 묻어야 한다는 팽팽한 싸움 끝에 결국 후자가 이겼다. 상자에 카세트테이프를 담았다. 10년만 기다려.

서른이 됐을 때 우린 약속대로 타임캡슐 개봉을 위해 모교를 찾았다. 찬바람이 칼로 베듯 얼굴을 강타하는 날이었다. 그런데, 아… 타임캡슐을 묻어둔 지점에 대한 각자의 기억이 달랐다. 어쩜 이렇게 죄다 다를 수 있지? 그해 겨울, 우린 열심히 땅을 파다가 정말 '삽질'만 하고 돌아와야 했다. 그렇게 내가 사랑하는 뮤지션들의 음악이 모교 어딘가에 영원히 봉인됐다.

돌이켜보면 그건 의미심장한 일이었다. 타임캡슐에 봉인된 전람회와 토이의 음악은 그 선율 안에 살았던 사람들을 과거의 그때로 데려다주는 타임머신이 됐으니 말이다. 추억을 소환시키고, 퍼석해진 감성에 물을 주는 그때 그 음악들. 시간이 흘러도 변색되지 않는 것이 존재한다는 건 축복이다.

여기엔 약간의 부작용도 발생한다. 영원히 훼손되지 않기를 바라는 마음은 뮤지션에게도 향하기에 팬으로서 조금 이기적인 마음이 된달까. 그러니까 내가 흠모한 뮤지션은 변하지 않고 젊은 시절의 감성을 쭉 유지해줬으면 하는 투정 같은 마음이 내 안에 자라는 것이다. 물론 쉽지 않은 일이다. 시간은 누구에게나 공평하고, 그 안에서 변화하고, 풋풋한 사랑이나 뜨거운 꿈 이야기만 하는 게 민망해지는 시기가 결국 오기 마련이니까.

그런 면에서 김동률(전람회)이 점하고 있는 자리는 특별해 보인다. 그의 음악엔 어김없이 노스탤지어가 감지된다. 과거 음악뿐이 아니다. 근래 발표한 노래에서도 추억을 불러세우는 서정이 물씬 풍긴다. 그건 뭐라고 해야 할까. 머물러 있는 게 아니다. 대체할 수 없음에 가깝다. 다양한 변주 속에서도 '김동률스러움'이라는 것을 놓치지 않기 때문일 것이다. 시대를 관통하는 공기를 안겨줄 수 있는 뮤지션은 귀하다.

그러고 보면, 90년대부터 사랑받아 온 싱어송라이터 중에서 홍보 인터뷰나 예능 출연 없이 음악 자체만으로 대중의 관심 한복판에 머무르고 있는 건 김동률이 유일하다. 그래서 나는 김동률에게 조금 더 이기적인 팬의 마음이 된다. 그가 예술가적 예민함을 평생 유지해주기를. 그리고 지독하게 사랑하다가, 이별하고, 아파하고, 앓다가, 울고 난 후, 그걸 노래를 승화시켜주길 바라는 '몹쓸 마음' 같은 것들이. 그가 내 남자이길 바라지도 않지만 누군가의 영원한 남자도 아니길 바라게 되는 것도 비슷한 맥락의 발현인데, 결혼하면 그의 감수성이 바뀌지 않을까 걱정되기 때문이다. 안다. 걱정도 팔자란 걸. 당신만큼은 앞으로도 뾰족했으면 하는 이기적인 팬의 마음을 용서하소서.

그 반대편에 윤종신이 있다. 015B 객원 가수로 데뷔한 후, 〈너의 결혼식〉, 〈오래전 그날〉로 90년대를 관통하고, 토이 2집 객원으로 타임캡슐에 함께 봉인돼 있는 뮤지션. 솔직히 한동안 윤종신에게 서운한 감정을 가진 적 있다. 가수보다 예능인으로의 존재감이 그를 더 채울 무렵이었는데, 10대들로부터 "개그맨이면 개그맨답게 예능이나 하세요"란 평가를 받을 땐 어찌나 속상했는지.

그러나 시간이 김동률의 가치를 증명했듯, 윤종신 역시 자기만의 방법으로 시간을 이겨냈다. 2010년 온라인 음원사이트를 통해 싱글을 발매하는 '월간 윤종신' 프로젝트를 가동하면서부터다. 처음엔 하다 말겠거니 했다. 그런데 이 끈기 있는 남자를 보소. 그는 근속 직장인처럼 매해 쉬지 않고 음원을 발표하기 시작했다. 꾸준하게, 성실하게, 충실하게, 끈질기게. 그렇게 쌓인 음원은 '윤종신 브랜드'가 됐고, 그를 향한 세간의 편견을 대폭 수정케 했다.

이견이 있을 수 있지만, 나는 김동률이 '강한 자가 살아남는다'를 보여주는 타고난 천재라면 윤종신은 '살아남는 자가 강하다'를 시연하는 노력형 천재라 생각한다. 우월은 없다. 각자의 방식으로 일가를 이룬 두 대가가 있을 뿐. 이는 가사에서도 드러난다.

김동률의 가사는 문학적이다. 이젠 국민 첫사랑 곡이 된 〈기억의 습작〉은 김동률이 고등학생 때 만든 노래인데, 수준 높은 작곡 실력도 놀랍지만 이토록 서정적인 가사를 쓴 그의 감수성도 참으로 놀랍다. 개인적으로 아끼는 노래는 전람회 2집에 수록된 〈새〉다. 전주만 흘러나와도 울어버릴 듯 표정을 구기는 나는 클라이맥스 부분에서 여지없이 오열하고 만다. 우울하고 체념적인 가사는 김동률 특유의 묵직한 목소리를 거쳐 발화하면서 비극의 정서를 강화하고야 만다. 소장하고 싶은 멜로드라마처럼.

반면 윤종신 가사는 생활에 밀착해 있다. 윤종신 뮤직비디오에 두 차례 출연한 바 있는 안재홍은 윤종신 노래의 특이점으로 구체성을 꼽으며 "일상적인 말들이 노랫말이 되는 순간 감정을 더 폭발시키는 힘이 있는 것 같다"라고 했는데, 공감한다. '(택시) 아저씨'나, '(뽀드득 신경질 내는) 와이퍼' 같은 주변에 흔히 존재하는 것들을 가사로 끌어올 뿐인데, 어떤 극사실주의적 깊이에 안착하곤 한다. 무엇보다 그의 가사는 세월과 함께 무르익는 느낌이다. 순서가 다를 뿐이니 앞서가는 친구의 여유를 부러워하지 말라(〈지친하루〉)고 격려하고, 힘주지 않아도 세월에게 배우는 게 있다(〈나이〉)고 조언하며 그는 인생의 새로운 챕터로 들어섰다. '멋진 인생 선배' 같은 존재로.

몇 해 전, 친한 지인 모임에서 우리의 장례식 날 틀어놓고 싶은 음악을 이야기한 적이 있다. 노래와 함께 떠나는 이를 추억하자고. 언제인지 모를 그날, 내 플레이리스트엔 김동률과 윤종신이 있을 것이다. 동시대를 함께하는 뮤지션이 그들이어서, 행운이다.

Presented by

a Room of one's Own

배우

Casting

안재홍

Room

No. 3

의 방

Actor's

Room

To be continued.

Actor's

Room

#4

배우 변요한의

방

석촌호수공원 ~ 피규어 카페

PM 04:00 ~ 08:00

이해보다는 그냥 안아주는 것. '온기'인 것 같아요.

PM 04:00

석촌호수공원

달, 별, 꽃, 바람, 웃음, 농담과 같은 무용한 것들을 좋아하는 남자. 드라마 〈미스터 션샤인〉[1]에서 낭만을 이야기하는 '김희성'을 보면서 변요한이라는 배우가 지니고 있는 매력을 새삼 실감했다. 그것은 웃음 뒤에 은닉해둔 미묘한 떨림. 변요한에게는 또래 배우들에게 좀체 찾기 힘든 특유의 '우수'가 있다. 특히 물기를 습자지처럼 빨아들인 듯한 눈빛엔 이상한 저력이 있는데, 돌이켜보면 그건 그가 첫 단편영화 〈토요근무〉[2]에서부터 보여온 자질이기도 했다. 그의 우수는 모성애를 자극하는 유약함과는 다르고, 운명에 쉽게 순응하는 연약함과도 거리가 있다. 유약하지도 연약하지도 않기에, 그가 가끔 드러내는 미묘한 떨림은 도드라지곤 한다. 웃고 있지만, 눈은 슬픈 사내의 모습으로. 어디에도 구속될 것 같지 않은 자유인의 모습으로.

Scene 1. **주말을 앞둔 금요일 오후, 잠실에 위치한 석촌호수 공원에서 접선하기로 했을 때 정작 걱정을 한 건 변요한이 아니라, 나였다. '보는 눈이 많을 텐데, 불편하지 않을까….' 그런 나의 우려가 무색할 만큼 변요한은 시선의 감옥에서 자유로웠다. 그는 대중이 '배우 변요한'에게 바라는 욕망에 꿰맞추느라 '사람 변요한'의 활동 반경을 통제하거나 제한하며 살지 않는다. 연기라는 긴 여정에서 끝까지 살아남아 '라스트 스탠더Last Stander'가 되길 희망하는 변요한이 귀하게 여기는 건, 순간의 반짝임이 아니라 세파의 바람에도 흔들리지 않을 명분과 꾸준함인 듯했다. 서두르지 않고 묵묵하게 과정을 거칠 줄 아는 자의 발걸음을 이곳에 옮긴다.**

수염이 사라졌군요.
(쑥스러운 듯 웃으며) 어제 면도했어요.

옷이나 머리 스타일이 사람의 행동에 영향을 미치는 경향이 있잖아요. 수염의 경우엔 더하겠죠?
그럼요. 심리적인 건데, 수염이 없으면 자동차 운전을 해야 할 것 같고 수염이 있으면 오토바이를 타야 할 것 같은 감성이 되죠. (웃음)

오늘은 자동차 운전자 모드의 인터뷰가 되겠군요. (웃음) 천천히 걸어볼까요.

여긴 추억이 정말 많은 곳이에요. 외롭게 걷기도 하고, 기뻐서 뛰기도 하고, 생각에 잠겨 머물기도 했던 공간이죠. 작품마다의 고민도 곳곳에 스며 있고요. 오랜만에 왔어요. 근처에서 4년을 살다가 이사를 갔거든요. 계속 오고 싶었어요. 이곳을 다시 걷고 싶어서.

집에서 독립해 살고 있나요.

네. 배우를 하기 전 중국 유학을 떠날 때부터니, 오래됐네요. 혼자 살기도 하고 친구들과 살기도 했죠. 최고로 많았을 땐 네 명이 함께 살았습니다.

친구 네 명이 사는 삶은 어땠을지 궁금하군요.

재밌었어요. 엉망진창인 면도 있었지만, 매력 있었습니다. 각자의 포지션이 또 있었거든요. 빨래 담당, 설거지 담당 이런 식으로요. 저요? 저는 운전과 픽업 담당이었습니다.

이사 간 곳에서도 여기와 같은 공간을 찾았나요?

아직은 없어요. 사실 강아지 때문에 이사했어요. 강아지 이름이 '복자'예요. (웃음) 복자 입양 후, 복자에게 맞는 집이 필요하겠더라고요. 복자가 아직 산책 교육이 덜 돼서 적응이 필요한데, 조금씩 영역을 넓혀가려고 합니다.

이사를 고려할 정도로 반려견에 대한 사랑이 애틋하군요.

사연이 조금 있어요. 나를 사랑하는 법을 알아가기 시작할 때였는데… 그때 그런 생각이 들더라고요. 내가 나를 너무 사랑해버리면, 그러니까 자기애가 너무 생기면 재미없을 것 같다는 생각이. (웃음) 다른 누군가에게 사랑을 주고 싶은 마음이 들더군요.

하하. 그 대상이 복자가 된 거군요.

네. 강아지를 데려오기까지 1년 반을 꼼꼼하게 공부했어요. 모든 견주들은 자기 강아지를 천재라고 한다지만….

한다지만?

저희 강아지는 정말 천재입니다. 하하하. 견주인 저를 안 닮았어요.

견주의 성격은 어떻고, 강아지는 어떻길래요.

저는 자유를 꿈꾸는 스타일이에요. 프리하게 살려고 노력하는 편이죠. 복자는 반대로 차분해요. 어지르는 성격도 아니고요. 그러니까 제가 오히려 더 개판이랄까요. (일동 웃음) 어느 순간 보니까 복자가 저를 지켜주고 있더라고요. 복자는 정말이지, 동물적으로 저를 알아요.

그것이야말로 순수 동물적 감각이군요!

그렇죠, 하하. 아! 제 산책 코스의 시작은 저기 보이는 OOO 카페예요. 저 카페 찹쌀떡이 또 맛있어요. 산책 후에 먹으면 맛이

기막히죠. 취미 중 하나가 '커스텀 피규어'를 모으는 건데, 피규어 입문할 때 부품도 저기에서 샀어요. 원하는 모양의 부품들을 주문해서 조립하는 거죠.

주로 배우 피규어를 만드신다고요.

영화를 보다가 매력적인 캐릭터를 만나면 '어? 이 배우 피규어가 있나?' 찾아봐요. 피규어의 표정들이 굉장히 다양해요. 가령 영화 〈스카페이스〉[3]의 알 파치노 피규어를 검색해보면 눈썹 하나, 입 모양 하나 전부 다른 느낌의 다양한 부품들이 있어요. 결국 선택에 따라 다른 모습의 피규어가 탄생하는 셈인데, 완성도를 보면 만든 이의 의도나 디테일이 보입니다. 끈기 있게 부품을 검색해서 주문을 넣고 배송을 기다렸다가 받아서 만들고 나면 뭐라고 해야 할까, 같은 공간에 있는 것만으로도 너무 좋아요. (웃음)

갑자기 라이언 고슬링 주연의 〈내겐 너무 사랑스러운 그녀〉[4]가 떠오르는군요.

아, 인형과 사랑에 빠지는? 저는 그건 아니고요~ 하하하. 얼굴을 완성한 다음에 이 의상도 입혀보고 저 의상도 입혀보는데, 아무리 표정을 잘 만들어도 옷을 잘못 입히면 원하는 느낌이 채워지지 않아요. 그런 일련의 과정을 거치다 보면 저를 또 돌아보게 됩니다. 나도 안 맞는 옷을 억지로 입으려 한 적은 없었나, 하고 말이죠.

변요한이 조립한 배우 제이슨 스타뎀. 귀여워서 주머니에 넣고
다니고 싶은 피규어란다. (사진 제공 변요한)

피규어만큼 복싱도 즐기신다고 들었어요. 복싱이라는 스포츠의 아름다움을 소개해주세요.

복싱의 아름다움에 대해서는 말을 잘해야 할 것 같아요. (생각) 대부분의 운동은 자기 한계를 극복하고 싶어 하는 습성이 있잖아요? '내가 이길 거야', '근육을 만들 거야' 하면서 비장해지는 면이 있죠. 그런데 복싱은 반대예요. 비우지 않으면 안 돼요. '난 맞지 않을 거야'가 아니라, '난 맞아도 돼'라는 마음이 필요합니다.

마음을 단련하는 운동이군요.

항상 스스로 강하다고 생각하며 살다가 한순간 무너진 적이 있어요. 그걸 어떻게든 극복하려 하니까 오히려 더 힘들더라고요. 머리도 혼란스럽고. 그때 복싱을 시작했어요. 복싱을 등록한 날 바로 "스파링하겠습니다!" 했어요. 물론 말리죠. 그런데 관장님이 제 의지를 읽으셨는지 링에 오르는 걸 허락해주셨어요. 그날 신나게 맞았죠. 그날뿐인가요. 갈 때마다 얻어터졌습니다. 그러다가 어느 날 깨달았어요. '아, 이건 안 맞을 수 없는 스포츠구나. 패배할 때도 맞지만, 설령 이긴다 해도 결국 맞으면서 앞으로 나아가야 하는 거구나.'

연기도 비슷하다고 느꼈어요. 늘 잘할 수 없는 게 연기인데 늘 잘해야 한다는 생각으로 절 괴롭혔더라고요. 맞지 않으려 하면서 탈이 난 거죠. 이젠 알아요. 그러지 않아도 된다는 걸. 그런 시간을 통과하며 마음이 많이 편해졌어요.

그러고 보니 영화 〈록키 발보아〉에서 '록키(실베스터 스탤론)'는 이런 말을 한다. "얼마나 강한 펀치를 때리느냐가 중요한 게 아니야. 얼마나 강한 펀치를 맞고도 일어서느냐가 중요한 거지." 〈주먹이 운다〉의 '강태식'은 배우 최민식의 몸을 빌려 이렇게 말한다. "펀치 센 놈은 지쳐도 맷집 센 놈은 버틴다." 그러니까, 변요한이 터득한 건 두둑한 맷집. 쓰러지지 않는 법이 아니라, 쓰러졌을 때 제대로 일어나는 법인 듯했다.

안 그래도 표정이 참 밝아요. 공간의 힘 같기도 하고요.
너무 좋아요. 날씨마저도.

당신 의상도 오늘 날씨와 참 어울려요.
사실 오늘 의상에 신경을 썼어요. 이 시기면, 나무색이 유독 초록이겠다 싶어서 옷도 일부러 사파리 색으로 입었습니다. (웃음)

평소 옷 센스가 좋은 것으로 유명하죠. 소품 활용도 잘하고요.
좋아해요. 이전에는 패션 잡지를 엄청 봤는데 이젠 안 봐요. 보면 괜히 카피하게 될까 봐. 한땐 멋있어 보이면 국내외 가리지 않고 카피했거든요. 이젠 뭔가를 따라 하기보다, 제 스타일을 찾는 시기인 것 같아요. 친구들도 이젠 제가 뭘 입든 그냥 존중한대요. (웃음)

어! 공원을 한 바퀴 돌아 출발지로 돌아왔네요? (시간을 확인하니, 정확히 44분을 걸었다.)

변요한이 늘 다시
걷고 싶어했던 길.

이날 변요한은 나무색에 맞춰 의상을 입고 나오는
센스를 선보였다.

괜찮으시면… (해맑게 웃으며) 한 바퀴 더 도실래요?

좋습니다! 위로든 아래로든 남자들과 잘 지내는 비결이 뭔가요.

머리를 안 쓰는 겁니다. 그게 저를 힘들게 했던 부분이기도 한데, 이젠 큰 장점이라고 생각해요.

형들에게 애교가 많으시더군요.

이전엔 못했어요. 형들에게 부담을 주고 싶지 않아서 항상 강한 모습만 보이려고 했었죠. 이젠 형들에게도 그렇고 주변에도 표현을 많이 합니다. 좋아한다는 표현도 많이 하고, 애교도 많이 부리고, 이모티콘 하트도 마구마구 날리죠. 강아지에게도 간식 하나 줄 때마다 눈 보고 이야기해요. "사랑해"라고.

머리를 안 쓰는 게 힘들기도 했다는 건 어떤 의미인가요.

어릴 땐 잔머리를 잘 썼어요. 부모님에게 혼나기 싫어서, 친구들과 더 놀고 싶어서 잔머리를 굴렸죠. 그런데 연기 시작하고부터는 머리를 쓰고 싶지 않았어요. 실제로 사회생활 하면서 계산적이지 못하다는 이야기를 자주 듣습니다. 그런데 그건 사실… 못 하는 게 아니라 안 하는 거예요. 인위적인 건 싫거든요. 머리를 쓰면 너무 잘 쓸 것 같아서 무섭기도 하고요.

그런데 이 업계에선 그런 이야기도 하잖아요? 적당히 머리를 써야 한다고.

그러고 싶지 않아요. 머리를 쓰면 뭔가 안정적인 걸 추구하게 될 것 같은데, 그건 제가 추구하는 삶과 반하는 것이거든요.

그래서일까요. 주변에 사람이 많은 건.

음… 많지만, 모두 제 사람은 아니고, 그냥 많은 거죠. 제가 사랑하는 제 사람은 정해져 있는 것 같아요.

진짜 내 편인지 아닌지 어떻게 구분합니까. 시간이 필요한 걸까요.

시간이 중요하다고 생각한 적도 있어요. 이젠 아닙니다. 물론 시간이 흘러도 변하지 않고 곁에 있어주는 고마운 벗들이 있죠. 하지만 시간을 오래 공유한 모두와 그렇게 되지는 않잖아요. 제게 중요한 건, 아까 이야기한 것과 맞닿는 지점인데, 계산하지 않는 겁니다. 자연스러운 사람을 오래 보고 싶어요. 또 그런 분들과 연이 되고 있고요.

상처는 어떨 때 받나요. 내가 준 사랑만큼 받지 못할 때?

예전엔 그랬죠. 그때 누군가 사람에게 기대하지 말라고 이야기해주었어요. 그게 위로가 될 줄 알았는데 위로가 안 되더라고요. 저는요, 사람에게 기대해야 한다고 생각해요. 기대를 안 하면 나 역시 상대에게 기대를 못 주지 않을까 싶거든요. 연기할 때도 그래요. 100퍼센트 기대감은 못 줘도, 이 배우가 노력했구나 정도까지는 전달드려야 한다고 생각해요.

소년 변요한은 말을 조금 더듬는 아이였다. 그런 아들이 걱정이었던 부모는 소년에게 자신감을 심어주고자 연기를 배우게 했다. 이상도 하지. 무대에서는 말이 막힘없이 술술. 연기라는 세계가 그렇게 소년에게 스며들었다. 그러나 변요한은 꿈이 배우라고 말하는 게 부끄

러웠다. 집안의 반대도 있었다. 국제적일 일을 하길 원하셨던 아버지의 뜻에 따라 중국 유학길에 올랐다. 하지만 세상을 살다 보면 불가항력적인 일을 만나기 마련이다. 변요한에겐 연기가 그랬다. 유학의 길에서 변요한이 확인한 건 연기에 대한 갈망이었다. 한국으로 돌아온 후 한국예술종합학교에 입학하고, 수십 편의 독립 장·단편영화에 출연하며 자신을 다그치고 단련하며 달렸다. 그리고 2014년에 만난 tvN 드라마 〈미생〉[5]은 변요한의 길고 긴 연기 인생에 작지 않은 파동을 안겼다.

배우가 되고 나서 자유가 박탈당한 부분도 있다고 느끼십니까.

얻은 것도 많고 잃은 것도 많다고 느끼죠. 그건 당연한 거라고 생각하고요. 잃은 것들은… 제가 잃었다기보다, 주변에서 저를 신경써주면서 오는 혼란이 있었습니다. 물론 좋은 의미의 배려지만 처음 겪었을 땐 어찌해야 할지 몰라 당황했죠.

〈미생〉 즈음인가요?

네. '누군가 나를 알아봐줬으면 좋겠다' 하며 열심히 달렸던 저를 정말로 누군가가 알아봐주기 시작했을 때, 너무 좋았지만 그 기쁨을 내색해야 할지 말아야 할지조차 몰라서 혼란스러웠어요. 그런데 얼마 못 갔어요. 2~3주 갔나? 다 내려놓았죠. 원래 살던 대로 살자! 그 이후부터는 어떤 혼란스러운 순간이 와도, 항상 그래요. "나를 절대 잊어버리면 안 돼." 이 말은 사실 제 여동생이 자주 해주는 말이기도 해요. 여동생과는 한 살 차이인데, 동생이라기보다 누나 같아요. 어제도 통화하다가 혼났어요. (웃음) 엄청 친해요. 현실 남매라기보다 이상적인 관계에 가깝습니다. 제 최고의 팬이자, 최고의 안티죠.

(공원에서 열린 길거리 공연을 바라보며) 얼마 전, 당신 공식 SNS에 드럼 치는 영상이 올라왔더군요. 드럼 말고 피아노도 연주할 줄 알죠?
음악은 늘 가까이에 있었어요. 엄마 꿈이 가수였고, 외숙모가 또 피아니스트였거든요. 명절날 모이면 사촌 동생들이 기타, 드럼, 피아노를 치며 노는 모습을 볼 수 있었죠. 그때 저는 그냥 지켜만 봤어요. 동생들이 악기를 너무 잘 다뤄서 불쑥 나서기가… (웃음) 그러다가 독학을 시작했죠. 유학 시절, 외로움을 견디기 위해 찾은 방법이 피아노 치며 노래 부르기였어요. 군대 갔을 때도 몰래 교회에 들어가서 피아노를 치곤 했죠. 그래서인지 음악 영화는 웬만하면 다 좋아해요. 〈라라랜드〉, 〈위플래쉬〉, 〈스타 이즈 본〉 같은 영화들요.

〈스타 이즈 본〉은 최정상에서 하강하는 남자와 밑바닥에서 상승하는 여자의 엇갈림을 그린 러브스토리죠. 일과 사랑을 동시에 성취하는 건 힘들다고 생각하십니까.
음. 같이 갈 수 있다고 믿는 쪽입니다. 물론 사랑에는 무수히 많은 변수가 있기에 쉽지는 않겠지만요.

이전에 한 인터뷰에서 이런 말을 했더군요. "한 여자를 사랑하지 못하는 사람은 하나의 역할도 소화할 수 없다고 생각한다"라고. 이 말은 유효한가요?
그럼요. 중요하게 생각하는 가치관이에요. 지켜야 한다고 생

변요한의 드럼과 피아노, 그리고 '복자'.
(사진 제공 변요한)

산책의 출발이자 도착 지점.
어둠이 내려앉기 시작했다.

각하는.

로맨티시스트군요. 〈라라랜드〉는 결말이 아련하고도 충만한 영화입니다. 헤어진 남녀가 조우하는 마지막 장면에선 '만약에 우리가 (과거에) 이랬다면'이라는 물음이 딸려오죠. 당신에게도 '만약에'를 떠올리게 하는 인연이 있겠지요.

연애사뿐 아니라, 많은 것들이 그렇죠. 만약에 욕심을 안 냈더라면, 만약에 그때 자존심을 조금 덜 부렸더라면, 만약에 그때 그 길로 갔더라면… 너무 많습니다. 앞으로도 수많은 '만약에'들이 생길 테고요. 그런데 저는 웬만하면 후회를 안 하려고 해요. 더 정확하게 말하면 후회를 만들지 않으려고 합니다. 순간을 살려고 하죠. 순간순간 많이 힘들어하고, 순간순간 많이 좋아하고, 순간순간 내 감정을 힘껏! 그러면 아무리 힘든 일이라도, 그 모든 게 추억이 되거든요.

PM 05:30

피규어 카페

Scene 2. **출발 지점으로 다시 돌아온 우리는 그의 피규어 수집에 큰 영향을 끼친 카페로 들어가, 그가 즐겨 앉았던 야외 테이블에 자리를 잡고 대화를 이어나갔다.**

독립영화에서 출발해서 활발하게 활동하고 있는 당신 또래 배우들이 참 많아요. 보면서 그런 생각을 해요. 조금 과장해서 표현하면 하나의 경향이지 않을까 하는. 과거 연극무대에서 자양분을 섭취해온 충무로의 기초 토양이 당신 세대부터 독립영화로도 많이 옮겨갔어요. 기존 선배들과 성향도 확연하게 다름을 보여주고 있고요. 어떤 변화가 감지된달까.

변화에 대한 생각은 사실… 가져야 한다고 생각합니다. 변화해야 한다고 생각하고요. 문화적인 일을 하는 사람이라면 말이죠. 대단해서가 아닙니다. 창작하는 사람이라면 어떤 경향을 무조건 따르기보다, 세시할 필요도 있나고 보거든요. 노력이 필요한 거죠. 저희에게 어떤 특권이 있다면, 그건 아마도 아직 도전할 기회가 많다는 것일 텐데, 그렇기에 더 유연하게 쓰고 싶어요. 책임감을 겸손 떨지 말고 가져야 한다고 생각하고요.

산책 후 그의 단골 카페에서 대화를 이어나갔다.

또래 배우들과 이런 이야기, 종종 나누나요?

옛날에는 했는데 지금은 아끼는 편이에요. (그는 잠시 생각에 잠긴 후 조심스럽게 말을 이어나갔다.) 그런데 기자님께 솔직하게 이야기하는 이유는… 지금 이 대화들이 글로 나가잖아요? 선배님들이 보실 수도 있고, 젊은 배우들이 볼 수도 있죠. 선배님들은 "얘, 이런 생각 하고 있구나, 나도 저랬었는데" 생각하실 수 있어요. 실력이 있는데 아직 필드에 나오지 못한 친구들은 "저 사람도 하는데 우리도 가능하지, 곧 우리 시대가 올 거야"라고 생각할 수 있고요. 조심스럽긴 하지만, 그런 마음이 조금이라도 전달되면 좋겠다는 생각이 있어요.

큰 사랑을 받으며 방영된 400억 대작 드라마 〈미스터 션샤인〉 출연 후 그의 발길은 단편영화 〈별리섬〉[6]으로 향했다. 〈미생〉 후에도 그는 모두의 예상을 깨고 독립영화를 선택했었다. 그러니까, 변요한의 독립영화에 대한 애정은 말에서 그치지 않는다. 그는 행동으로 옮긴다. 초심을 잃고 싶지 않다는 말이 다소 상투적으로 쓰이는 요즘이지만, 변요한 앞에서만큼은 그 상투성이 끼어들 틈이 없어 보였다.

아까 산책하며 낭만 이야기를 잠시 했는데 당신에게 낭만은 뭔지요.

돌발적인 것들. 가령 친구가 갑자기 연락해서 "나와!" 해요. "어디 가려고. 나가려면 씻어야 하는데." "그냥 나와." 그러면 모자 푹 눌러쓰고 나가서 시원한 아메리카노 마시며 아이쇼핑하다가, 마음에 드는 아이템이 있으면 친구끼리이긴 하지만 커플로 사서 나누는 게 저에겐 낭만입니다. 오늘 이렇게 공원 산책하는 것도 저에겐 낭만이에요. 지인들 혹은 홀로 걸었던 이 길을 낯선 누군가와 걷는 것도 참 낭만적이지 않나요? 이런 게 또 기억에 남거든요.

듣다 보니 낭만은 당신 가까이에 있다는 생각이 드네요.

그런 것 같아요. 불평불만도 많고 감사한 것도 많아요. 그런데 불평불만은 최근 몇 년 사이 많이 없어졌어요. 그래서 오히려 조금 불안하긴 합니다. 반감이 조금 있어야 하는데, 너무 유해지는 건 아닌가 싶어서요. 불안함은 저의 원동력이었거든요.

변요한은 뭔가를 하나 시작하면 끝장 보는 사람 같다는 인상이 있어요.

아… 지금의 저는 딱 기자님이 보시는 모습인 것 같아요. 열심히 하는! 끝장 보는! 지금은 그러고 싶고요. 끝을 모르기 때문에 지금 이 시기를 후회하고 싶지 않은 거죠. 물론 이렇게 하면서 행복해하는 지점들을 찾는 게 저에겐 숙제죠.

당신이 배우가 된 건 운명이었다고 생각합니까, 의지였다고 생각합니까.

운명이고, 조금 오버하면 숙명 같다는 생각도 합니다. 우연히 시작했고, 연기에 뜻을 품는 게 쉽지 않은 환경이었고, 포기하도록 이끄는 어려운 순간도 많았는데, 돌고 돌아 결국 연기로 왔어요. 제가 다가간 것도 있지만 연기가 다가온 것도 있다고 생각해요.

달, 별, 꽃을 좋아했던 〈미스터 션샤인〉 '김희성'처럼
변요한도 낭만을 좋아했다.

왜 당신에게 숙명과도 같은 일이 왔을까 생각해본 적 있나요.

해봤죠. 그런데 이건 말씀드리기가 조금 창피해서…. 이 정도는 말씀드릴 수 있을 것 같은데, 얼마 전 소속사 대표님과 밥을 먹었어요. 그때 대표님께서 '선한 영향력'에 대해 말씀하시더라고요. 말은 안 했지만 제 마음과 같았습니다. 배우는 연기를 하고, 화가는 그림을 그리고, 음악가는 음악을 하고, 기자님은 글을 쓰는데, 이 모든 게 힘이 있다고 믿거든요. 누군가를 위로할 수 있는 사람이면 좋겠어요.

연기는 짝사랑 같나요, 아니면 서로 사랑하고 있는 것 같나요.

이전에는 짝사랑이라고 생각했어요. 지금은 같이 사랑한다고 느낍니다.

사랑하는 대상인만큼 연기에 상처를 받기도 할 텐데요.

그렇죠. 가장 즐겁게 하는 것도, 가장 슬프게 하는 것도 연기죠.

애증의 관계?

아니, 애증은 아니고. 사랑입니다. (웃음)

아프게 하지만 사랑이다!

완벽하지 않기에 더 빠지는 거죠. 저는, 아직도 너무 뜨거워요. 아직 세상을 다 알지 못하지만, 조금이라도 이해하고 느낀 것들을 담아내고 싶어 마음이 끓어요. 일희일비하지 않고 가고 싶어요. 아프다고 엄살 부리지 않고, 기쁘다고 들뜨고 싶지 않아요.

그가 "아직도 너무 뜨겁다"라고 말하는 순간, 나는 주변 공기가 살짝 데워지는 느낌을 받았다. 그건 착각이었을까. 나는 그에게 "오늘의 당신을 떠올리면 '킵 고잉Keep Going'이 생각날 것 같다"고 말했다. 그가 빠르게 응답했다. "킵 고잉, 제가 즐겨 쓰는 단어예요!"

지금의 연기 패턴은 과거의 경험에서 얻지 않았을까 싶은데요. 실패를 통해 연기에 대한 스타일을 수립한 건가요, 아니면 성공을 통해 그 스타일을 더 견고하게 해나간 편인가요?

과거 작품들에게 정말 미안하지만 모든 게 실패였다고 이야기하고 싶습니다. 앞으로 계속 나아가야 하는데, 벌써 성공이라고 해버리면 너무 재미없잖아요. 그럼 괜히 나에게 도취될 것 같고요. 그런 면에서 실패라 하고 싶어요. 좋은 의미의 실패.

겸손한 말씀이십니다. 혹시 당신의 가치관에 영향을 준 뼈아픈 기억, 혹은 좋았던 기억이 있습니까.

너무 많죠. 그런 만남도 많았고요. (생각) 연기할 때의 저는 완벽주의자 기질이 조금 있어요. 그런데 연기 외의 것들에선 전혀! 평소엔 허점투성이에다가 허당이고 그래요. 바보 같다는 소리도 듣고요. 그런데 그게 나쁘지 않은 것 같아요. 프로페셔널한 모습은 일할 때 꺼내서 쓰고, 인간 변요한일 때는 머리 안 쓰고 잘 놀고 잘 감동하고 잘 울고 싶어요.

사람에 대한 이해의 폭이 넓어지면 연기도 좋아진다고 생각합니까.

(단호하게) 사람은 이해할 수 없다고 생각해요. 절대.

이해를 안 하면요?

그냥 안아주는 것. '온기'인 것 같아요. 이전에는 연기할 때 '관찰'이라는 단어를 많이 썼습니다. 이젠 다르게 생각해요. 관찰보다는 그냥 에너지를 서로 느끼는 게 좋다고 보거든요. 사람은 절대 알 수 없기에.

알 수는 없지만, 반대로 이해받고 싶은 마음이 있지 않나요.

그렇죠. 하지만 그 이해도 100퍼센트일 순 없다는 게 제 생각입니다. 이해는 내가 안다고 착각하는 쪽에 가깝지 않을까 싶고요. 그래서 이해보다는 안아주는 게 중요하다고 생각해요.

이해 대신 안아준다라….

컨디션이 굉장히 안 좋은 날이었어요. 내색하지 않고 친구와 소파에 앉아 있는데, 제 발이 친구에게 갔나 봐요. 친구가 대뜸 "컨디션 안 좋아? 왜 이렇게 발이 차?" 하고선 "약 먹을래? 밥 먹었어?" 묻는데… 그 말이 되게 위로가 되더라고요. 얘가 나를 아는구나 싶고. 그런 순간들인 것 같아요. 이해가 아닌 안아준다는 건.

그게 말씀하신 온기이고요. 감정적으로 터치가 되는.

맞아요. 온기예요. 이해할 수 없는 무언의, 온기, 텔레파시, 백마디 말보다 강력한.

캐릭터를 받아들이는 과정은 어떻습니까. 많이들 캐릭터를 이해하려고 한다고 하잖아요.

배우마다 다르겠지만, 제 경우엔 이해하려고 하면 너무 답이 나오더라고요. 그래서 이젠 캐릭터를 받으면 일단 떨어져서 봐요. 대사 한 줄이라도 내 마음을 치는 게 있으면 거기에서 감정을 파생시켜나가려 하고요. 하지만 이 경우 역시 상상력을 키우는 것일 뿐, 절대 그 인물을 다 알 수 없다고 생각해요.

살면서 계속 성장하고 있다고 느끼십니까.
솔직히 잘 모르겠어요. 오늘 기자님께 건넨 모든 말들이 제가 성장해서 나온 것들이면 좋겠어요. 거품이 아닌. (생각) 사실, 오늘의 이 말들은 지금의 제가 제 나이에 생각할 수 있는 최고치예요. 이게, 지금의 나예요. 네, 그래요. 나중에 만났을 땐 또 달라져 있을 수 있지만요.

단서를 달죠. 2019년 5월까지의 변요한의 진심이라고. 마지막 질문입니다. 훗날 변요한 인생을 뮤지컬로 만든다면, 오프닝과 엔딩을 어떤 곡으로 하고 싶으십니까.
어려운 질문인데요. 음… 제가 얼마 전에 생애 첫 팬미팅을 했어요. 그때 불렀던 곡, 오프닝 곡은 윤도현의 〈나는 나비〉, 엔딩 곡은 전람회의 〈기억의 습작〉이면 어떨까 싶습니다.

모든 말들이 거품이 아닌, 성장에서 나오는 것들이었으면 좋겠다고 다짐하듯 말할 때의 변요한 표정이 그 후에도 오래도록 남았다. 스스로가 내뱉은 말의 무게를 알고, 그것이 가닿을 곳의 파장을 살피는 이상적인 낭만주의자. 내딛는 한 걸음 한 걸음을 의미 있는 '인생의 습작'으로 여기는 배우가 여기 있다.

주로 배우 피규어를 만드신다고요.

눈썹 하나, 입 모양 하나
전부 다른 느낌의 다양한
부품들이 있어요.
결국 선택에 따라
다른 모습의 피규어가
탄생하는 셈인데,
완성도를 보면 만든 이의
의도나 디테일이 보입니다.
(...)

얼굴을 완성한 다음에
이 의상도 입혀보고
저 의상도 입혀보는데,
아무리 표정을 잘 만들어도
옷을 잘못 입히면 원하는
느낌이 채워지지 않아요.
그런 일련의 과정을
거치다 보면 저를 또
돌아보게 됩니다.
나도 안 맞는 옷을
억지로 입으려 한 적은
없었나, 하고 말이죠.

Essay

목합선과 피규어와 이케아

아빠는 모형 배 만들기 '덕후'였다. 덕후라는 단어가 세상에 존재하기도 전에 목합선 만들기 '덕질'을 하셨다. 수많은 모형 중에 함선에 심취하신 건 직업과 관련이 있다. 아빠는 해군이었다. 그의 젊은 시절 사진을 꺼내보면 세계를 항해하는 '순항 훈련' 때 찍힌 모습들(과 세계 각지의 미녀들과 찍힌 모습들)이 튀어나오는데, 추측건대 그 시절은 아빠의 화양연화였던 것 같다. 아빠는 모형 함선을 만들면서 군함을 타고 전 세계를 돌던 시절을 추억하는 듯 보였다.

'Do It Yourself' 정신이 투철했던 아빠는 목재에 늘 진심이셨다. 목공소에서 나무를 골라와서 원하는 크기로 직접 자르고, 다듬고, 사포질하고, 구멍을 뚫고, 끼우고… 작업하다 나오는 자투리 나무조각 하나도 허투루 사용하지 않고 모형으로 만들어냈다. 아빠의 취미로 인해 내가 포기해야 했던 건 웃기게도 아이스크림 선택권이었다. 아이스크림 가게 냉동고 앞, 부라보콘 앞에서 침 흘리는 나에게 아빠는 늘 말씀하시곤 했다. "비비빅 먹어라."

(비비빅의 아이덴티티인) 팥의 풍미를 음미하기엔 당시 내 혀는 '초딩 입맛'이었지만, 어쩔 수 없었다. 아빠가 비비빅 구매를 강권한 이유는 비비빅을 먹고 남은 막대기 때문이었다. 납작한 여타의 아이스크림 막대기들과 달리 둥글고 탄탄한 비비빅 막대기는 모형 배의 훌륭한 재료였다. 엄마와 오빠와 내가 먹고 남긴 비비빅 막대기는 깎

이고 잘려서 모형 배의 대포가 됐고, 어뢰가 됐고, 깃발 봉이 됐다. 아아, 우리가 남긴 비비빅 막대기들이여.

아빠는 손재주가 좋았다. 인터넷이 없던 시절이라 도면을 쉽게 구할 수 없었을 텐데, 직업적 이점을 십분 살려 항공모함, 구축함, 잠수함 등을 근사하게 만들어냈다. 수개월이 걸리는 고된 작업이었지만 모형 배 앞에서만큼은 만화 『슬램덩크』 속 '포기를 모르는 불꽃 남자 정대만'에 빙의하셨다. 부속품을 공들여 만들고도 함선 전체 모형과 어울리지 않으면 과감하게 분해해서 재조립하기도 했는데 '아니, 대세에 큰 지장 없는 것 같은데, 왜 고생을 사서 하시나~'라는 눈으로 바라보는 딸에게 언제고 이런 비슷한 말씀을 하셨다.

"대충 타협하면 나중에 분명 후회해. 목공에는 만든 사람의 태도가 여실히 드러나기 마련이다."

뭔가 멋진 말 같긴 했지만, 그 말을 이해하기에 그때의 나는 너무 어렸고, 그 말을 이해할 만한 나이가 되었을 땐 아빠가 세상에 존재하지 않는 사람이어서 물을 수가 없었다.

그리고 오랜 후, 그 답을 변요한에게서 얻었다. 피규어 커스텀 덕후인 변요한은 배우 캐릭터를 피규어로 제작하는 걸 즐긴다. 다양한 모양의 부품을 주문해서 조립해가는 과정엔 여러 선택이 끼어들기 마련. 어떤 눈썹을 선택할 것인가, 어떤 입 모양을 취할 것인가. "완성본을 보면 만든 이의 의도나 디테일이 보인다"고 말한 그는 "아무리 표정을 잘 만들어도 옷을 잘못 입히면 원하는 느낌이 채워지지 않는다"고 했다. 그리고 이런 일련의 과정을 통해 자기 자신의 연기를 돌아본단다. "나도 연기할 때 안 맞는 옷을 억지로 입으려 한 적은 없었나"하고 말이다. 변요한이 피규어를 만들며 여러 의상을 입고 벗듯, 아빠는 아마도 목함선을 만들며 배에 여러 번 오르고 내렸을 것이다. 전체와의 균형을 찾아서.

DIY에 소질 있는 남자의 딸이라고, 내 DNA에도 손재주가 없지는 않다. 그 능력이 자주 꽂히는 곳은 DIY 콘셉트로 유명한 가구 '이케아'다. 그렇다. 나는 이케아 덕후다. 착한 가격도 가격이지만, 내가 이케아를 좋아하는 건 '사서 고생할 수 있어서'다.(팔 심은 데 팔 난답니다!) 조립 공정이 복잡하면 복잡할수록 투지가 덩달아 오르고, 완성했을 때 얻는 성취감도 비례하는 가구. 당연히 별도의 비용을 지불하고 조립 서비스를 받는 일이란 내 사전에 없다. 소비자가 직접 조립하는 DIY 방식으로 가격을 낮춘 게 이케아의 특징인데, 부러 인건비를 들이는 건 이 제품을 구매하는 자의 자세가 아니다 싶기도 하고.

아빠가 모형 배에서 철학을 느끼듯, 변요한이 피규어에서 연기를 느끼듯, 나 역시 이케아에서 인생을 본다. 뭐랄까, 이케아는 '첫 단추'의 중요성을 여실히 드러내는 브랜드다. 볼트 하나 잘못 끼워 넣어도 모든 것들이 틀어져서 문제점을 찾아내는 데 애를 좀 먹인다. 감으로 대충 끼웠다간 조립한 부품들을 몽땅 분해한 다음 처음부터 다시 조립해야 하는 사태가 벌어지기 일쑤다. 반면 자리만 잘 찾아 끼우면 놀라운 내구성을 자랑한다. 조립하는 과정에서 '합의 중요성, 본래 있어야 할 자리의 중요성'에 대한 화두를 던지는 기특한 놈이랄까.

물론 인생은 이케아 가구 조립 같지 않다. 이케아처럼 매뉴얼이 있는 것도 아니고, 정해진 루트가 있는 것도 아니며, 결과는 늘 예상을 빗나간다. 부품을 잘못 끼우면 수정할 수 있는 이케아와 달리, 인생은 잘못 들어선 길을 풀어서 다시 조일 수도 없다.

다만, 인생이란, 벌어진 일 위에 또 다른 일을 벌이는 것이라는 걸. 우연의 연속인 길 위에서 나에게 잘 맞는 조립 스타일을 찾아가는 게 인생임을 아는 나이가 되어간다.

Presented by

a Room of one's Own

배우

Casting

변요한

Room

No. 4

의 방

Actor's
Room

To be continued.

Actor's

Room

#5

배우 이제훈의

방

정릉

PM 02:00~06:00

무언가 되는 것보다,
되고 나서가 더 중요해요.

PM 02:00

정릉

'양가적인 얼굴'. 다양한 감정을 품은 배우를 논할 때 덕담처럼 사용되는 이 수식어의 적합 여부를 따지는 심사가 있다면, 이제훈은 최적합일 것이다. 2011년 혜성처럼 등장해 영화계를 흔들었던 〈파수꾼〉에서부터 이제훈은 이러한 면모를 조금씩 자연스럽게 흘려왔다. 서투르게 사랑을 갈구하며 타인은 물론 스스로를 파괴했던 '기태'. 위태위태했던 '기태'가 대중에게 공감을 얻으며 사랑받을 수 있었던 건 기실 이제훈이 부여한 양면적인 매력 덕분이었다.

서늘함과 부드러움이 공존하는 이제훈의 마스크는 이후에도 영화 안에서 흥미롭게 쓰였다. 사랑 앞에 '찌질'했던 순진한 '승민(〈건축학개론〉[1])'과 전쟁의 광기에 사로잡힌 '일영(〈고지전〉[2])' 사이에 존재하는 엄청난 이미지 낙차. 신념을 위해 뜨겁게 돌진했던 역사적인 인물 '박열(〈박열〉[3])'과 구청에 가면 진짜 있을 것 같은 가장 보통의 얼굴 '박민재(〈아이 캔 스피크〉[4])' 사이의 간극. 유약했다가, 악독했다가, 예민했다가, 순박했다가, 사랑스러웠다가…. 이물감 없이 캐릭터를 껑충 오가며 이제훈은 대중이 오래 두고 관찰하고 싶은, 호기심을 품은 배우가 됐다. 〈파수꾼〉의 윤성현 감독과 다시 작업한 영화 〈사냥의 시간〉[5] 공개를 앞두고, 그가 또 어떤 얼굴 근육을 사용했을지 그 힌트를 얻고 싶어 만남을 청했다.

Scene 1. **이제훈과 접선하기로 한 장소는 영화 〈건축학개론〉의 추억이 깃든 정릉이었다.**

정릉엔 얼마 만인가요?

사실 〈건축학개론〉 촬영 때 오고 처음이에요. 나만의 공간을 여쭤보셔서 많이 고민했어요. 가족들과 사니까 집으로 초대하기도 그렇고…. 마침 〈건축학개론〉 생각이 나서 정릉을 함께 걸으며 이야기하면 좋겠다 싶었어요.

'승민(이제훈)'의 뷰파인더 속으로 '서연(수지)'이 뛰어들어온 게, 이 어디쯤이죠?

하하. '승민'은 그렇게 믿고 싶은 거죠. 그녀가 내 카메라로 뛰어들어왔다고.

정릉에서의 이제훈.

〈건축학개론〉의

추억 속으로.

영화 개봉 후 많은 청춘들이 '내가 잡은 앵글에도 누군가 들어왔으면…' 하는 상상을 했다고 들었어요. (웃음) 그나저나 공개를 앞둔 〈사냥의 시간〉은 근미래를 그려내죠? 근미래에 이곳 정릉은 어떻게 됐을 것 같나요.

유적지잖아요? 보호되길 바랍니다. 함부로 건드리면 안 되죠.

〈사냥의 시간〉에서 당신이 연기한 '준석'은 사건의 설계자입니다. 현실에서의 이제훈은 어떤가요. 행동파인가요, 이론가인가요?

이상을 꿈꾸면서 행동하는 사람입니다. 꿈만 꾸면서 실행하지 않으면 이뤄지지 않으니까요. 감성적인 사람이냐, 이성적인 사람이냐 물으신다면….

당신은 감성적인 사람입니까, 이성적인 사람입니까. (웃음)

감성적으로 받아들이지만 소통할 때는 이성적으로 하려는 사람입니다. 그때그때 느끼는 감상이나 기분을 너무 솔직하게 드러내면 표현의 온도 차이가 심할 수 있잖아요? 받아들이는 사람이 오해 없도록 이성적으로 이야기하는 게 중요하다고 생각해요.

무리에서는 어떤가요. 〈사냥의 시간〉에는 '킬러 한'을 연기한 박해수 배우가 있긴 하지만, 위험한 작전을 함께하는 배우(안재홍·박정민·최우식) 중에선 가장 연장자인데요.

형 같지 않은 형이랄까. 나서서 리드하거나 그러지는 않았어요. 분위기에 묻어가는 편이었죠. 아, 필요할 땐 주도적으로 움직이긴 했어요. 가령, 커피 차? 〈사냥의 시간〉 배우 5인과 감독님이 함께하는 단톡방이 있어요. 〈사냥의 시간〉 촬영이 끝나고 배우들이 각자 다른 작품을 찍을 때, 제가 커피 차를 보내자고 주도했죠. 커피 차 받는 사람이 없는 방을 따로 만들어서 돈을 모으고, 계좌 번호 주고받고, "결제했다~!" 막 이러고. (일동 웃음)

왜 다들 귀엽게 느껴지죠? (웃음)
배우들끼리 너무 친하고 죽이 잘 맞았어요. 서로 면박도 주고 놀리기도 했는데, 누구 하나 악의가 없었기에 마냥 즐거웠죠. 서로를 배려하는 마음이 기본으로 깔려 있었습니다.

디스토피아적 세계관을 녹인 작품이지만 현장 분위기는 훈훈했겠네요. 말이 나온 김에 세계관과 연관해서 드리는 질문인데, 당신을 절망하게 하는 사회적 현상, 혹은 사회의 변화가 있다면 무엇인가요.
SNS 등의 영향으로 정보의 전파 속도가 이전과 다르게 빨라졌잖아요? 그에 따른 긍정적인 부분도 있지만, 정확하지 않은 팩트를 무분별하게 받아들이는 부분에 대한 우려와 아쉬움이 있어요. 그런데 이 또한 과정이라고 생각합니다. 이런 과정을 거치면서 진실을 보려고 노력하는 분위기가 사회적으로 형성될 테고, 그러면서 더 성숙한 문화가 생기리라 믿어요.

저 역시 이젠 정보를 걸러서 보고 있는데요, 말씀하신 대로 과도기란 생각이 들어요.
매체에 대한 접근 방식도 달라져야 하는 것 같아요. '여기는 무조건 옳아, 여기는 무조건 나빠' 식의 맹목적인 접근이 아니라 조금 더 면밀하게 들여다봐야 한다고 느끼고 있어요.

혹시 가족이나 친지 중에 예술 관련된 일을 하는 분이 계신가요?

아니요. 그것 때문에 배우라는 직업에 대한 갈등이 컸어요. 주변에 누구라도 예술 분야에 계셨다면 많이 물어봤을 텐데… 예술적 멘토랄까, 그럴 만한 분이 없었어요. 스스로 질문을 던지고 답을 찾아야 했기에 조금 외로웠죠. 연기에 대한 확신이 없었으니 더 그랬고요. 그런데 영화만 보면 내 안에서 뭔가가 끓어오르니, '(연기를) 하고 싶다!'는 마음이 가시지 않더라고요.

집안에서 남다른 DNA를 가지고 태어난 셈인데요, 영화엔 왜 그렇게 끌렸습니까.

어릴 때, 집 맞은편에 비디오 가게가 있었어요. 엎어지면 코 닿을 거리에요. 마침 비디오테이프 플레이어가 붙어 있는 일체형 TV를 아버지가 제 방에 놓아주셨어요. 비디오 관람하기에 더없이 좋은 환경이 조성된 거죠. 하루에 한 편씩 비디오를 빌려다 봤을 거예요. 그러던 중 그 비디오 가게가 망했는데, 점포 정리를 하길래 한꺼번에 많은 비디오를 싸게 샀어요. 그때부터 점포 정리하는 가게를 찾아다니며 비디오를 모으기 시작했죠.

즐겨보는 장르가 있었나요?

외화가 인기였던 시기에도 저는 한국 영화를 즐겨봤어요. 박신양 선배님의 〈유리〉[6]나 임권택 감독님의 영화들. 이창동 감독님의 〈초록물고기〉[7]를 보면서는 '와, 이런 게 영화인가?' 했어요. 그 감정의 정체가 무엇인지, 정확히 표현할 언어는 찾지 못하겠는데 너무 좋았어요. 그러다가 〈쉬리〉[8]를 만났죠. 저는 한국 영화가 〈쉬리〉 이전과 이후로 나뉜다고 생각하는데, 〈쉬리〉가 나왔을 당시 한석규, 송강호 선배님 나이가 〈사냥의 시간〉에 출연하는 저희와 비슷해요. 선배님들이 그러셨듯, 저희도 또래들이 모여서 〈사냥의 시간〉을 만든 거죠.

이미 또래 배우들이 뭉쳐서 큰일을 치르지 않았습니까. 〈파수꾼〉으로 말이죠. 〈파수꾼〉은 독립영화의 지형을 많이 흔든 작품이에요. 독립영화를 통해 발견된 배우를 호출할 때, 당신은 거의 시조새 격으로 꼽히기도 하고요.

(눈을 개구지게 반짝이며) 제 입으로 말하기는 그렇지만, 〈파수꾼〉은 정말이지! (웃음) 청춘을 그린 영화가 의외로 많지 않아요. 젊은 에너지가 분출되는 영화들이 많이 나왔으면 하는 바람이 있습니다.

조금 짓궂은 질문인데, 동생이 있다면 〈사냥의 시간〉 배우 중에 소개해주고 싶은 사람이 있나요?

아우~ 이거, 잘못 대답하면 배우들에게 지탄받는데. 하하. 지금 당장 생각으로는 안재홍 배우? 모두 다 자상하지만 안재홍 배우만이 지닌 특유의 포근함이 있어요. 위트도 출중해서, 제 동생이 있다면 끊임없이 웃게 해줄 것 같아요. 그래서 선택은 안재홍 배우.

'이 배우의 이런 점은 사냥해서 내 것으로 하고 싶다' 하는 건요?

(박)정민이가 작가잖아요? 글을 정~말 잘 써요. 어쩜 그렇게 맛깔나게 쓰나 싶어요. 글로 사람들 마음을 움직일 수 있는 능력이 너무 부럽습니다. (박)해수 형은 출연 작품들이 카리스마

넘쳐서 실제로도 강할 줄 알았는데, 그렇게 순박할 수 없어요. 제가 만난 배우 중에 가~장 선해요. 그런 형을 좋아하게 됐죠. 〈사냥의 시간〉에서는 실제와 달리 무시무시하게 나오는데, 개인적으로 이 영화의 톤 앤 매너를 지배하는 인물이라고 생각해요. 제게 남동생이 있다면 (최)우식이 같았으면 좋겠어요. "형님, 형님~" 하면서 안기는데 한없이 귀엽고 사랑스러워요. 정말이지 좋아하지 않을 수 없어요.

동료들을 언급하며 호감의 표정을 숨기지 못하는 이제훈에게서 발견되는 건 단순한 동료애가 아니었다. 그것은 이전보다 몰개성화된 한국 영화 산업에서 자기만의 창작 욕구를 모색하며 한 발 한 발 내딛고 있는 또래 친구들을 향한 든든함, 그리고 연대 의식에 가까워 보였다.

PM 03:30

정릉 근처, 커피숍

Scene 2. **오르막이 시작되고 호흡이 조금씩 가빠지자, 우린 발길을 돌려 정릉 입구 쪽으로 다시 이동했다. 마주앉아 대화를 나눌 조용한 커피숍이 목적지였다.**

걷고 나니, 〈건축학개론〉 속 장면이 새록새록 떠오르네요. 영화에서 소심하고 비겁했던 '승민'은 첫사랑 '서연'을 놓치는데, 이제훈이었다면 달랐을까요?

저 역시 20대 초반에는 '승민'처럼 어리숙한 면모가 많았어요. 더 어릴 때요? 어릴 땐 심하게 활달했어요. 장난도 많이 치고, 극성맞고, 시끄럽고. 명절 때 모이는 친척들도 제가 오는 걸 반기지 않을 정도였으니 상상이 가시죠? (웃음) 그러다가 고등학교에 들어가면서 조금 얌전해졌어요. 남녀공학이었는데, 남중을 다니다가 성비가 반반인 반에 들어가보니….

타인, 이성의 시선을 의식하게 됐군요.

그랬던 거죠. (웃음) 그런데 오래가지 못했어요. 고 2 올라가면서 1년 동안 참았던 게 올라오더라고요. 다시 막 장난치고 떠들고. 그래도 성장하면서 많이 차분해지긴 했어요.

공학도의 길을 걷다가 자퇴한 후 한예종에 입학했습니다. 처음부터 연기라는 길을 선택해서 달리거나, 다른 전공을 공부하면서 연기를 겸한 것과는 분명 다른 경우죠. 인생을 바꾸는 과정은 당신에게 시행착오로 남아 있나요? 아니면 운명이었다고 생각하나요?

운명도, 시행착오도 아니었던 것 같아요. 공대를 휴학한 후 몸담았던 곳은 러시아 유학파 출신 선생님들이 모여서 만든 극단 '동動'이었어요. 배우는 배역과 완벽하게 동일화돼야 한다는 '스타니슬랍스키식 연극론'에 기반을 둔 곳이었는데, 그곳에서 정말 많이 배웠습니다. 이전의 저는 '배우는 무대 위에서 잘 드러나 보이면 되는구나'라고만 생각했어요. 그런데 선생님께서 배우는 평소에도 극 중 인물처럼 입고, 먹고, 생각해야 한다고 끊임없이 이야기하셨죠.

캐릭터와 일상이 밀착된 연기 말이죠.

네. 그런데 저는 그 과정을 간과했어요. 당시 장기 공연의 주인공으로 캐스팅됐는데, 공연이 두 달 정도 됐을 때 날벼락 같은 일이 벌어졌어요. 공연 도중 "너랑은 함께하기 힘들 것 같다", "그런 자세로는 무대에 설 수도 없고, 서서도 안 된다"는 이야길 듣고 말았죠.

과거의 흔적을 살펴보고 있는 이제훈.

청천벽력 같은 소식을!

엄청난 충격이었어요. 큰 절망에 빠졌고요. 그런데 물러설 수 없겠더라고요. 선생님께서 "잠깐 올라가서 대사 한마디 치고 들어가는 노인 역할이 있는데, 그거라도 할래?" 하시길래 "하겠습니다!" 했어요. 그때부터 70~80대 노인 역할로 무대에 섰죠. 이후 극단 가는 길이 천근만근이었어요. 친구들에게 부끄럽고, 부모님께 죄송하고. 주인공 됐다고 얼마나 자랑하고 다녔겠어요. 그런데 하루아침에 그렇게 됐으니. 하지만 어떤 끈기가 제 안에 있었던 것 같아요. '두고 보자. 해 보이겠다!' 하는.

나를 증명해 보이겠다?

네. 내가 연기에 얼마나 열정이 있고, 원하는지에 대해서요. 돌이켜보면, 저의 토양이 된 엄청 중요한 순간이었어요. 무언가가 되는 게 중요한 게 아니라, 되고 나서 목표를 향해 가는 과정이 더 중요하다는 걸 그때 뼈저리게 배웠습니다.

아까 제 선택을 두고 시행착오였는지 운명이었는지 물어보셨는데, 긴 고민의 시간이 있었어요. 내가 연기를 통해 무엇인가를 얻고 싶은 건지, 아니면 정말 연기 그 자체를 하고 싶었던 건지… 연극을 하면서 먹고사는 문제까지 결부되니까 더 혼란스러웠죠. 저는 고민의 순간에 끊임없이 질문하는 스타일인데, 그때 그랬어요. '내가 이걸 할 수 있을까?' 부모님께 효도도 하고 싶고, 나중에 아내랑 자식이 생기면 호강도 시켜주고 싶은데, 연기해서 과연 그럴 수 있을까? 아무래도 안 될 것 같은데? 꿈이라는 이유로 내가 불확실한 미래를 붙잡고 있는 건 아닌가?

그렇다면 이걸 포기해야 하는 거 아닌가? 그런데….

'그럼에도 불구하고'였군요.

네. 그럼에도 불구하고, 하고 싶더라라고요. 해야겠더라고요. 그래서 결단을 내린 거죠. '죽이 되든 밥이 되든 나를 다 내던지고 다시 시작하자.' 그래서 학교를 생각한 거예요. 연기를 제대로 배우려고요. 그때 딱 한 군데(한예종)만 시험을 봤어요. 안 되면 군대 가자는 마음으로. 운 좋게 붙은 거죠. (의문의 '서류 가방'을 가슴에 끌어안으며) 학교 이야기가 나왔으니, 이쯤에서 보여드려야겠네요.

안 그래도 궁금한 터였다. 커피숍으로 자리를 옮기면서 그는 차에서 서류 가방을 가지고 왔는데, 가방의 비밀을 밝혀달라 무언의 압박을 가하는 나에게 그가 웃으며 말한다. "학교 다닐 때 끄적인 기록물과 〈파수꾼〉의 흔적들을 가지고 왔어요." 가방을 오픈하며 그는 부끄러운 듯 연신 "크크크크. 제가 이걸 보여드릴 줄이야~" 하고 수줍게 웃었다. 가방 속에서 그가 항상 가지고 다닌다는 아이패드, 〈파수꾼〉 시나리오 콘티북, 과거와 현재가 뒤섞여 진행되는 〈파수꾼〉을 (장면의 순서가 아닌) 시간순으로 편집해 정리한 대본, '파리한국영화제' 참석 때 우연히 구했다는 프랑스에서 출시된 〈파수꾼〉 DVD, 그리고 이제훈의 과거를 유추할 수 있는 '관찰 일지'까지 전부 쏟아져 나왔다.

글씨체가 귀엽습니다. (웃음)

왔다갔다해요. 어떨 때는 귀엽고, 어떨 때는 날아다니고. 하하.

파리한국영화제 참석 때 우연히 손에 넣었다는,
프랑스에서 출시된 〈파수꾼〉 DVD.

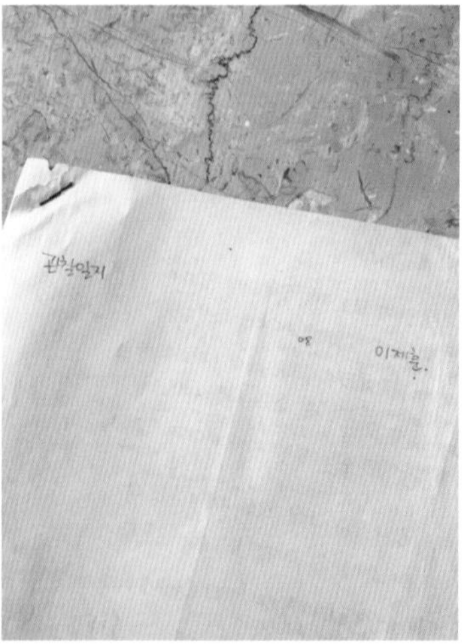

2008년 이제훈 '관찰 일지'.

'관찰 일지' 맨 앞장에 도종환 시인의 시를 적어두었다.

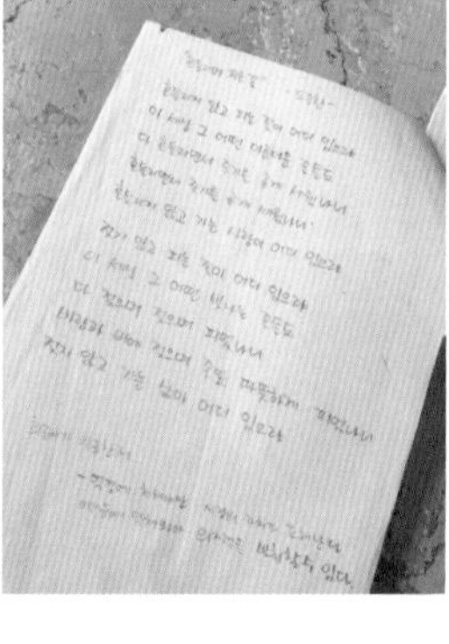

'관찰 일지' 맨 앞장에 도종환 시인의 「흔들리며 피는 꽃」을 적어 뒀군요.

꽃이 아름답게 피기 위해서는 흔들리면서 곧게 세운 줄기가 있어야 한다는 시의 의미들이, 배우의 어떤 결과 맞닿는 부분이 있다고 느꼈어요. 배우도 그래야 한다는 걸 마음에 새기며 적었던 기억이 납니다.

"역경에 처해야만 사람의 가치가 드러난다. 어려움에 닥쳐봐야 의지력을 발휘할 수 있다"라고 쓴 글도 보이는군요. 지금도 같은 생각인가요?

개인마다 차이는 있겠지만, 혹독한 경험이 성장하는 데 좋은 토양이 된다고 생각하는 쪽이에요. 여러 감정을 저글링해야 하는 배우의 경우엔, 더욱 그렇다고 생각하고요. (수업 노트를 넘기다가 뭔가를 발견하고는) 아! 이건 송강호 선배님이 해주신 말씀을 적은 거예요. 학교 다닐 때 특강으로 선배님이 오신 적 있거든요.

(노트를 들여다보며) 송강호 배우가 "누구나 하는 선택을 하지 말라"고 했군요. 어떻게 생각하세요? 저는 당신이 남들과 다른 선택을 해왔다고 생각하는데요. 그게 아마 대중이 이제훈이란 배우에게 지니는 신뢰의 바탕이지 않을까 싶고요.

그렇게 봐주시면 너무 감사한 일이죠.

예의상 던진 빈말이 아니었다. 규모가 큰 상업영화뿐 아니라 〈박열〉 같은 저예산 영화에도 관심의 끈을 놓지 않는 면모를 비롯해 그의 작품 선택의 우선순위는 산술적인 통념에서 벗어나 있다. 〈아이 캔 스피크〉에서 마지막까지 달뜨지 않고 나문희 선생님의 조력자 임무를 충실히 수행한 것이 대표적인 예. 비중에 연연하지 않고 의미 있는 영화라면 뒤로 물러서서 선택할 줄 아는 이제훈의 됨됨이를 관객들은 기민하게 눈치챈 터였다.

시나리오를 볼 때 '이 역할을 하면 빛나 보일 것 같은데'라고 해서 선택한 적은 한 번도 없어요. 가령 〈사냥의 시간〉에서 감독님이 어떤 역할을 주셨든 상관없이 출연했을 거예요. 왜냐하면 저는 윤성현이라는 감독을 신뢰하고 사랑하고 뭐든 함께하고 싶은 사람이니까요. 좋은 작품이라면 제가 어떻게 나오든 상관없어요. 작품 안에서 올바르게 쓰이고 싶을 뿐. 누군가가 빛나야 하는 순간이라면, 기꺼이 반사판 역할을 하는 게 맞다고 생각하고요.

송강호 배우 강의 시간에 필기한 노트에는 '좋은 연기 → 작품이 원하는 연기'라는 글도 적혀 있었는데, 문장 앞에 강조를 위해 쳐둔 '별표(☆)' 기호에서 이제훈이 방금 언급한 연기 방향성의 기원이 읽혔다. "송강호 선배님이 오셔서 해주신 말씀이 저에게 자연스럽게 내재되지 않았나 싶어요." 흡사 스무 살 청년처럼, 이제훈이 웃었다.

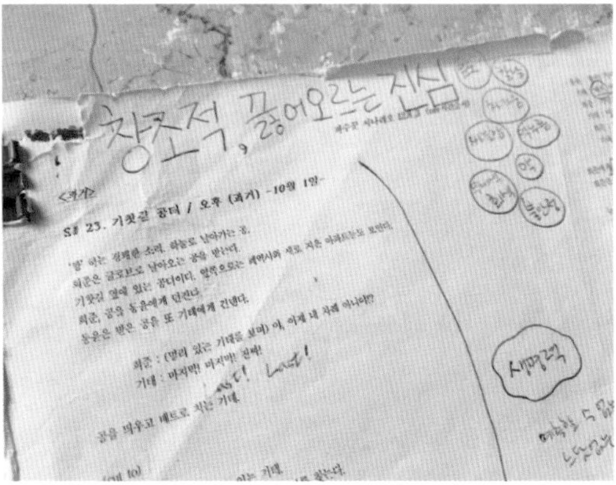

시간순으로 편집해 정리한 〈파수꾼〉 대본.

송강호 배우 특강 시간에
이제훈이 필기한 글.

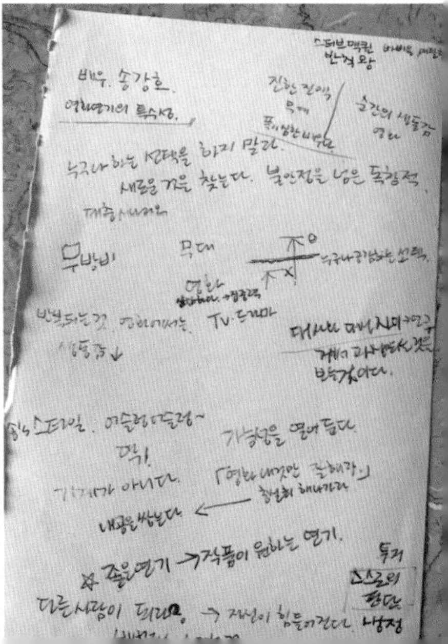

한예종의 정규 연기 교육은, 배우로서 성장하는 데 어떤 것들을 제공했나요.

일단 신체를 어떻게 써야 하는가에 대해 배웠어요. "나를 제대로 알아야 연기도 제대로 할 수 있다"는 교수님들의 말씀을 들으면서 저를 찾아가고 발견하는 시간이기도 했고요.

어땠습니까. 그때 발견한 이제훈은?

'유연하지 못하구나, 자유롭지 못하구나, 조금 더 나를 깨야겠구나.' 동시에 '내가 이런 표현도 할 수 있는 사람이구나'도 발견했고요. 학교에서 보낸 1년은 정말이지 치열하고 행복했어요. 연기에 대한 갈증은 어마어마한데, 동기들 중에 나이가 가장 많고, 군대도 안 간 상태였으니, 절박한 심정으로 더 열심히 했던 것 같아요.

그리고 그의 인생에 〈파수꾼〉이 나타났다. 〈파수꾼〉 콘티북과 시나리오 여백에 적힌 이제훈의 주석과 낙서에는 촬영 당시 그가 느끼고 해석한 감정의 흔적이 가득했다. '기태(뒤집어진 모양)// 제훈' 이라고, 콘티북 앞에 적어둔 글자가 먼저 눈에 들어왔다. '//'가 의미하는 건 mirror(거울). 이에 대해 이제훈은 "기태와 동일시되고 싶었던 바람을 적어둔 것"이라고 부연해주었다. 그가 〈파수꾼〉에서 보여줬던 날것의 생생함, 선악이 혼재된 양면성, 그리고 그 세심한 감정선이 스크린을 뚫고 나와 가슴에 박혔던 이유가 설명되는 기분이었다.

파수꾼 시나리오 콘티북. 거울을 가운데 두고 마주한 기태//제훈.

시나리오 첫 장에 쓴 '창조적, 끓어오르는 진심'이라는 문구, 어떤 마음으로 썼는지 기억이 나십니까.

이번에 다시 꺼내보면서 깜짝 놀랐어요. 그때도 내가 이런 생각을 했구나 싶어서요. 지금도 연기에 대한 제 모토는 '창조적인 것'과 '진심'이에요. 이건 윤성현 감독님 영향이 큰데, 그때 감독님께서 저에게 끊임없이 물어왔던 지점이었거든요. 준비된 대사가 있긴 하지만 정서적인 부분에 있어서만큼은 그때 느낀 감정 그대로, 있는 그대로의 진심이 표현되길 원하셨죠.

'진심'이란 단어가 나와서 이와는 조금 다른 '진실'에 대해 드리는 질문인데, 혹시 고레에다 히로카즈 감독의 〈파비안느에 관한 진실〉[9] 보셨나요? 그 영화에서 배우 카트린 드뇌브가 연기한 '파비안느'는, 배우는 진실을 다 말할 필요가 없는 존재라고 믿는 인물이죠. 진실은 재미없는 것이라고 주장하기도 하고요.

어느 정도 동의합니다. 진심을 보여주고 싶은 게 연기에 대한 제 모토지만, 진심을 전하기 위해 진실을 숨겨야 하는 상황이 있죠.

맞다. 특히나 배우는, 허구(가짜 이야기)로 진심을 전달하려는 사람.

그리고 누구나 자신을 둘러싼 여러 관계의 가짓수들이 있잖아요? 저 역시 어떨 땐 배우 이제훈의 모습을, 어떨 땐 인간 이제훈의 모습을 보이곤 하는데 그런 것들이 잘 정리됐으면 하는 바람이 있어요. 10년 정도 연기하면서 느낀 건, 내 생각을 솔직하게 오픈해서 이야기하는 게 좋다는 겁니다. 이전에는 좋은 게 좋은 거라고, 상대방의 말을 그냥 수용하고 저를 덜 표현했어요. 그런데 서로 듣기 좋은 말만 하는 건 결코 좋은 게 아니더라고요. 서운하더라도 진심을 이야기하는 게 더 중요하다는 걸 깨달았어요. 그게 또 소통이잖아요. 그러면서 이전보다 저를 이야기하는 데 더 적극적으로 변했죠.

안 그래도 지난 인터뷰를 보면 영화나 연기 외의 것들은 오픈하길 꺼린 시기가 있어요.

맞아요. 그랬던 적이 있어요. 작품의 캐릭터로만 존재하기 위해 저를 좀 가둬야 한다고 생각한 적이. 이젠 많이 유연해졌어요. 사람이 혼자 살아갈 수 없을뿐더러, 그렇게 살면 재미가 없겠더라고요. 공유하는 것에서 오는 행복이 있으니까요. 그러면서 저를 더 열게 된 거죠. 매체를 수용하는 자세 역시 이전과는 달라졌어요. 비디오테이프에서 DVD로 넘어가고, 그게 또 OTT로 변하는 흐름. 이전의 저라면 '(목소리 높여) 이게 말이 돼?' 했을 거예요. (웃음) 이젠 그러지 않아요. 수용해요. 수용하고 오히려 발전의 계기로 생각하려 해요.

말씀처럼, 다양한 플랫폼이 밀려오는 시대죠.

매체의 변화를 받아들이는 건 이제 선택이 아니라, 당연한 일이라고 생각해요. 다만, 여전히 시네마가 주는 클래식한 힘과 스피릿이 있다고 믿어요. 극장이라는 공간만이 줄 수 있는 느낌이라는 게 있고요. 그래서 저는 아직도 극장 가는 시간이 가장 행복합니다.

이제훈이라는 브랜드는 배우 테두리에 머무르지 않고 영역 확장을 꾀하고 있다. 그는 2019년 제작사 '하드컷'을 설립했다.

제작사 설립은 당신 인생 계획에 있던 일인가요?
군대 시절은 저에게 뒤를 돌아보는 반성의 시간이기도 했지만, 미래에 대한 준비 기간이기도 했어요. 앞으로 어떻게 살 것인가에 대한 고민이 군대에서 본격적으로 시작됐거든요. 나는 연기를 너무 사랑하고 평생 배우로 살고 싶은 사람이지만, 그게 원한다고 지속될 수 있는 게 아니잖아요. 누군가가 나를 써줘야 하고, 대중의 사랑이 있어야 하는 거니까요. 그렇다면? '내가 만약 연기를 못하게 된다면 어쩌지?' 그런 생각으로부터 제작에 대한 꿈을 품게 됐어요.

이제훈은 불안을 숨기지 않는 사람. 그러나 불안 속에서 창작의 동력을 모색하는 사람이다. 누군가가 찾아주길 앉아서 기다리지 않겠다는 마음이, 좋은 이야기를 먼저 찾아 발전시키고 싶다는 마음이 그를 제작의 길로 인도한 듯했다.

그런데 혼자 제작을 하려다 보니 한계에 부딪히더라고요. 제 정체성은 또 배우잖아요. 제작이 주된 업무가 되면 안 된다는 생각이 그때는 특히 강했어요. 나와 같은 꿈을 꾸는 사람들과 함께하면 좋겠다 생각했는데 마침 그런 사람들이 제 곁에 있었던 거죠.

'하드컷' 공동 설립자 양경모 감독과 김유경 PD 말이군요.

네. 제 인생 첫 영화가 20대 초반에 찍은 〈진실 리트머스〉[10]라는 단편이에요. 그 영화의 연출이 양경모 감독, 프로듀서가 김유경 PD였죠. 만날 때마다 "우리 영화 계속하자" 하다가, "그러지 말고 우리 평생 같이하자"가 된 거죠. 굉장히 오래된 사이예요. 엄밀히 말하면 동업이지만, 그런 차원을 넘어선. 첫 영화에서 만난 사람들과 같은 꿈을 꾸고 있다니 감사한 일이죠.

시나리오 캐릭터 분석하듯, 이제훈이란 사람을 분석해보면 어떨 것 같아요?

음… "이 새끼, 뭐지?" (일동 웃음)

하하하. 종잡을 수 없다는 의미로 해석하면 될까요?

정의하기 참 어렵네요. 나라는 사람을 가장 잘 알고 있는 건 역시 나라고 생각하지만, 상대방과의 관계 혹은 상황에 따라 다른 면모의 내가 나오기도 하니까요. 그건 저뿐 아니라, 사람이 보편적으로 지닌 속성이 아닐까 싶고요. 그럼에도 저에 대해 이야기할 수 있는 건, 무엇이든 긍정적인 방향으로 기우는 사람이라는 것? 적어도 부정적인 생각으로 저를 방어하지는 않아요. 걱정이 되더라도 '한번 해보자!' 쪽입니다.

가족 빼고 누가 가장 당신을 잘 이해해주실 바랍니까.

(살짝 당황하며) 아… 그런 생각은 차마 못 해봤네요. 오히려 반대였어요. 내가 더 해야 하는 일은 없는지, 내가 혹시 실수한 건 없는지, 뭔가 더 할 수 있는데 주변 분들이 주저해서 나

에게 요구를 못 하는 건 아닌지, 그런 것들에 더 신경 써왔던 것 같아요.

이타적인 인간이시군요. 그럼에도 모두에게 이해받고 싶은 마음은 있겠죠?
그럼요. 사랑받아야 할 수 있는 일을 하는 사람이니까요.

언제 스스로가 가장 밉고 가장 좋아요?
그건 명확하게 있어요. 연기할 때 제가 가장 밉고, 연기할 때 제가 가장 좋습니다.

당신 인생의 '시네마적인 순간'은 언제인가요.
〈파수꾼〉으로 부산국제영화제에 갔을 때를 잊을 수 없어요. 관객이 꽉 들어선 상영관을 볼 때의 그 감흥이란. 완성본을 그때 처음 봤는데 정신을 못 차렸어요. 머리가 백지가 됐다가, 이게 현실인가 싶다가. 그때가 저에겐 시네마적인 순간입니다.

그때의 당신과 〈시그널〉[11]의 '박해영(이제훈)', '이재한(조진웅)' 형사처럼 무전기로 소통할 수 있다면 어떤 조언을 해주겠습니까.
어떤 순간에서든 흔들리지 말아라. 많은 선택의 순간들이 오겠지만, 여러 유혹이 있겠지만, 흔들리지 말고 열심히 해라.

그렇게 살아왔다고 자부하십니까.
시행착오는 조금 있었지만, 내가 꿈꿨던 배우라는 이상향을 향해 잘 가고 있다고 생각합니다. 그 부분에서는 저를 조금 칭찬

해주고 싶네요. 그런데 앞으로도 흔들리지 않을 자신이 있느냐고 하면, 그건 또 모르겠어요. 무언가 계속 바뀌고 있으니까요. '이게 맞는 건가?' '저렇게 가지 않으면 나는 뒤처지는 사람인가?' 이런 혼란과 갈등이 계속 오겠죠. 그럼에도 쓰러지지 않을 거란 막연한 기대를 품는 건, '영화이기 때문'이에요. 부침이 있을 때마다 저를 다시 들끓게 해준 건 결국 영화였어요. 그러니 앞으로도 지켜봐주세요. 못하면 혼나야죠.

묻지 않을 수 없군요. 당신에게 영화는 도대체 뭔가요?
제 시작이자 끝이요.

돌이켜보면, 〈파수꾼〉은 이제훈에게 운명인 동시에 일종의 예언이었다. '파수꾼'의 사전적 의미 중엔 "어떤 일을 한눈팔지 아니하고 성실하게 하는 사람을 비유적으로 이르는 말"이란 뜻도 있는데, 그런 의미에서 이제훈은 충무로의 파수꾼이다. 관심사도 특기도, 자신의 시작도 끝도 영화라고 말하는 일명 '영화 바보'인 이제훈은 영화라는 바운더리 안에서 연기라는 깊고 넓은 우물을 집요하고 성실하게 길어 올리고 있으니.

'관찰 일지' 맨 앞장에 도종환 시인의

「흔들리며 피는 꽃」을 적어뒀군요.

꽃이 아름답게 피기
위해서는 흔들리면서 곧게
세운 줄기가 있어야 한다는
시의 의미들이, 배우의 어떤
결과 맞닿는 부분이 있다고
느꼈어요. 배우도 그래야
한다는 걸 마음에 새기며
적었던 기억이 납니다.

한강 잠수교

20대 초반 서울로 온 나에게 이 도시는 거대한 미로였다. 그중 가장 애를 먹었던 건 교통이었는데, 하루는 시청에서 광화문으로 이동할 일이 있었다. 지하철 노선도를 펼쳐보니 시청은 1·2호선이고, 광화문은 5호선. 지하철 노선이 다르니 당연히 멀겠거니 생각한 나는 시청에서 표를 끊어 충정로로 이동한 후, 5호선으로 환승하고, 광화문에 도착했다. 그때는 그게 정답인 줄 알았다. 시청과 광화문이 걸어서 5분이면 갈 수 있는 거리라는 걸 안 건 시간이 꽤 흘러서다.

첫 경험은 강렬하고 거대한 깨달음을 남기는 법이어서 이후 나는 서울 지리를 직접 걸으면서 파악하기 시작했다. 명동에서 신촌으로, 을지로에서 혜화동으로, 신사동에서 삼성역으로. 걷다가 지름길을 발견하는 재미가 특히 쏠쏠했는데, 당시 내게 걷는 것은 대동여지도를 만든 고산자 김정호의 마음과 흡사하여 '기록'에 가까웠다. 영화 〈건축학개론〉을 보면 건축학개론 담당 교수가 서울시 지도를 칠판에 붙여놓고, 학생들에게 자신이 다니는 길을 빨간 선으로 그어보라고 하는 장면이 나온다. 그때 내가 했던 게 바로 '(내가 다니는 길) 빨간 선 긋기'와 비슷하지 않았을까. 그렇게 서울 생활이 한 해 두 해 쌓여가며 산책은 자연스럽게 기록이나 선 긋기가 아닌, 여유의 시간이자 사랑하는 사람들과 나누는 시간으로 옮겨갔다.

지금의 나에게 산책은 일상의 루틴이다. 하루에 만 보 이상, 시간으로 따지면 한 시간 반에서 두 시간가량은 무조건 걷는다. 산책이 내 삶의 루틴이 된 건 햇수로 5년째다. 정확히 '자발적 마감 노동자'인 프리랜서가 된 시기와 겹친다. 집이나 카페에 앉아 하루 종일 노트북과 씨름하다 보면, 괜히 세상에서 나 홀로 떨어져 나온 것 같은 고립감이 밀려오곤 한다. 미래에 대한 막연한 불안감이 엄습해올 때, 글이 뜻대로 풀리지 않을 때, 기분 전환이 필요할 때, 걷는 것만큼 좋은 건 없다. 걷는다는 행위 자체가 일종의 안정제 역할을 해준달까.

내가 거의 매일 찾는 산책로는 용산구 서빙고동과 강남구 반포동을 잇는 한강 '잠수교潛水橋'다. TV 드라마 속 한강을 산책하는 주인공들은 다들 스포츠웨어를 멋들어지게 갖춰 입고 머리카락 한 올 한 올 흐트러짐 없이 세팅하지만, 나와는 먼 얘기다. 집에서 뒹굴 때 입는 옷이 내겐 장땡. 산발인 머리를 가려줄 모자만 있으면 준비 끝이다. 산책은 이태원 가구 거리에서 시작된다. 스타벅스 동빙고점을 끼고 우측으로 턴해, 한강중학교를 지나 15분 정도 쭉 내려가다 보면 잠수교 북단 지하보도가 나타난다. 흡사 토끼굴 같은 이곳을 걸어가면 통로 끝으로 밝은 빛과 함께 한강 잠수교가 서서히 모습을 드러낸다.

나는 잠수교가 참 좋다. 한강에 존재하는 서른한 개의 다리 중 자동차와 보행자와 자전거가 가장 화목하게 어우러지는 공간이기 때문이다. 대부분의 한강 다리는 차량 우선이기에 걷는 데 불편함이 있지만, 왕복 2차선으로 차로와 자전거도로, 보행로가 나란히 있는 잠수교에서만큼은 보행자노 라이더도 평등하게 자기 몫을 챙길 수 있다.

잠수교는 태생이 드라마틱하고 파란만장해서 더 신비롭기도 하다.

'물에 잠기는 다리'라는 이름처럼 잠수교는 비가 많이 오면 한강 물 아래로 잠수를 탄다. 마치 전설의 도시 아틀란티스처럼. 혹은 시골의 정겨운 징검다리처럼. 얼핏 비효율적으로 보이는 설계지만, 그 안에 담긴 속뜻은 깊다. 1976년 개통된 잠수교는 위급 상황에 파괴되어도 빠르게 복구할 수 있도록 의도적으로 낮게 지어졌다. 6·25 전쟁 당시 한강인도교(지금의 한강대교) 폭파로 많은 피란민이 강을 건너지 못하는 불운을 겪었는데, 그 반면교사가 바로 이 잠수교인 것이다. 그러니까 역사의 한을 품은 다리인 셈. 홍수 땐 물 아래로 잠겨 유속을 낮춰주는 역할도 했다고 하니, 퍽 희생적이기까지 하다. 뭔가 슬픈데 기특한 녀석이랄까.

잠수교 위층엔 동생뻘인 '반포대교'가 산다. 대한민국 최초의 복층 교량인 이 둘은 쌍으로 이야기될 때 조금 더 흥미롭다. 잠수교보다 늦게 태어난 반포대교는 강남 개발의 산물. 자이언티의 〈양화대교〉만큼 알려진 노래는 아니지만, 반포대교와의 관계를 비유한 〈잠수교〉(노래: 박진영&정승환)라는 곡도 있다. 노래는 힘에 겨워 잠수를 타버리고 싶은 청춘들에게 잠수교처럼 자신만의 속도를 유지하라고 응원한다. 재미있게도, 반포대교 덕분에 잠수교는 항공 촬영을 해도 레이더망에도 잡히지 않는단다. 이거, 완전 첩보물에서 다루기 최적의 장소 아닌가. (그런데 이 좋은 장소를 왜 충무로 감독님들은 홍수가 나는 상황에 주로 사용하는 거죠?)

'노을 덕후'인 나에게 잠수교를 산책하기 가장 좋은 시간은 일몰 때다. 너무 아름다운 것을 만나면 언어의 한계를 체감하곤 하는데, 내겐 노을이 채색하는 하늘이 그렇다. 시간에 따라 조금씩 채도를 낮

추거나 높이는 노을 앞에서 얼마나 자주 말문이 막혔는지. 잠수교에 뜨는 일몰은 멀리 보이는 빌딩과 김포공항 방향으로 낮게 활강하는 비행기와 어우러져 그림엽서 같은 풍경을 그려내기도 한다. 그럴 때 나는 한때 함께 노을을 보고 걸었던 누군가에게 보내지 못할 마음의 편지를 쓰기도 한다. 어딘가에서 그가 같은 노을을 바라보고 있길 바라는 마음으로.

Presented by

a Room of one's Own

배우

Casting

이제훈

Room

No. 5

의 방

Actor's
Room

To be continued.

Actor's

Room

#6

배우 주지훈의

방

차 ~ 단골 카페

PM 12:05 ~ 09:30

모두에게 있는 핸디캡은

핸디캡이 아니죠.

PM 12:05

삼청동 드라이브

오래전, 주지훈을 인터뷰로 처음 만난 날을 정확히 기억한다. 예민해 보이는 외모를 기분 좋게 배반하는 좋은 기운. '배우 주지훈'과 '사람 주지훈'은 그 사이의 거리감을 거의 느낄 수 없는, 물 흐르듯 흘러가는 사람 같아 보여서 인상적이었다. 그리고 그사이 주지훈은 〈아수라〉[1], 〈신과함께〉[2], 〈공작〉[3], 〈암수살인〉[4] 등을 통과하며 대중이 조금 더 알고 싶어 하는 호기심의 대상이 됐다. 그러나 주지훈은 여전했다. 여전히 개구지고, 여전히 꾸밈없고, 여전히 솔직했다. 그리고 그는 분명 달라졌다. 더 깊어지고, 더 단단해져 있었는데, 그 모습이 여러 번 마음을 흔들었다. 그래서 이날의 만남에 대해 미리 고백하자면 그의 재치, 말투, 분위기… 이 모든 걸 글로 온전히 보존해 전달하는 건, 내 능력으로는 불가능이라는 걸 인정하며 백기를 들고 이 글을 쓴다.

Scene 1. **도산사거리, 약속한 장소로 차 한 대가 미끄러져 들어오더니, 클랙슨을 경쾌하게 울린다. "빵빵~" 차 안에서 빼꼼히 목을 빼고 손을 흔드는 남자. 주지훈이다. 내가 차에 올라타서 안전벨트를 매고 잠시 숨을 돌릴 때까지 그는, 천천히 하라는 듯 차를 출발시키지 않고 묵묵히 기다린다. "준비되셨어요?" 차가 움직이고 나서야 비로소 그를 제대로 본다. 헬스장에서 막 운동을 마치고 왔다는 주지훈은 후드 점퍼에 반바지, 야구 모자를 눌러 쓰고 있었다. 급하게 나오는 바람에 후드 점퍼 안에 티셔츠 입는 걸 까먹었다고 말하며 아이처럼 웃는 이 엉뚱한 남자의 미소에 긴장이 확 풀어져버렸다. 가까운 식당에서 냉면으로 점심을 해결한 우리는 다시 차를 타고 도로로 나섰다. 이날은 추석 연휴의 마지막 날이었고, 고향으로 빠져나간 차들로 인해 서울 도로는 평소보다 한산했다.**

서울 토박이죠? 명절, 도로에 갇히는 분들의 심경을 잘 이해하지 못하시겠습니다.

하하. 그 심경은 솔직히 잘 몰라요. 그런데 제가 멀미가 심합니다. 학창 시절, 집에서 학교까지 이동 거리가 멀지 않았는데도 멀미로 고생을 꽤 했어요. 어릴 때 아버지랑 여름 캠핑을 매해 다녔는데, 그때도 멀미 때문에 검은 비닐봉지를 차에 비상으로 늘 걸어두곤 했죠.

평형 감각을 유지하는 기관이 안 좋은가 보군요.

그런가 봐요. 병원에도 가봤어요. 지금은 괜찮은데 예전에 불면증이 심했어요. 그땐 또 차를 타야 잠을 잘 수 있었죠. 차가 요람 같은 기능을 한 거죠. 그게 멀미의 변종이라고 하더라고요.

비행기에서는 어떤가요. 기류를 만나면.

어우~ 비행기는 일단, 무서워서 잠을 잘 수가 없어요. (웃음) 이 악물고 가는 거죠. 자동차야 급하면 핸들이라도 한 번 꺾는데, 비행기에서는 내 힘으로 할 수 있는 게 없으니까요.

많이들 고향으로 떠나서인지 서울에 차가 없네요. 드라이브는 자주 하나요?

쉬는 날에 자주 해요. 가평도 종종 가는데, 거긴 여러 제약이 있기에 마음을 크게 먹어야 나가요. 주말이나, 오늘 같은 명절에는 자칫 차가 막힐 수 있으니까요. 오늘은 제가 자주 가는 메인 코스로 갈 겁니다.

'주지훈 로드'가 되겠군요.

브리핑을 잠시 해드리면, 일단 가로수길로 들어가서 사람 구경을 해요. (웃음) 그러곤 한남동으로 빠져서 남산을 한 바퀴 돌다가 삼청동으로 갑니다. 삼청동 끝자락에 친한 동생이 하는 카페가 있어요. 보통은 그곳을 마지막에 들르죠. 기분 좋으면 루프톱에 앉아 술을 한잔하곤 해요. 제가 대리운전을 부르는 순간이죠. 오늘도 어떻게 될지 모르겠어요. (웃음)

(운전대 잡은 손을 보고는) 왼손잡이시군요! 아까 밥 먹을 때도 왼손 쓰시더니.

운전할 때와 밥 먹을 때만 왼손. 양손잡이예요.

좌뇌와 우뇌가 균형 있게 발달했겠네요.

제가 젓가락질을 굉장히 똑바로 하는데 젓가락질로 세대 차이 느끼는 거 혹시 아시나요? 꼰대처럼 '젓가락질 잘해야 해!' 이런 건 절대 아니고요. (웃음) 의외로 젓가락질을 제대로 하는 사람이 많이 없거든요. DJ DOC 노래에도 젓가락질 잘해야만 밥을 먹냐고 하지만, 이런 상상을 하면 또… 가령 훗날, 장인어른 될 분을 만나 식사하는데 젓가락질이 어설프면 뭔가 모양이 빠지겠다 싶은 거예요.

하하하, 젓가락질 하나로 굉장히 구체적인 상상을 하셨군요.

배우는 선입견을 활용하기도 하고 깨부수기도 하는 사람들이잖아요? 그래서 정갈한 역할을 맡으면 역으로 젓가락질을 독특하게 하는 연습을 하기도 해요. 캐릭터로 접근하는 거죠.

정석을 자부하는 젓가락질은 부모님에게 혼나면서 배운 건가요?

사람에게 훈계는 중요하지 않은 것 같아요. 초등학교 6학년 때 반에 인기 많은 친구가 있었어요. 초등학교 급식이 저희 6학년 때 처음 도입됐는데, 걔가 젓가락질을 너무 '딱!' 하지 뭐예요. 그게 그렇게 멋있어 보일 수 없었어요. 이후 저도 젓가락질을 잘하게 됐죠. 연습 없이 '한 큐'에!

왜 그렇게 자극받았을까요. 그 친구가 평소 멋있었다는 게 영향을 미쳤겠죠?

분명 있죠. 마치 우리가 (정)우성이 형 때문에 오토바이를 타는 것처럼 말이죠. (일동 웃음) 저는 집에 〈비트〉[5] 블루레이도 있어요.

정말이지, 당신 또래 남자들이 정우성이란 배우에게 지니는 로망이란!

아우, 저도 제 또래들만이라고 생각했거든요? 아니에요. 지금 10~20대들도 정우성 그러면, 그의 '움짤'이라도 찾아봐요. 시대를 대표하는 슈퍼스타라는 게 그런 것 같아요.

시대의 아이콘인 거죠.

네. 퀸이나 마이클 잭슨 같은. 요즘 그런 생각을 자주 합니다. '대중성과 예술성은 그리 멀리 있는 게 아니구나'란 생각을요. 가령 카페에서 노래가 흘러나오는데, 제가 선호하는 장르가 아님에도 끌릴 때가 있어요. 바로 휴대폰으로 검색해보면 여지없이 명반이에요. 사랑받는 것들은 다 이유가 있다는 걸 알았죠.

왜 요즘 그런 생각을 자주 하게 됐을까요.

선배들 영향 같아요. (황)정민이 형이나 연기 잘하는 분들을 보면 자기 세계에 빠져 감정을 표현할 것 같잖아요? 아니에요. 그들이 더 대중을 생각합니다. 감독이 오케이 해도 "딕션, 이상하지 않아요? 이게 관객들에게 전달이 되나요?" 해요. 저는 예술성과 대중성을 어떤 선입견을 두고 바라봤는데, 진짜 플레이어들은 다르게 생각하지 않는다는 걸 알았어요.

드라마 〈궁〉[6]이라는 작품을 통해 큰 사랑을 경험했습니다. 최근 당신을 향한 대중의 관심도 못지않다고 느껴요. 하지만 과거에 받은 사랑과는 다른 느낌으로 다가오지 않을까 싶습니다만.

〈궁〉 때 뭔가가 확 변했죠. 그때 제 나이 스물다섯이었습니다. 어린 나이에 연기자로 데뷔한 건 아니었던 거죠. 연기 전공자는 아니었지만, 모델 쪽에서는 나름 선배에 속한 나이이기도 했고요. 그래서 남들이 보기엔 새내기인데, 제 입장에선 새내기가 아니었던 거예요. 실상은 새내기가 맞았는데 말이죠. 나름 세상을 안다고 생각하다 보니, 〈궁〉이라는 게 훅 들어와도 휘청이거나 들뜨고 싶지 않았어요. '아, 이건 한 번에 온 거기 때문에, 한 번에 나갈 거야'라는 생각을 했던 겁니다.

철이 일찍 드셨군요. 스물다섯도 세상에 대해 모르는 게 많은 나이인데.

제가 스물한 살 때부터 가장이었어요. 그러다 보니 세상을 조금 거칠게 바라본 면이 있습니다. 조금 비관적으로 보기도 했고요. 아, 비관적이라기보다, 뭐라고 말해야 하나….

어떤 행운이 오면 의심부터 하는?

맞아요. 나를 둘러싼 세계가 너무 한 번에 변하니까 가치 충돌이 있었던 거죠. 난 그냥 배우라는 직업을 가지고 있는 사람일 뿐인데 뭐가 특별하다고 유난을 떠나, 하는 생각이 강했던 거예요. 지금이야 몸으로 경험하며 터득한 대처 방법들이 있지만,

그땐 그런 게 없었으니까요. 생각해보면… 그땐 너무 무섭고 두려웠던 거예요. 말 그대로 눈 뜨고 일어났더니 온 세상이 나를 보고 있었던 거니까. 갑자기 튀어나온 저라는 사람에 대한 반감도 굉장히 많았습니다. 〈궁〉이 원작 만화로 이미 인기가 많은 작품이어서 "네가 뭔데"라는 댓글도 많았고요. 어떻게 보면 견뎌내려고 신경을 차단한 면이 있어요.

무의식적으로 말이죠.

네. 나는 그냥 나다, 나는 이전과 똑같다 되뇌면서 말입니다. 그런 생각은 해요. 20대에만 받을 수 있는 종류의 사랑이 있잖아요? 팬들이 〈궁〉 느낌을 계속 원하기도 했고요. 그런데 일부러 피한 느낌이 없지 않아요.

그렇죠. 그다음 작품이 〈궁〉과는 결이 완전히 다른 〈마왕〉[7]이었으니까.

'이런 건 안 할 거야~'가 아니라 나도 모르게 본능적으로 반대되는 것들에 매력을 느꼈던 것 같아요. 어렵게 들리지만, 점심에 자장면 먹었으니까 저녁엔 중식 말고 한식을 먹고 싶었던 거죠.

사실 매니지먼트 바닥에서는 자장면이 대박 나면 자장면을 한동안 미는 법인데, 본인이 튕겨내신 거네요.

인지도나 금전적인 것들로 이야기하면 그로 인해 손해 본 지점이 없지 않아요. (웃음) 하지만 긴 배우 인생을 생각하면 나쁘지 않은 선택이었다고 생각합니다.

공감하는 바예요. 늘 궁금했던 게, 〈궁〉과 〈마왕〉 사이에 연기 갭이 크게 느껴집니다. 그 사이 무슨 일이 있었나, 싶을 정도로 말이죠.

저는 제가 모르는 것들을 불안해해요. 연기라곤 짧은 단막극 한 두 개밖에 없는 상황에서 〈궁〉에 들어갔다 보니, 기본적으로 항상 '쫄아' 있었어요. 가령 "렌즈 갈아~" 하는데 그게 무슨 말인지 모르니까, 혼자 어버버하고 있었던 거예요. 어쨌든 〈궁〉의 흥행으로 자신감을 얻고, 시스템이 어떻게 돌아가는지도 알게 되니까, 다음 현장에서는 덜 쫀 거죠.

준비된 자와 준비되지 않은 자의 차이였군요.

우리가 아는 길을 갈 때와 모르는 길을 갈 때 완전히 다르잖아요? 그런 느낌인 거죠.

뮤지컬 〈돈 주앙〉[8]은 어땠습니까. 그 또한 익숙하지 않은 길이었잖아요?

〈돈 주앙〉은 그래도 부끄럽지 않은 게, 그때 음악 감독님이 편지를 써주셨어요. "다른 분야에서 활동하다가 넘어온 배우 통틀어, 너만큼 열심히 한 사람 본 적 없다"라고. 그런데 사실 할 수 있는 게 그것밖에 없잖아요? 늘 두 시간 전에 나가서 연습하고, 문 닫은 후에도 남아서 연습했어요. 쉬는 날 없이요.

어떤 마음이었나요. 부담감? 누군가를 실망시키지 않겠다는 마음?

저는 성격이 그래요. 남들이 잘한다고 하든 못한다고 하든, 스스로 자신감이 들 때까지 해놓지 않으면 안 됩니다. 대신 준비됐다고 생각하면 누가 뭐래도 흔들리지 않죠. 〈돈 주앙〉은 더

블 캐스팅이었는데 스태프와 배우들이 저를 예뻐해주셨어요. 공연 첫날, 모두 보러 와주셨는데 다들 목에 담이 왔다는 거예요. 제가 실수할까 봐 숨죽여 보는 바람에. 공연 끝나고 다들 "지훈아, 많이 떨렸지?" 하는데, 정작 저는 "안 떨렸는데요…." (일동 웃음)

자기 기준이 높다고 해야 할까요?
허들이 높긴 합니다. 요즘은 그래도 편해졌어요. 세월과 함께 나름 쌓인 게 있으니까요. 그런데 이전에는 아무것도 가진 것 없이 허들만 높아서 제가 저 자신을 되게 괴롭혔던 것 같아요. 〈궁〉과 이어지는 이야기인데, 조금 기뻐할 수도 있는데 계속 채찍질만 했던 거죠.

아까 그랬잖아요? 깨어났더니 세상이 바뀌었다고. 그럴 때 뭐가 가장 중요할까요? 주변에 좋은 이야기를 건네주는 조언자? 아니면 나 스스로에 대한 강한 믿음? 혹은 다른 무엇?
(하)정우 형과 김용화 감독님이 해준 말이 있어요. "큰 사랑을 받을 때, 내가 잘나서라고 생각하면 절대 안 된다. 왜냐하면, 우리가 하는 일에는 변수가 참 많으니까"라고. 맞는 말이에요. 우리가 작품으로 관객들을 만나는 중간 과정엔 예측할 수 없는 변수와 소위 말하는 운이라는 게 분명 있거든요. 흥행은 나 혼자 잘한다고 되는 게 절대 아닌 거죠. 그러니 큰 사랑을 받을 땐 그저 감사해야 하는 거고요. 그 말이 점점 와닿고 있어요.

말씀처럼 연기라는 게 크고 작은 변수가 너무 많은 일이기에 웬만한

약한 마음으로는 하기 힘들다는 생각이 들어요. 그리고 부침은 몇 번 겪는다고 해서 나아지는 게 아니니까요.

그럼요. 절대 나아지지 않아요. 그래서 조금씩 아픈 거예요, 다들. 그래도 요즘은 이전에는 밝히길 꺼려했던, 공황장애나 우울증들을 조금씩 공개적으로 밝히는 것 같더라고요. 그런 것 같아요. 가치는 계속 변해가는데, 그 가치를 따라가는 시간은 다를 수 있잖아요? 내가 가치 있다고 생각했던 것들이 타인이 보기엔 고집이나 아집으로 보일 수도 있고요. 나는 바뀔 의향이 있는데 그 시간이 남들의 기대보다 조금 늦을 수도 있습니다. 그런 고민이 있는 거죠.

이날 주지훈의 차는 여러 번 서행했다. 골목 사이에서 사람이 걸어 나올 때, 옆 차가 바짝 붙을 때, 주지훈은 늘 빨리 달리는 쪽보다 속도를 잠시 줄여 상대를 먼저 보내는 쪽이었다.

아까부터 느끼고 있는 건데 양보 운전이 몸에 배셨네요? 운전하면 원래 성격이 나온다고 하는데, 의외의 장점을 지금 지켜보고 있습니다. (웃음)

하하하. 기자님이 옆에 타고 있어서 이러는 게 절대 아니에요. 평소에도 살살해요. 운전하면서 큰소리 내는 것도 싫어하고요. 웃기게도, 이것도 젓가락질처럼 어릴 때의 영향인데요. 친구 아버지 차를 타고 가는데, 꼬맹이 하나가 도로로 튀어나온 적이 있어요. 차가 '끽' 급정거했죠. 저는 친구 아버지가 당연히 소리를 지르실 줄 알았어요. 그런데 창문도 안 내리고 혼잣말로 조

삼청동 가는 길, 주지훈 차 안.

용히 이러시는 거예요. "아이고~ 아가야, 다친다. 조심해라~" 그런데 그게 또 너~무 멋있어 보였어~!!! (함께 폭소) 그래서 제 운전 습관이 이렇게….

실물로 보면 안 그런데, 사진이나 화면에서는 짝눈이 더 도드라지는 것 같습니다.

나이 먹을수록 콜라겐이 떨어져서 더 심해지고 있어요. 하하하. 쌍꺼풀 없는 쪽 눈두덩이가 점점 더 내려와요. 실제로는 잘 인식을 못 하는데 화면으로 보면 티가 나죠.

그게 당신의 매력이라고 생각해요. 얼굴을 보다 입체적으로 보이게 한달까요.

저 역시 장점으로 활용하고 있어요. 사실 〈마왕〉은 거의 눈 때문에 캐스팅됐어요. 감독님이 제 짝눈을 많이 활용하셨죠. 쌍꺼풀 있는 쪽이 조금 더 부드러운 느낌이니 감성적인 장면에서는 그쪽을, 강한 느낌이 필요할 땐 외꺼풀 쪽 얼굴을 잡으셨어요.

특유의 말투가 있습니다. 어미 끝을 스타카토처럼 끊는 느낌이 있어요. 그게 공격적으로 느껴지지는 않는데, 뭐랄까. 첫 만남 땐 진입장벽을 높게 하는 측면이 있지 않나 싶어요.

그런 말 많이 들었어요. 시니컬해 보인다고. 옛날에는 실제로 말도 되게 툭툭 나갔고요. 지금은 완화된 건데, 사실 쑥스러울 때 나오는 투이기도 해요. 제가 낯을 엄청 가렸어요. 열아홉 살 때 패스트푸드점에서였나? 콜라가 너무 마시고 싶은데 리필이 가능한지 물어보는 게 쑥스러워서 두 시간 넘게 앉아 있었던 적이 있어요. 하하하.

한번은 또 버스를 타고 부산 친구들을 찾아간 적 있어요. 정보를 찾아봤을 땐 분명 다섯 시간 반 정도 거리였어요. 그런데 하필 제가 창가 쪽에 앉은 겁니다. 그땐 스마트폰 시대가 아니라서 어디까지 왔는지 확인이 안 됐어요. 모르면 버스 아저씨에게 물어봐야 하는데, 그러려면 옆 사람에게 잠시 실례한다는 말을 해야 하니… 결국 여덟 시간 반 동안 버스를 탔어요. 목적지를 지나쳐서 세 시간을 그냥 앉아 있었던 거죠. 식은땀 흘리며. (폭소)

상상하기 힘든 소심한 귀여움이네요. 지금도 설마 … ?
지금은 너무 잘해서 문제죠. 누가 안 된다고 하면 "(익살맞게) 진짜 안 되나~요?" 계속 장난쳐서 문제예요, 이젠.

부산 가는 방법이 그리 어려운 건 아니었을 텐데, 혹시 공간 감각은 어떤 편인가요?
저, 지리가 꽝입니다. 완전 길치예요. 그래서 늘 가는 길만 가죠. 하하하. (차 속도를 서서히 줄이며) 아, 동생 가게에 도착했네요.

PM 02:35

주지훈의 아지트 카페

Scene 2. **한 시간 반가량의 드라이브를 끝내고 당도한 그의 친한 동생 '원바(주지훈이 부르는 별명)'가 기거하는, 지금은 잠시 문을 닫은 3층짜리 카페는 한때 라운지바와 키즈카페로 운영된 복합문화공간이었다. 디자인을 전공한 주인장의 공간답게, 느낌 있는 소품과 가구가 즐비했다.**

인연이라는 게 참 신기해요. 그런 생각을 하거든요. 만약 우리가 점심을 먹으러 가지 않았더라면, 오늘이 연휴라 그 가게가 문을 열지 않았거나, 가게 사장님의 실수로 음식이 1분 늦게 나왔더라면, 삼청동 오는 길에 마주친 사람들 중 한 명도 똑같이 못 만났을 거예요. 1분이면 누군가는 버스를 놓쳤을 수 있고, 누군가는 세수 늦게 하고 나오는 바람에 그 시간 그 공간에 없었을 수도 있으니까요. 우리가 삶에서 만난 사람들은 시계 톱니바퀴처럼 뭐 하나만 안 맞아도 스칠 수 없었을 거예요.

오, 그런 생각을 하셨다니. 운명을 믿으십니까.

운명이 정해져 있다기보다, 그냥 신기해요. 연인 관계도 신기하고, 동료 관계도 신기하고, 자주 보는 형들(정우성, 하정우 등)과의 관계도 신기합니다. 걸어온 길이 너무 다른데, 어쩌다 이렇게 작품으로 만나서 함께하고 있어요.

인생의 가장 첫 인연은 아무래도 가족이죠. 아버지와 많이 닮았다고 들었어요.

유전자가 무서워요. 제가 아버지랑 똑같이 생겼는데, 무의식중에 나오는 자세나 걸음걸이조차 비슷해요. 반면 여동생과는 별로 안 닮았거든요? 그런데 성별 바꾸는 페이스 앱 있잖아요? 그거 해봤더니, 제 동생 얼굴이 나온 거예요. 닮은 정도가 아니라, 그냥 내 동생이야~ (일동 웃음) 와, 핏줄이라는 게, 참. 동생과 친하냐고요? 저희 현실 남매입니다! (웃음)

할머니, 할아버지 언급을 자주 하는 걸 봤어요. 큰 영향을 받았다는 의미겠죠?

그럼요. 어릴 때 저는 되게 행복했어요. 그런데 남들이 보기엔 가난했죠. 화장실이 밖에 있는 집에 살았어요. 왜 옛날식 화장실 있잖아요? 겨울이면 연탄불에 물을 데워 부엌에서 목욕했고요. 제가 이런 이야기를 하면 주변에서 "60년대 생이냐, 넌?" 이러죠. (웃음) 우리 가족은 아홉 살 때부터 할아버지, 할머니, 고모들과 함께 살았어요. 방 두 개 있는 12평에서요. 남들과는 조금 다른 환경이었지만, 그 덕에 저는 또래들에 비해 어떤 일이든 대수롭지 않게 여기는 성격으로 자랐어요. 어른들과도 굉장히 잘 어울려 지내서, 사물을 보는 관점이나 생활방식도 나이에 맞지 않은 부분이 있고요.

뭔가 방목형으로 혼자 쑥쑥 잘 성장했을 것 같다는 짐작을 하게 되네요.

네. 오밤중에 깨서 비몽사몽 화장실을 가려고 방문을 열었다

앵무새 Charlie와 Jane.
인터뷰 내내 조잘조잘 기분 좋은 소리를 냈다.

아지트 카페 내부.

팬들 사이에서
'탄이 아빠'로 유명한 주지훈.

반려견 '부탄이'.

가, 그 문이 제 발 위를 드르륵 할퀴고 지나간 적이 있어요. 발가락 다섯 개 살이 다 들렸죠. 잠시 "아아~" 하고는 휴지로 감싸고 그냥 잤어요. (웃음) 뭐, 부러진 건 아니니까. 그런 성격이에요, 제가.

그래서일까요. 당신 과거 인터뷰를 찾아보면, 현장이 힘들었다거나 하는 투정이 거의 없더군요. 현장에서의 고난기는 배우들 인터뷰의 단골 메뉴이기도 한데요.
왜냐하면, 그건 당연한 거니까요. 여름엔 덥고 겨울엔 추운 거잖아요. 액션 영화를 찍으면 액션이 많아서 힘들고, 액션이 없으면 '차라리 몸으로 하는 게 낫다' 하죠. 저는 모든 배우가 같은 핸디캡을 가지고 있다고 생각합니다. 모두에게 있는 핸디캡은 핸디캡이 아니죠.

모두에게 있는 핸디캡은 핸디캡이 아니다… 훅 들어왔어요. 참, 가족처럼 여기는 반려견이 있죠? '부탄 아빠'로 불리시던데.
하하. 지금은 엄마가 키우고 있어요. 지방 갈 때마다 엄마에게 맡겼는데, 정이 들었는지 보내지 않겠대요. 엄마가 부탄이를 얼마나 아끼냐면, 한여름에 제가 가도 에어컨을 안 틀어줬었어요. 전기세 나온다고. 그런데 이번 여름에 부탄이가 헉헉댄다고 24시간을 틀었대요. 하, 부탄이에게 내가 밀렸어~ (일동 폭소) 날도 선선하고, 기분도 좋고… (원바에게) 와인 있나? 화이트 와인 한 잔, 괜찮으세요?

(화색) 물론이죠!

웬만하면 안 마시려고 했는데 오늘 결국 대리운전을. (웃음) 요즘 친구들과 자주 하는 이야기인데, 하루하루의 이런 순간들이 너무 소중해요. 20대 때는 보너스가 한 번은 더 올 거라는, 막연한 기대가 있었어요. 청춘물 찍는 30대 형들을 보면서 시간을 크게 느끼지 않았던 거죠. 그런데 지금 제 나이가… 지금, 이 순간이 제가 청년으로 머무를 수 있는 마지막 시간대라는 생각이 들어요. 그러다 보니 순간을 더 소중하게 여기게 되더라고요. 어떻게 보면 이런 마음이 작품을 더 많이 하게 하는 이유일 수도 있어요.

이날 서울은 하루 종일 맑았고, 기온도 적당했다. 시침이 저녁을 향해 걸음을 재촉하자 하늘이 불그스름하게 타오르기 시작했다. 우린 배달 음식을 먹으며 대화를 이어나갔다.

뜨거운 지지를 보내주는 팬들이 많아요. 그러나 어떤 선입견을 가지고 당신을 보는 사람들도 있습니다. 음… 당신에게 그런 시선은 견뎌야 하는 일일까요.

(생각) 그건… 어쩔 수 없는 일인 거 같아요. 제 키가 187cm이고, 우리 아버지 아들인 것처럼, 나의 실수로 잘못한 걸 지울 수는 없죠. 저를 볼 때 불편한 분이 당연히 있을 수 있다고 생각합니다. 그분들에겐 정말이지 죄송해요. 그런데 반대편의 목소리가 있다는 것도 알아요. "저는 우울증이고 무기력한데, 당신 작품 보고 희망을 얻었다"라는 편지들도 받거든요.

제가 쓸모없는 사람이라는 생각이 들 때도 있지만, 여전히 많지만, 그러다가도 나를 좋아해주는 분들을 보면 제가 그래도 가치 있는 일을 하고 있다는 생각이 들어요. 물론 그들을 위해 연기한다는 말씀은 못 드리겠어요. 하지만 누군가의 고통을 상쇄해주는 일을 한다는 건 확실히 의미 있는 일이라는 생각이 듭니다. 왜냐하면, 저도 힘들 때 수많은 영화를 보면서 버텼거든요.

이전의 당신은 잘 모르지만, 지금의 당신은 참 건강하다는 생각이 들어요. 일단 엄청난 긍정의 에너지가. (웃음)

형들 만나서 많이 달라졌어요. 오늘 형들을 많이 언급하는데, 진심이어서 나도 모르게 계속 말이 나오는 거예요. 형들을 만난 후 지출에 대한 생각도 달라졌어요. 가령, 개인마다 '이 가격은 나에게 조금 센 것 같은데?' 하는 기준이 있잖아요? 아끼는 사람에겐 좋은 술을 살 수도 있는데, 제가 가난하게 자란 것도 있고, 또 아끼는 버릇이 있다 보니 너무 비싼 술은 주저했던 순간들이 많아요. 그런데 형들은 항상 "우리 지훈이 좋은 거 먹여야지" 하면서 늘 베푸세요. 그들이 결코 돈이 많아서가 아니에요. 그건 그냥 습성이고 성격인 거예요. 그 형들은 과거에도 아르바이트한 돈 쪼개서 후배들 밥 사 먹이고 그랬어요. 그런 형들을 보며 어떤 지출이 가치 있는 지출인가에 대한 생각을 많이 하게 됐어요. 그러니까, 형들에게 결제를 배운 게 아니라 아름다움을 배운 거예요. '아름다움'. 오글거려서 쓰지 않았던 말인데, 나이 들수록 심플하고 대단한 단어라는 생각이 들어요.

처음 대화를 나눴던 1층 테라스.

저녁, 2층 테라스로 자리를 옮겼다.
주지훈이 주문한 화이트 와인도 함께.

'가치 있는 지출'이란 말이 참 좋습니다. 하지만 때때로 미디어는 우리의 소비를 혼란스럽게도 하죠.

자아가 형성되기 전에 나라는 인간의 가치를 좋은 물건, 좋은 차에 맞추는 건 조심해야 하는 것 같아요. 내가 나를 사랑해서 좋은 물건들을 나에게 덧입혔을 때의 느낌을 좋아해야지, 내가 그 물건을 착용했을 때 자신감이 올라가는 건 되게 허망하거든요, 인생이.

이전의 당신은 어땠나요.

이전에는 시사회 갈 때 조리 신고 가고 그랬어요. 그때 아는 형이 그러더군요. "지훈아, 너는 네가 그냥 멋있지?" 그땐 "친구 시사회 놀러가는 건데, 굳이 차려입어야 하는 이유를 모르겠어요"라고 대답했어요. 지금 돌이켜보면 나의 주장을 이기적으로 읊은 것이라 생각합니다. 그 또한 '나 느낌 있어. 나 좀 봐 줘'인 게 아니었나 싶거든요.

'난, 외부 시선에 신경쓰는 사람이 아니야'라는 느낌이었던 걸까요.

그랬던 거죠. 저는 진짜가 되고 싶은데, 사실 진짜가 뭔 줄 모르겠어요. 허상을 원하면서도 싫어하고요. 어떨 때는 타인의 평가가 뭐 그리 중요한가 생각하다가도, 어떨 때는 또 너무 중요하다는 생각이 들기도 합니다. 그러니까, 저도 되게 고뇌하는 인간인 거예요. 결론이 나질 않아요. 계속 생각만 많지. 다만 그때그때 시도해보는 거죠. 그러면 욕을 먹을 때도 있고, 칭찬을 받을 때도 있는 것 같습니다.

이것만은 지키고 싶다 하는 가치가 있다면요?

'솔직하자'랑 '염치 있자'예요. 제가 염치없는 걸 못 봐요. 어떤 목적을 가지고 진심이 아닌 마음으로 대하는 건 참…. 그렇게 되지 않으려 늘 경계해요.

진심을 향해 가는 사람. 당신은 그런 사람이란 확신이 오늘 들었어요.

어우~ 아직 멀었어요. 마치 뭔가 아는 것처럼 지냈던 시절이 있었어요. 그런 나의 모습이 주마등처럼 지나가면 등골이 오싹해져서 묻게 돼요. '와, 진짜 축복이다. 내가 그러고도 살아남았구나.' 부끄럽죠. 그런 것 같아요. 인정하면 편한 것 같습니다. 나는 한낱 나약한 인간일 뿐이구나, 인정하고 나를 제대로 봐야 하는 것 같아요. 그러려고 노력하는 중이에요.

나는 그가 수다쟁이라는 사실은 익히 들어 알고 있었지만, 잘 들을 줄 아는 사람이기도 하다는 건 몰랐다. 그러니까 주지훈은 '공간 지각 능력'은 떨어지지만, '공감 능력'은 뛰어난 사람이었다. 이날 대화 도중 '역 인터뷰'를 당하는 기이한 현상이 일어났는데, 상황을 파악하고도 주지훈에게 말려든 건, 그가 지닌 특유의 공감 능력 때문이었다. 그의 공감 능력이 강력한 건, 그것이 책상머리에서 습득해서 나온 것이 아니라 직접 넘어지고 깨지고 다시 일어나며 터득한 경험에서 나오는 것이어서라고 나는 생각했다. 우린 헤어지며 "혹시 못다 한 대화가 있다면 다시 만나자" 합의를 했다. 그의 드라마 촬영이 본격 시작되는 시점이라 성사될 수 있을까 싶었던 게 사실. 그러나 "자신이 한 말은 어떻게든 지키려"하는 주지훈은 정말로 바

쁜 일정을 쪼개 자신의 시간을 다시 한 번 내줬다.

PM 12:30

〈신과함께〉라는 주지훈의 방

Scene 3. **주지훈과의 두 번째 만남엔 깜짝 손님이 있었다. 〈신과함께〉로 한국 판타지물을 새로운 단계로 끌어올린 김용화 감독이었다. 김용화 감독과 주지훈은 '연출자 - 배우' 사이라기보다는, 신뢰를 바탕으로 우정을 도모하는 '친구', 혹은 '해원맥'이라는 캐릭터를 공유한 '형제' 같았다. 주지훈의 마음 깊숙한 곳엔 〈신과함께〉라는 방이 든든하게 자리 잡고 있음을 의심할 여지가 없었다.**

지훈 배우를 '밀리언 달러 베이비'라고 부르신다면서요? (웃음)

김용화 하하하. 인생에서 가장 중요했던 순간, 가장 중요했던 작품으로 만났으니까요.

주지훈 감독님이랑 저랑 나이가 열두 살 차이예요. 그런데도 매일 찾게 돼요. 감독님이 농담으로 "야, 귀찮게 좀 하지 마" 할 정도예요. (웃음) 〈신과함께〉 작업을 하면서 삶을 바라보는 관점이 많이 편해졌어요.

좋은 사람들 영향이죠?

주지훈 네. (하)정우 형과 저는 감독님을 '영도자'라고 불러요. 왜냐하면, 정말 큰사람이거든요. 권위적이지 않은데, 심지어 너무 재미있기까지 하고요. 감독님 기억하세요? 사실 제가 〈신과 함께〉 출연을 고민했었어요. 김용화라는 연출자에, 엄청난 원작 웹툰에, 게다가 '해원맥'이라는 중요한 역할을 준다고 하니, 너무 감사했어요. 그런데 그때 미리 약속한 작품의 스케줄 고정이 안 된 상황이었죠.

출연을 확답할 수 없는 상황이었군요.

주지훈 네. 그런 와중에 술자리에서 갑작스럽게 감독님을 만나게 된 거예요. 만났는데 감독님이 보자마자 "(90도 폴더 인사로) 아우~ 지훈 씨, 안녕하세요, 김용화입니다" 하는데, 와~ 말투나 행동 자체가 나이 어린 사람을 대하는 투가 아닌 거예요. 감독님 반응에 놀라서 저도 모르게 엉뚱한 반응이 튀어나왔어요.

사람이 놀라면 그렇게 되죠. (웃음)

주지훈 그날 제가 또 너무 솔직했지 뭐에요. "감독님, 저는 솔직히 이 대사는 별로인 것 같아요. 저는 자신이 없어요." 어떻게 보면 솔직함을 가장한 무례였을 수 있어요. 실수였던 거죠. 그렇게 이야기하면 상대는 움찔할 수도 있잖아요. 그런데 감독님은 "아, 네네, 지훈 씨. 그건 저희가 차차 이야기하면서 풀어가요" 토닥이시는데 말도 계속 안 놓으세요. 그때 제 마음이 확 열린 거예요. '뭐, 이런 사람이 다 있지?' 한 거죠. 이후부터는 감독님 만나면 저절로 "(기합 바짝) 아우~ 감독님 안녕하세요!"가 됐어요.

김용화 처음 만났을 때 지훈이가 '노말'하진 않더라고요. (장난스럽게) 사실 제가 어디 가서 그렇게 하면 보통, 사람들이 함께 엎드리거든요. (좌중 폭소) 이런 애는 처음 본 거예요. 뭔가 심하게 반대되는 행동을 하는구나, 뭔가 좀 불안하구나, 했어요. 본인은 여유로운 척하는데, 아닌 거죠. 필요 이상으로 웃음소리도 크고. 이 상황을 극복해야겠다는 열망이 그득한 걸 느꼈어요.

'노말'하지 않음에도, 손을 계속 내민 이유는 뭔가요?

김용화 저는 가능성을 보거든요. 화면을 보다 보면 '어? 저 배우 잘하겠다', '작품과 잘 맞겠다'라는 생각이 본능적으로 오는 순간들이 있어요. 지훈이도 그런 느낌을 가지고 만났는데, 실제로 보고 나서 굉장히 매료됐어요. 남자가 봐도 너무 멋진 남자인 거예요. 주지훈을 실제로 보면 외모에서 확 오는 게 있잖아요? 유전자가 일단 남다르니까. 몸 자체가 한국 사람 같지 않은데, 남자다우면서도 귀엽고 순수한 면모들이 섞여 있으니까 굉장히 끌렸어요. (짓궂게) 그에 비해 태도는 좀 이상하긴 했지만. (좌중 웃음)

주지훈 감독님 대본은 참 신기해요. 글로 보면 사실… 그렇게 재밌진 않거든요. (일동 웃음) 처음 대본을 봤을 때 대사가 설명적이기도 했고, 원작의 지옥도를 어떻게 표현할지 글로는 안 보이니까 잡히지 않았던 거예요. 그런데 '김용화 화법'으로 현장에서 만나면, 와, 엄청 재미있어져요. 시나리오보다 훨씬 재미있는 그림이 나오는 거죠.

시나리오와 실제 영화의 차이가 있죠.

주지훈 잘 쓴 시나리오일수록 리스크가 더 크긴 하죠. 그만큼 화면으로 구현되는 게 굉장히 어렵거든요. 글은 너무 좋은데, 이 글을 영상으로 옮길 수 있을까 하는 의심이 들기도 하고요. 그런 의미에서 영화는 정말 감독의 예술이란 생각이 들어요. 그런데 왠지 스타 감독들이 배우들을 옥죌 것 같잖아요? 제가 경험해본 바로는 그렇지 않아요. 오히려 단역 배우들 이야기도 더 들으려고 하시죠.

김용화 하면 할수록 몰라서 그래. 처음엔 겁 없이 하다가, 그게 착각이었다는 걸 경험을 통해 터득하는 거죠. 의도하지 않은 부분에서 관객 반응이 오면, 정말 여러 생각이 들어요. 집단이 뭔가 일치된 걸 만들어낼 때는 늘 겸손해야 한다는 걸 배우죠.

주지훈 감독님을 보며 '리스펙트'는 강요한다고 되는 게 아니라는 걸 알았어요. 그 사람의 인품과 그런 것들을 보고 저절로 생기는 거지.

문득 나는 두 사람이 어떤 '인因과 연緣'으로 이생에서 만났을지 궁금했다. 확실한 건, 서로가 서로에게 귀인이지 않을까.

김용화 인간은 환경의 동물이잖아요. 세상이 나를 바라보는 걸 중요하게 생각하며 사는 시기가 있고, 내가 바라보는 세상이 중요한 시기가 있는데, 어른이 된다는 건 후자를 언제 느끼는가, 라는 생각을 해요. 100퍼센트 일반화할 수는 없지만, 인간은 누구나 전자를 살아요. 안 살지 않는다고요.

평생 전자로만 사는 사람도 많을 테고요.

김용화 조심스럽긴 한데 그렇죠. 어쩌면 이 이야기를 하는 저 또한 전자로 살고 있는 것일지 몰라요. 제 경우엔 〈국가대표〉라는 영화가 분기점이 되면서 세상을 바라보거나 사람을 대하는 태도가 달라졌어요. 정확히 말하면 태도는 비슷해요. 그런데 그게 '진심이냐, 아니냐'로 많이 옮겨갔어요. 지훈이는 저보다 훨씬 후자로 살기 어려운 직업을 가지고 있어요. 그런데 〈신과함께〉를 하면서 무엇인가를 느낀 것 같아서 뿌듯해요. 세상을 바라보는 시선이나, 관계성 같은 것들을요.

주지훈 주위에 좋은 사람들이 많으니까, 질문을 할 수 있어서 좋아요. 그런데 감독님도 그렇고 선배들도 그렇고, 제가 묻는 어떤 사안에도 단언하지 않아요. 어떨 땐 대답이 다 다를 때도 있어요. 그럼 저는 거기에 제 생각을 입히며 고르는 거죠. 행복한 상황인 거예요. 그랬더니 참 신기한 게, 10년 동안 앓던 불면증이 사라졌어요.

불면증을 10년이나요?

주지훈 얼마나 심했냐면, 지금은 드라마 현장이 그 정도는 아닌데, 이전에는 일주일 내내 밤샘 촬영도 하고 그랬어요. 중간에 두 시간 정도 여유가 나면 그때 쪽잠이라도 자는 거죠. 그런데 그 두 시간을 자기 위해서도 수면제를 먹어야 했어요. 그 센 수면제를 먹고도 두 시간 후엔 눈을 딱 떴고요. 누가 깨우지 않아도 혼자서. 그 정도로 심했어요. 제가 멘탈이 강한 사람은 아니었던 거죠.

김용화 멘탈이 강한 사람이 어디 있어? 없어. 강한 척하는 거지.

주지훈 요즘 세상을 긍정적으로 바라보다 보니, 기운도 좋아졌나 봐요. 보는 사람마다 얼굴이 좋아 보인다고 말해요. 그 말들이 참 고맙죠.
김용화 지훈이가 이른 나이에, 직업에 대한 밑천도 없을 때 너무 큰 사랑을 받았잖아요. 그게 사실은 정말 선택받은 사람에게 일어나는, 시쳇말로 '로또 맞았다'고 하죠. 일단 그 시대 트렌드가 좋아할 만한 외양을 갖춰야 하고, 말투나 뉘앙스 등이 복합적으로 작품과 맞물려서 태어나는 건데, 그걸 약관의 나이에 딱 만난 거죠. 그런데 그런 배우들이 어떻게 살았는지, 전례들이 많잖아요. 모두가 행복하지는 않았다고요. 반면 지훈이는 하느님이 그걸 망가뜨리지 않고 어떤 운이 작용한 거라고, 외부적인 악재를 하나 주고 많은 깨달음을 안긴 거라고 저는 생각해요.

어떤 열망이 지훈 배우에게 그득한 것 같다고 했잖아요? 어느 지점에서 그런 걸 느끼신 건가요.
김용화 드글드글한 근성을 본 거죠. 재능에 비해 기회를 덜 만난 케이스라고 생각했어요. 가지고 있는 내공은 많은데, 보여줄 수 있는 창구가 적은 것에 대한 아쉬움이 자신도 모르게 비집고 나온 게 아닌가 싶었죠.

첫 만남에서 주지훈이란 배우의 많은 걸 보셨네요.
김용화 많은 사람이 그런 것 같아요. '남이 나를 어떻게 볼까'를 생각하는 데 너무 많은 시간을 허비하고 살아요. 그런데 사실 아무리 유명한 사람이라도, 대중은 그 사람에게 그렇게 큰 관심이 없거든요.

주지훈에게 운동은 왕(王)자를 만들기 위함이 아닌,
캐릭터 준비 과정의 일환이다. (사진 제공 주지훈)

늘 목표치를 정해서 운동을 한다.

타인은 생각보다 나에게 큰 관심이 없다….

김용화 내가 누군가에게 잘 보이려고 매일같이 신경쓰고 있다고 가정해봐요. 불변의 법칙으로, 열 명이 있다면 그중 한 명은 나를 엄청 좋아한대요. 그리고 두 명은 날 엄청 싫어해요. 나머지 일곱 명은 아예 관심이 없고요. 반대로, 타인에 대해 그리 크게 신경쓰지 않고 주어진 시간을 묵묵히 살아가는 경우는 어떨까요. 그런 사람을 보고도 똑같이 한 명은 엄청 좋아하고, 두 명은 '저놈은 저렇게 살면서 고마움을 저렇게밖에 표현 못 해?'라고 하고, 나머지는 별 관심이 없대요. 정신분석학까지 가면 복잡한데, 생각보다 타인은 나에게 신경을 쓰지 않는다는 거죠. 내가 어떻게 하든지 말이에요. 가령 어떤 사람이 아무리 주지훈을 사랑한들, 온종일 주지훈만 생각하진 않잖아요. 자기 인생이 있는데. 그런 것들을 지훈이가 여러 경험을 통해 빨리 터득해서 배우로서든 남자로서든 잘살길 바라는 마음이 있었는데, 보시다시피! 사람이 이렇게 멋있을 수가 없어요.

주지훈 제가 감독님과 형들 만난 걸 엄청 감사하는 게, 세상과 혼자 외롭게 싸우다가 현명하게 대처하는 방법들을 배우게 된 것 같아요.

그런 생각이 들어요. 〈신과함께〉가 그렇게 큰 성공을 했는데 그 성공이 선물해준 게 그 무엇도 아닌, '겸허'라니… 너무 아름다운 거 아닌가요.

김용화 진짜 그렇게 돼요. 상상을 넘어서는 일이 일어나면.

주지훈 단순히 관객 수를 이야기하는 게 아니에요. 감독님 기억나세요? 버스 타고 무대 인사 하러 다닐 때 다들 눈시울 붉어진 일. 지금도 이 이야기 하면 울컥하는데, 누군가가 "이거 보세요!" 하면서 SNS를 보여줬어요. 딸이, 누군가와 통화하는 엄마를 찍은 사진이었는데 〈신과함께〉를 보고 나와서 막 찍은 것 같더라고요. 그 사진에 이렇게 쓰여 있었어요. "우리 엄마가 〈신과함께〉를 보고 나와서 할머니에게 전화를 드리고 있다." 순간 너무 감동해서, 하….

영화의 힘을 느끼는 순간이었군요.

주지훈 네. 감독님이랑 저랑 눈이 막 빨개지는데, 들키면 서로 부끄러우니까 "(눈에 힘 빡 주고) 어헝?" 했던 기억이 나요.

김용화 그런 순간을 만나면 사람이 오히려 더 겸손해져요. 영화라는 걸 함부로 만들면 안 되는구나, 정서가 되게 중요하구나, 느끼게 되죠.

주지훈 그런 경험을 겪고 나니 생각이 많이 달라졌어요. 이전에는 내 취향이 아니면 일단 부정적인 마음을 가지고 작품을 봤어요. 지금은 달라요. 작품이라는 게 저와 같은 취향의 사람들만 보는 게 아니잖아요. 또 제 취향이 정답인 것도 아니고요. 보다 많은 관객을 배려해서 만들어야 한다는 것을 알게 된 거죠. 다만 기준이 조금 흐려진 건 부작용 같긴 해요. 다 좋아 보이니까. 이젠 뭐든 다 오케이야~ 하하하.

긍정 열매가 열렸군요. (웃음)

주지훈 제가 〈아수라〉, 〈신과함께〉, 〈공작〉, 〈암수살인〉 순으로 영화를 찍었어요. 사실 이전에는 어떤 선입견이 있었어요. '톤 앤 매너' 자체가 다른 영화들임에도 이전에는 〈신과함께〉처럼 엔터테인하고 라이트하게 다가오는 영화는 고뇌가 덜할 거라고 생각했죠. 그런데 오판이었어요. 그 어떤 작품도 단 1초도 허투루 하는 게 없어요. 어두운 영화를 찍는 연출자가 더 고뇌할 것 같지만, 절대로 그렇지 않아요. 고민의 무게는 똑같아요.

중요한 포인트네요.

주지훈 소고기를 찌느냐 굽느냐의 문제일 뿐, 소에게 좋은 사료를 먹이고 정성스럽게 방목해서 키우는 건 똑같아요. 같은 고민을 하는데 표현 방식이 다른 것뿐이라는 걸 느꼈죠.

감독님이 보시기에 배우로서의 주지훈과 인간으로서의 주지훈이 좀 다른가요?

김용화 저에겐 같아요. 그런 건 있어요. 외국 사람들이 "주지훈은 어떤 배우야?"라고 물어보면 "한국의 라이언 고슬링 같은 배우야"라고 할 것 같아요. 저는 지훈이가 라이언 고슬링처럼 됐으면 좋겠어요. 라이언 고슬링이 더 위대한 배우라는 게 아니라, 느낌이 그래요.

주지훈 감독님, 도와주세요! (일동 웃음)

김용화 이 이야기를 꼭 해야 할 것 같은데, 그럼 주지훈의 가장 큰 매력은 뭐냐! 지훈이는 다른 건 없고요, 되게 똑똑해요. 무슨 이야기냐면 머리를 안 굴려요. 우리가 젊었을 땐 머리를 많이 굴리잖아요. 10원 하나 더 가지려고. 혹은 더 좋은 사람처럼 보이기 위해서. 그걸 평생 하는 사람이 스마트한 사람이라고 저는 생각하지 않아요. 어느 시점을 넘어가면 '아, 내가 머리를 굴려서 얻어낼 수 있는 게 별로 없구나'를 아는 시점이 오거든요. 그다음부터는 사람이 머리를 안 굴려요. 솔직해지죠. 그런데 그렇게 한다는 게 되게 스마트한 거거든요. 지훈이가 그래요. 제가 만나본 배우 중에 이렇게 짧은 시간 안에 자신을 솔직하게 보여주는 아이는 처음 봤어요. 똑똑한 아이인 거예요. 똑똑하니까 연기도 잘하고, 똑똑하니까 모험도 하는 거죠. 그래서 지금은 스태프들도 그렇고, 상대 배우들도 그렇고, 얘랑 뭘 하면 다 팬이 되는 거고요. 이런 것만 잘 키워나가도 더 멋져지지 않을까 생각해요.

주지훈을 만나고 생각했다. 어쩌면 행복이라는 건, 주어지는 것이 아니라 발굴하고 찾아내야 한다는 걸. 그를 둘러싸고 있는 '긍정의 에너지'는 그런 노력이 모인 결과물이라고 생각했다. 그가 언젠가 했던 말처럼 "인생은 결국 플러스 마이너스 제로"다. 매번 잘되는 삶도 없고, 매번 안 되는 삶도 없다. 그의 삶도 이전처럼 롤러코스터를 탈 것이다. 하지만 이전과는 다를 것이다. 적어도 그는 삶의 굴곡을 어떻게 넘어야 하는지 아는 자 같으니까. 나는 이 배우가 어떤 영광과 시련을 만나든, 그 영광과 시련 안에서 무엇이든 배우고 그걸 발판 삼아 다시 나아가리라 믿어 의심치 않는다. 그런 점에서 주지훈은 적어도, 최근에 내가 만난 사람 중에 가장 널리 그리고 멀리 나아가고 있는 배우다.

인연이라는 게 참 신기해요.

(…)

우리가 삶에서 만난
사람들은 시계 톱니바퀴처럼
뭐 하나만 안 맞아도 스칠
수 없었을 거예요.

Essay

우연과 필연

2017년 베를린. '하케셔마르크트Hackescher Markt'에 위치한 클럽을 찾았다가 4개월째 사랑에 빠져 있는 커플을 만났다. 이탈리아 밀라노 출신 여자와 시리아 출신 남자였다. 1950년대 독일로 이주한 이탈리아 노동 이민 1세대를 친척으로 둔 여자는 부모님과 친척을 만나러 독일에 왔다가 베를린의 자유분방함에 반해 정착했다고 했다. 그녀는 아이들에게 언어를 가르치고 있었다. 사교적이었다. 한국말로 고맙다가 뭐냐고 물은 여자는 연신 "Grazie(그라찌에!)"와 "고맙습니다"를 외치며 친근함을 보였다.

시리아에서 온 그녀의 연인은 그러니까, 우리가 시리아 '난민'으로 규정하고 있는 남자였다. 2016년 메르켈 총리가 관대한 난민 수용 정책을 펼친 덕에 베를린으로 넘어온 남자는 여자친구의 도움으로 새로운 문화에 잘 적응해가는 중이라고 했다. 조명 탓이었을까. 서로를 바라보는 남자와 여자의 눈에 별이 내내 반짝 박혀 있었다.

베를린에서 꽃피운 이탈리아 여자와 시리아 남자의 사랑을 떠올리면 자꾸 거대한 의미를 부여하게 된다. 시리아 내전이 일어나지 않았더라면, 메르켈 총리가 난민들에게 문을 걸어 잠갔더라면, 남자가 독일이 아닌 다른 곳에 정착했더라면, 여자의 친척이 오래전 독일로 이주해오지 않았더라면, 마침 그들을 만나러 여자가 베를린으로 오지 않았더라면, 밀라노로 다시 돌아갔더라면. 이 중 단 하나라도 어긋났다면, 이 둘은 이 넓은 세계에서 연인으로 사랑을 속삭일 수 있었을까. 어떤 끈이 두 사람을 하나로 연결했을까. 이것은 우연일까, 필연일까, 운명일까, 숙명일까. 사람의 인연이란 어쩜 이리도 대단한가.

정현종의 「방문객」이란 시를 좋아한다. 한 사람이 온다는 건 그의 일생이 함께 오는 것이라고 비유하는 시인의 표현이 다소 과장됐다는 생각이 들다가도, 내 주변의 소중한 인연들을 떠올려보면 전혀 과장법이 아닌 게 된다. 내가, 혹은 그가 과거 그 자리에 없었다면 만나지 못했을 소중한 인연들. 내 삶이란 그들과의 만남을 통해 지금 이곳으로 왔고, 또 이곳을 거쳐 미래로 갈 것이다. 그래서 시인의 말은 다음의 의미를 품고 있지 않나 싶다. 삶의 순간순간 누구를 만나느냐가 결국 인생이라고. 이 넓은 우주에서 한 사람과 같은 시대, 같은 공간에서 만난다는 건 기적이라고.

돌이켜보면 인생에서 뭔가를 작정해서 얻어낸 것보다, 예기치 않게 흘러서 내게 온 것들이 많다. 그중 하나가 바로 사람이다. 억지를 부린다고 해서 얻을 수 없었던 것. 부러 거리를 둔다고 해서 멀어지지 않았던 것. 물처럼 내 삶에 들어와 손을 내밀었던 것. 반대로 아무리 닿으려 해도 달아나버렸던 것. 수많은 변수와 우연과 선택들이 잔가지를 치며 필연이 되기도 했던 것. 1+1=2가 되지 않는, 수학의 법칙이 통용되지 않는 세계.

물론, 인연으로 엮인 인간관계에도 '생로병사'라는 것이 있음을 안다. 초등학교 시절 그림자처럼 붙어다니던 친구는 안부를 묻고 싶어도 연락처조차 남아 있지 않고, 한밤중에 보고 싶다며 먼 길을 달려왔던 오래전 연인과는 이제 멀고 먼 남이 됐다. 서로의 꿈을 응원해주고, 자극을 주고, 같은 방향을 바라보며 달렸지만 지금은 어떻게 사는지 알지 못하는 동료도 있다. 한때는 그렇게 소멸해버린 인연이 아쉬웠다. 돌보지 않고 놓아버린 관계들을 떠올리며 안타까워하기도 했다. 그러나 잘 가꾸고 유지하는 것만큼이나, 예의를 다해 잘 놓아주는 것도 중요하다는 것을 조금은 아는 나이가 되었다. 욕심부리지 않고 흘러가도록 뒀기에, 다가오는 새로운 누군가를 받아들일 수 있다는 것도.

얼마 전 부재중 전화가 걸려와 있었다. 오래도록 왕래가 없었던 친구였다. 무슨 일이지? 통화는 이미 놓쳤고. 안부조차 묻지 않고 지낸 날들은 너무 쌓여 있었고. 회신을 해야 할까 잠시 고민했다. 휴대폰을 만지작거리길 여러 번. 전화를 걸었다. 상대의 목소리를 듣는데, 잊고 지내던 과거가 성큼 밀려오는 기분. 친구는 내가 예전에 살던 동네를 우연히 지나다가 내 생각이 나서 연락을 했다고 했다. 어떻게 지냈냐고, 여전히 비 오는 날을 좋아하냐고 물어오는 상대의 말에 웃음이 터졌다. 성향상 누군가에게 먼저 만나자는 얘기를 잘 안(하고 못)하는 나는 그날 어쩐 일인지 "시간 날 때 차 한잔하자"라는 말을 뱉었고, 친구는 "그렇다면 지금 어때?"라고 말해왔다. 그렇게 우린 서로의 삶에 또 한 번의 방문자가 되었다.

친구가 그날 오래전 그 동네를 지나지 않았더라면, 내가 차 한잔을 권하지 않았더라면, 우린 영원히 흘러버린 사이가 되었을까. 모를 일이다. 그러나 한 가지는 확실하게 안다. 살면서 만나는 우연들과 선택은 "시계톱니바퀴처럼 뭐 하나만 안 맞았어도 스칠 수 없었을" 거라는 사실을.

Presented by

a Room of one's Own

배우

Casting

주지훈

Room

No. 6

의 방

Actor's

Room

To be continued.

Actor's

Room

#7

배우 김남길의

방

만화방

PM 02:00 ~ 08:30

사나이픽처스 사무실

PM 03:00 ~ AM 03:30

노력하면 변할 수 있는 게 사람이라고 믿어요.

PM 02:00

단골 만화방

"저를 상징할 수 있는 공간이나 물건이요?" 질문을 받아든 김남길로부터 답변이 날아든 건 일주일 후였다. 축구장과 만화방을 자주 찾는다는 김남길은 자신이 직접 찍은 일상의 흔적들을 보내왔는데, 살펴보다가 하나의 사진에서 한참을 웃었다. 식탁 위에 덩그러니 놓여 있는 '밥과 김'의 정체는 뭐람. 자초지종을 들어보니 그가 가장 애정하는 식단이란다. 최근 밥 본연의 맛에 푹 빠져있다나. 늘 느끼지만 김남길은 예상하지 못한 부분에서 '훅' 치고 들어와 상대방을 무장 해제시키는 능력이 있다. 어깨에 힘주지 않는 특유의 친근함. 물론 이것이 김남길 매력의 정수가 아니라는 건 안다. 유머로 감싼 말속에 확고한 자기 주관과 소신을 담아내는 게 김남길임을, 이미 몇 번의 만남을 통해 확인한 터였기 때문이다. 유머를 아는 사람, 한없이 가벼운 척하나 실은 진중한 사람, 배려가 몸에 밴 사람, 불의를 보면 발끈하는 사람, 주류 프레임에 마냥 갇히고 싶어 하지 않는 사람, 누군가에게 상처를 주는 게 두려워 전전긍긍하기도 하는 사람. 그것이 김남길이라고, 이번 만남을 통해서도 확인했다.

Scene 1. **용인에 위치한 김남길의 단골 만화방으로 가는 길. '배우가 편하게 들락거릴 수 있는 폐쇄적 구조의 신개념 만화방인가?'라는 상상은 도착과 동시에 기분 좋게 부서졌다. 문을 열고 들어가자마자 기습하는 고소한 라면 냄새와 정겨운 종이 냄새. 빽빽하게 꽂혀 있는 만화책들에선 세월의 흔적이 엿보인다. 최근 성행한다는 카페 형 만화방이 아닌, 추억을 소환케 하는 옛날 만화방이다. 손님이 별로 없는 한적한 오후. 모자를 푹 눌러쓰고 추리닝을 입은 한 남자가 소파에 몸을 파묻고 새우깡을 씹으며 "킬킬킬" 만화책에 심취해 있다. 설마?**

(쭈뼛쭈뼛 다가가) 남길 배우…?

(화들짝) 어서 오세요!

하마터면 못 알아볼 뻔했습니다. (웃음)

(머리 긁적이며) 으하하. 너무 편하게 뒹굴고 있었나요, 제가?

만화 마니아의 내공이 느껴지는 포스예요.

옛날부터 만화방을 좋아했어요. 애니메이션도 좋아하는데, 연기도 만화와 애니메이션으로 공부했죠.

아! 드라마 〈선덕여왕〉[1] '비담' 캐릭터도 만화에서 영감을 받았죠?

일본 만화 『배가본드』와 한국 코믹 무협 『열혈강호』의 캐릭터를 많이 참고했어요. 만화가 지닌 철학이 저는 참 좋아요. 캐릭터들의 익살스러운 표정과 풍부한 표현도 마음에 들고요. 만화 컷을 보며 앵글 공부도 합니다. '이 앵글, 이 호흡, 이 풀숏… 이걸 영화로 그대로 옮겨서 찍으면 어떨까' 늘 생각하죠.

독특한 접근법이네요.

따라 하게 될까 봐 조심하는 부분은 있어요. 실제로 데뷔 초에 목소리 톤 때문에 지적받기도 했어요. 애니메이션 성우들 목소리를 많이 듣다 보니, 저도 모르게 성우 발성을 냈던 거죠. 그런데 저는 지금도 목소리에서 느껴지는 감성을 중요시하는 편이에요.

구체적으로 어떤 거죠?

제 연기가 애매하다고 느껴질 때 동시녹음 기사님께 조언을 구하곤 합니다. 녹음 기사님은 소리의 감정에 집중하시잖아요? 친해지면 의견을 물어봐요. 물론 촬영 때 감독님 앞에서 그러면 녹음 기사님이 자칫 월권하는 것으로 오해받을 수 있으니, 무언의 사인으로 조용히 대화를 나누죠. "컷" 소리가 떨어지면 녹음 기사님 표정을 살피는 거예요. 긍정의 '끄덕' 신호를 주면 안도하고, 부정의 신호를 보내오면 다시 연기 톤을 잡아보죠. 촬영, 조명, 분장, 의상 팀과도 의견을 자주 나누는 편이에요.

과자를 씹으며 만화책에 심취해 있던
김남길의 흔적.

김남길이 가장 애정하는 만화책, 『슬램덩크』.

현장에 있는 스태프들이 당신의 친구이자 스승이군요.

그런 셈이죠. 막내 스태프들에게도 의견을 물어봐요. 처음엔 대개 "아니, 제가 어떻게…"라고 하는데, 친해지면 속내를 진솔하게 보여줍니다. 좋은 이야기다 싶으면 빠르게 반영하죠. 그러면서 막내 스태프 기를 살려주기도 하고요. 사실 그런 의견들이 정확할 때가 많거든요.

아끼는 만화책은 뭔가요?

『슬램덩크』. 진짜 명작이죠. '정대만'이 영감님(농구부 '안 선생님') 앞에서 "흑… 흑… 농구가 하고 싶어요…" 오열하는 게, 마치 저에겐 "연기가 너무 하고 싶어요" 하는 느낌이에요. 크흐!

'정대만' 캐릭터를 좋아하시는군요. 저는 '윤대협' 팬입니다만. (웃음)

제일 좋아하는 캐릭터는 '강백호'예요. 저는 천재적인 애들보다 조금씩 발전해가는 캐릭터에 끌립니다. 부상을 입은 '강백호'가 출전을 만류하는 영감님에게 외친 말도 너무 멋지죠. "영감님의 영광의 시대는 언제였죠? 국가 대표였을 때였나요? 난 지금입니다!" 와~아.

받아서 묻고 싶네요. 당신의 영광의 시대는 언제이고 싶나요?

하하. 글쎄요. 개인적으로 '도광양회韜光養晦'라는 한자성어를 좋아해요. '자신을 드러내지 않고 때를 기다리며 실력을 기른다'라는 뜻이죠. 실력이든 인성이든, 차근차근 쌓아가다 보면 언제고 좋은 반응을 불러일으킬 때가 있지 않을까 싶은 거죠.

그러고 보니 김남길은 '강백호'를 닮았다. 수다쟁이에 장난기 많고 친근한, 밤새 시시콜콜한 농담도 주고받을 수 있을 것 같은 동네 친구 같은 남자. 그러나 목표한 것(농구/연기)에 대해서는 욕심을 부러 숨기지 않고 전력을 다해 질주하는 승부사 기질이 번뜩이는 캐릭터. 강백호의 왼손처럼 김남길에게 '유머는 그저 거들 뿐'이다.

만화를 원작으로 한 영화들이 많습니다. 혹시 실사로 연기해보고 싶은 만화가 있나요?
많죠. 특히 해보고 싶은 건 90년대 만화잡지 《소년 점프》에 연재되며 신드롬을 일으킨 『바람의 검심』. 일본에서 동명의 영화로 만들어지기도 했죠. 애니메이션을 실사로 옮기는 게 정말 어려운데 『바람의 검심』은 참 좋았어요. 사실 이전에 『바람의 검심』 판권을 사려고 일본에 문의했었어요. 우리나라 역사에 맞게 각색해서 만들어보면 재미있겠다 싶었거든요. 그런데 안 판다고 하더군요. 아쉬웠던 기억이 있습니다.

캐릭터 영감도 받고, 장면 아이디어도 얻고… 당신에게 만화방은 일종의 '창작 공간'이네요.
그런 면이 있죠.

그나저나 역시 추리닝이군요. '추리닝 덕후'라는 이야기를 들어서 오늘 어떤 옷을 입고 나올지 내심 기대하고 있었어요. (웃음)
가진 옷 대부분이 추리닝이에요. 계절별로 추리닝이 구비돼 있는데 여름이 가장 애매하죠.

요즘 '밥' 본연의 맛에 빠져 있다고 김남길이 보내온 사진.
김 하나만 있으면 밥 한 공기 뚝딱이란다.

종종 꺼내 본다는 〈바람의 검심〉 DVD.
그는 만화로 연기 공부를 한다. (사진 제공 김남길)

왜죠? 태가 안 살아서?

그렇죠! (웃음) 몸이 좋아야 반팔 흰 티 하나 입어도 느낌이 사는데 제가 삐쩍 말라서 더 없어 보여요. 하하하.

아니에요. 뭐랄까… '핏'이 살아 있는데요?

'핏'은 나름 신경쓰거든요. (웃음) 혹시 아세요? 추리닝에도 패션이 있다는 걸. 저는 명품은 몰라요. 그래서 명품숍을 지나칠 땐 무덤덤해요. 대신 스포츠 매장을 보면 멈칫합니다. 워낙 추리닝 예찬을 늘어놓았더니, 인터뷰 때 '추리닝 잘 입는 팁'을 물어오는 기자 분들도 계세요. 그럼 자세하게 설명해드리죠. 바지는 한 치수 작게 입어야 태가 좋다, 무릎이 안 나가게 하려면 오래 앉지 마라 등등. (일동 웃음)

당신에게 추리닝은 편한 옷이라기보다, 개성의 일부인 느낌이네요.

네. 이젠 저만의 시그니처 느낌으로 받아들여주시는 분들이 많아요. 오래전에 추리닝 때문에 상대 배우에게 오해를 산 적도 있어요. 추리닝 입고 나타난 저를 보고 속으로 '이 자식 뭐지? 나를 무시하나?' 했대요. (웃음) 충분히 그럴 수 있어요. 그래서 그 뒤로는 "오해하지 마세요. 제가 상대를 무시해서가 아니라, 진짜 옷이 추리닝밖에 없어요~"라고 이야기했는데, 어느 순간부터는 그런 이야기도 할 필요가 없게 됐어요. 먼저들 웃으면서 "들었어요, 남길 씨 추리닝 입고 다니는 거. 오해하지 않으니까 걱정 마요" 그래요. (일동 웃음)

정말 시그니처가 됐군요.

제가 과거에 사고로 어깨와 무릎 수술을 했어요. 고장난 곳이 많아지다 보니 갖춰진 옷을 입으면 몸이 힘들더라고요. 처음엔 재활 때문에 추리닝을 입었는데 그게 의도하지 않은 방향으로 발전한 거예요. 제가 또 운동을 워낙 좋아해서 그런 것도 있고요.

중학교 때 육상 선수였죠?

학교에 단거리 육상부가 정식으로 있었던 건 아니에요. 그런데 제가 달리기를 잘하다 보니 경기에 뽑혀 나가곤 했어요. 육상대회 나가서 1등 한 적도 있어요. 그러다 보니 고등학교에서 스카우트 제의도 들어오고…. 기록이요? 비공식 기록으로 100m 11초 9가 나왔어요. 그런데 그게 공식적인 100m 트랙보다는 조금 짧았을 거예요.

운동 DNA는 누구에게 물려받은 건가요?

아버지가 농구 선수 출신이세요. 그 영향이지 않을까 싶네요.

소문난 축구광이기도 합니다.

일주일에 한두 번 동네 조기 축구를 나가요. 가끔 밤에 연습하러 혼자 나가기도 합니다. 사람들이 "넌 선수 할 것도 아닌데 왜 그렇게 열심히 하냐"고 그러는데, 가끔 연기보다 축구를 더 잘하고 싶은 욕망도 느껴요. (일동 웃음)

공격형 축구를 구사하나요, 수비형 축구를 구사하나요.

공격형이에요. '윙 포워드Wing Forward'.

연기에서는 어떤가요. 주고받는 연기에 있어서 당신은 던지는 쪽이라고 느끼십니까, 리시브하고 있다고 느끼는 쪽입니까.

연기할 때는 '미드필더Mid-Fielder'를 추구하려고 해요. 미드필더는 공격과 수비 가운데에서 볼 배합을 해줘야 하는 포지션인데, 연기도 그와 같다고 느끼거든요. 특히 연기 경험이 없는 친구를 만나면 많이 받아주려고 해요. 상대 배우가 돋보여야 하는 신에서도 그렇고요. 빤한 말일 수 있지만, 앙상블이 정말 중요하거든요.

욕심을 내려놓고, 전체 그림을 본다는 게 사실 쉬운 일은 아닌데요.

작품 전체가 잘 보여야 그 안에 있는 내 캐릭터도 보이는 것이지, 혼자 튀려고 했다가는 작품도 함께 무너질 수 있다는 걸 알았거든요. 욕심이 전혀 없다면 거짓말이겠지만, 많이 자제하는 편입니다. 그래서인지 친한 스태프들이 가끔 그래요. "너는 조금 이기적으로 할 필요가 있어, 너무 맞추려고 하지 마" 라고 말이죠.

이런 면모는 천성인가요, 후천적인 노력인가요.

천성이기도 하고 선배들 영향이기도 해요. 어릴 때 만난 (설)경구 형, (정)재영이 형, (김)혜수 누나에게 배운 자세들이에요. 그런데 정말 똘똘한 배우들은 어떻게 해야 장면을 자기 것으로 만들 수 있는가를 알아요. 작품을 위해 호흡을 중시하고 상대를 맞춰주는 것일 뿐이죠. 그걸 모르고 그런 배우 앞에서 혼자 이기적으로 돋보이려고 했다가는 알짤없지요.

김남길의 시그니처 아이템, 추리닝.
계절별, 색상별, 용도별로 전부
구비되어 있다.

축구장에서 공을 능수능란하게 다루고 있는 김남길.
복장과 포즈는 영락없는 축구선수다.

조금 더 편하게 대화를 나누기 위해 가까운 커피숍으로 자리를 옮기기로 했다. 만화방을 나와 자연광 아래에 서자, 햇빛을 한껏 흡수한 김남길의 추리닝이 비로소 제 위용을 발휘한다. "추리닝에도 패션이 있다"는 김남길의 말을 잠시 복기해본다.

MBC 31기(2003년) 공채 탤런트가 되기 전에는 극단에 계셨지요? 극단에서 방송사로 눈을 돌린 건 어떤 목적을 둔 행보였나요.
당시 저는 공연 예술에 푹 빠져 있는 사람이었어요. 연기 자체가 마냥 행복했기에 방송 매체에 큰 뜻이 있었던 건 아닙니다. 그런데 선배들이 "넌 아직 어리니까 사람들이 많은 매체에 가서 다양한 걸 경험해보는 게 도움이 될 거야"라고 하시면서 원서를 대신 내주셨어요. 그렇게 MBC에 붙었죠. 그땐 유명해지고 싶다거나 하는 개념이 없었어요. '사람들이 알아봐줘야만 배우인가?' 저는 유명하지 않았을 때도 제가 '배우'라고 생각하면서 연기를 했습니다.

배우로서의 자의식이 강하셨군요.
그래서 요즘 그래요. 주위에서 "배우가 꿈이지 않았어요?" "맞아요." "꿈을 이루셨네요?" 그런 대화를 하다 보면 가끔 먹먹해져요. '원하는 일을 하고 있는데, 왜 뭔가 허전하지?' '왜 외롭지?' 음… 내 안에서 오는 갈등들이 있나 봐요. 꿈꾸던 일을 해서 좋긴 하지만 현실적으로 타협해야 하는 것들, 그럼에도 포기할 수 없는 것들이 내 안에서 부딪히는 거죠.

원하지 않아도 해야 하는 게 있지요. 원한다고 해서 할 수 없는 것

도 있고요.

맞아요. 저는 '내일이라도 당장 연기를 못하게 되면 어쩌나… 늙은 부모님도 계신데, 그럼 나는 뭘 하지'라는 생각을 곧잘 합니다. 그러다 보면 '이것저것 안 가리고 해서 일단 돈을 모아둬야 하나?' 별생각이 다 들죠. 그런데 막상 작품이 들어오면 또 되게 고민해요. 아무거나 하고 싶지는 않은 거예요.

2009년 〈선덕여왕〉으로 널리 알려지기까지, 6년은 당신에게 어떤 시간이었나요.

〈후회하지 않아〉[2], 〈강철중: 공공의 적 1-1〉[3], 〈모던보이〉[4] 등의 작품을 만나면서 영화가 가지고 있는 매력을 알아간 시간이죠. 김은숙 작가님의 〈연인〉[5], 노희경 선생님의 〈굿바이 솔로〉[6] 등 훌륭한 드라마 작가들과도 작업했던 시간이고요. 정말 많은 걸 했어요. 해보고 싶은 것도 많았고요. "설경구랑 한다고? 우와~!" "정재영이랑? 앗싸~!" 매 순간이 소중하고 매 시간이 벅찼죠.

아… 왜 그 시간이 힘들었을 거라고 짐작했을까요. 저를 반성하게 하는 답변이에요.

그땐 정말 열심히 살았어요. 어려서 더 그랬을 수 있지만, 열정도 엄청났죠. 그러다 〈선덕여왕〉으로 큰 사랑을 받게 되었는데 의외로 차분했어요. 사람이 갑작스럽게 큰 걸 얻으면 실수하기 쉽잖아요? 그런데 쏟아지는 관심 속에서 나름 휘둘리지 않았어요. 6년 동안 여러 작품을 거치며 이곳 생리를 알았거든요. 들뜬 마음이 있기는 했지만, 조만간 이 인기가 식을 거라는 것도 너무 잘 알았던 거죠. 그리고 정점을 찍자마자 바로 공익을 가서… 뜨자마자 나라에서 "이리 오세요!" "아, 저요? 모두 안녕~!" 그랬으니까요. (좌중 폭소) 그렇게 공백이 생기면서 '과거의 영광에 젖지 말고, 쪽팔리지 않게 잘 내려가자'라는 생각을 했던 것 같아요.

관객으로서 당신 연기에 감탄한 영화는 '정재곤'이라는 인물을 연기한 〈무뢰한〉[7]이에요. 쓸쓸해 보이는 뒷모습이 특히 인상적이었는데 '뒷모습에서도 표정이 읽히는구나' 하고 놀랐던 기억이 납니다.
〈무뢰한〉은 제 배우 생활의 전환점이 된 작품이에요. 좋은 캐릭터와 좋은 동료들을 만나 조금 더 제 연기에 대해 깊이 고민한 시간이었죠. 저는 작품을 통해 성장하는 스타일인데, 〈무뢰한〉을 찍으면서 제 가치관이 많이 달라지기도 했어요.

당신은 문화예술 NGO 단체 '길스토리'의 수장이기도 합니다. 로드Road라는 뜻도 있고, 당신 이름에도 '길'이 들어가 있죠. 여전히 길스토리 활동을 적극적으로 알리는 게 민망하신가요? 관련 일에 대해서는 "이벤트로 보일까 봐 조심스럽다"는 말로 화제를 늘 돌리곤 하시던데.
이름이 알려진 입장이다 보니, 뭔가 하나를 할 때도 진정성에 대한 의심을 받을 수 있겠다 싶어 조심스러워요. 저 혼자 하는 일이면 괜찮아요. 그런데 길스토리는 뜻이 맞는 사람들이 함께 모인 단체거든요. 나로 인해 함께 일하는 사람들의 진정성이 훼손되거나 이벤트성으로 보일까 봐 걱정되는 게 있어요. 그래서 일부러라도 홍보를 꺼리게 되더라고요.

좋은 일은 알릴수록 좋다는 의견도 있습니다만.

항상 하는 이야기지만, 제가 좋은 사람이라서 의미 있는 일을 하는 건 결코 아니거든요. 어떤 사람이 좋은 사람인가 나쁜 사람인가는 상대적인 것일 텐데, 저 역시 누군가에겐 나쁜 사람일 수 있겠죠. 제 의도와는 다르게 상처를 주기도 했을 테고요. 다만 그럼에도 의미 있는 일을 하면서 노력하면 변할 수 있는 게 사람이라고 믿는 건 있습니다.

사람에 대한 믿음이 있군요.

네. 길스토리 역시 그런 믿음을 가지고 사람들의 인식을 바꾸는 캠페인을 하는 곳이에요. 사실 굉장히 단순한 것들이에요. 가령 '버스 안내 방송'. 지방 산골을 가면 버스 안내 방송이 안 나오는 곳이 종종 있어요. 그래서 마을 할머니 할아버지 목소리를 직접 녹음해서 역을 소개하려 한 거죠. 그분들이 마을에 대해 느끼는 애정이나, 자랑할 만한 것들도 함께요.

소소한데 무척 따뜻하군요. 놓치고 지나치기 쉬운 부분이지만 정말 필요한 것들이고요.

길스토리 슬로건이 '작지만 위대한 움직임'이거든요.

부모님과 함께 살고 계시죠? 인터뷰에서 부모님 이야기를 자주 하시더라고요. 뭐랄까, 장남으로서의 어떤 책임감이 느껴져요.

없지는 않은 것 같아요. 지금은 그냥 부모님과 함께하는 것들이 좋아요. 부모님도 점점 쇠약해지실 테고… 함께할 수 있는 시간이 그렇게 많은 것도 아니잖아요? 부모님이 자식을 위해 아직

오랜 시간 함께한, 팔다리가 짧아 귀엽다는 반려묘 '탐탐이'.
김남길이 촬영으로 며칠 집을 비우면 엄청 삐친단다.
창밖을 바라보며 그가 오기만을 오매불망 기다린다고.

10년 넘게 함께한 '하루'와 '머루'. 하루는 지금 이 세상에 없다.
하루가 위독하다는 소식을 듣고 지방 촬영장에서 서울로 급하게
돌아오던 김남길은, 길 한가운데에서 하루의 마지막을 전해 들었다.
이후 법주사에 가서 "겁나 울었다"고.

할 수 있는 게 많다는 걸 일부러 아시게끔 해요. 알면서도 괜히 "엄마, 양말 어디 있어요?" "엄마, 티셔츠는?" 그래요. 아, 이거 알면 섭섭해하시려나?

세심한 아들이네요. 나이가 들면서 자기만의 공간에 대한 애착이 강해질 수도 있을 텐데, 독립에 대한 생각은 안 해보셨나요?
그럴 때가 있죠. 집에서 온전히 나만의 공간이라 할 수 있는 곳은, 제 방 하나예요. 평범해요. 방이 넓지 않아서 책상에 앉아서 컴퓨터 하다가 뒤로 누우면 바로 침대가 딱. (웃음) 그런 것들에 별생각 없이 사는데 가끔 혼자 멋지게 사는 배우 집에 놀러가면 부럽기도 해요. 하다못해 저는 음악 소리 하나도 조심하거든요. 음악을 크게 틀어놓으면 바로 방 밖에서 "(부모님이) 시끄러워~!" "(움찔) 네에~" 하니까. (일동 웃음) 밤에 비디오 보다가 야한 장면이 나오면 괜히 부랴부랴 소리 죽이고. (다시 폭소) 그런 영화가 아닌데.

당신을 답답하게 하는 게 있다면요?
나를 나로 못 살게, 자제시키는 것들. 가끔 어디로 튈지 모르는 삶을 살고 싶을 때가 있습니다.

그러려면 '타인을 의식 않는' 혹은 '미움받을 용기'가 필요하지 않을까 싶기도 합니다만.
'사람은 노력하면 변할 수 있다'라는 관점에서 먼저 말씀드리면, 좋은 변화에 제가 도움이 될 수 있다는 판단이 서면 미움받더라도 손 내밀 용기가 있어요. 그런데 그건 조건적인 거니까.

그리고 배우는 아무래도 나 혼자가 아니라 작품과 직접 연결된 것이 많잖아요. 누군가에게 미움을 받으면서까지 자유롭게 산다는 게 쉽지는 않은 것 같아요. 또 우리나라는 유명인에 대한 도덕적 잣대가 강한 편이죠.

당신이 쌓아온 것들은 명예이자, 24시간 감시 카메라가 작동하는 감옥이기도 한 세상이죠.

'사람들이 나를 어떻게 바라볼까'에 대해 생각하니까, 하고 싶은 말이나 행동을 더 못 하게 되는 것도 있어요. 저는 제가 많이 내려놨다고 생각했는데, 지나고 보니까 내려놓은 게 아니라 '참고 있었구나'라는 생각이 들기도 하거든요.

"참고 있었구나"라.

내가 좋아하는 일을 하면서, 어디 가서 밥 한 번 살 수 있을 정도의 돈을 벌고 있으니 감사한 일이라는 생각은 해요. 하지만 사람이 가지고 있는 욕망이라는 게 끝도 없으니까요. 꿈은 크면 좋다고 하지만, 가진 것보다 더 많은 것들을 원하다 보니 저 자신을 힘들게 만들더라고요. 영화 〈기묘한 가족〉[8] 촬영 때 숙소가 속리산 국립공원 근처였어요. 그 안에 '법주사'라는 큰 사찰이 있어요. 제가 무교이긴 한데, 3개월 동안 하루도 안 빠지고 가서 108배를 했어요. 심적으로 참 좋더라고요. 누군가의 행복을 빌어보기도 하고, 나를 괴롭히는 것들을 돌아보기도 하고, '모든 게 다 내 탓이다' 지난 시간을 돌아보며 반성하기도 했죠.

모든 걸 자기 탓으로 돌리다 보면 자기가 사라지기도 하는데요.

그게, 긍정적인 의미에서의 다짐이에요. 나 자신은 내가 컨트롤할 수 있어요. 하지만 타인의 생각이나 삶은 내가 컨트롤할 수 없는 영역입니다. 제가 만약 기자님께 상처를 줬다고 해봐요. 그럼 사과는 할 수 있지만 그렇다고 그 상처까지 제가 깨끗하게 낫게 할 수는 없죠. 누군가를 제가 완벽하게 위로할 수 있다고 믿는 것 자체가 건방진 생각이고요. 타인의 영향을 끊임없이 받으며 사는 게 사람이지만, 중요한 순간을 결정하는 건 결국 자신이에요. 남을 탓하기보다, 나를 돌아보는 게 더 유익하다고 생각하는 이유죠.

이런 이야기, 동료들과 자주 나누는지요.

같은 일을 하는 사람이기에 어떤 고민을 이야기했을 때 더 이해받을 수도 있지만, 반대로 같은 일을 하는 사람이기에 이야기하는 게 더 어려운 것들도 많아요. 하지만 굳이 고민을 이야기하지 않아도, 존재만으로 힘이 되는 선배들이 제겐 있지요.

스스로에 대한 믿음이 크다고 생각하십니까.

믿음은 없어요. 다만 노력하죠. 그 말 되게 공감해요. "웃으면 세상이 함께 웃는다. 그러나 울면 그대만 운다"라는 말. 가라앉으려고 하면 밑도 끝도 없이 꺼질 수 있는 게 저라는 사람인데, 금방금방 치고 올라오는 것도 저예요. 다행히 또 잘 까먹는 스타일이라 (웃음)

"웃어라, 온 세상이 너와 함께 웃을 것이다. 울어라, 너 혼자만 울게 될 것이다." - 엘라 휠러 윌콕스

김남길의 30대를 돌아보면 어땠던 것 같습니까. 중간평가 해보자면요?

20대는 정신없이 보냈어요. 30대의 많은 시간은 갈팡질팡했던 것 같고요. 옳고 그름에 대한 고민, 사람 관계에 대한 고민, 나에 대한 고민이 참 많았어요. 과도기가 아니었나 싶습니다. 40대에는 이런 고민의 시간을 지나, 뭔가 더 단단해지지 않을까 하는 기대가 있어요.

그와 헤어지고 서울로 돌아오는 차 안에서 나는 조금 이상한 감정에 빠졌다. 정말 많은 말들을 했다고 생각했는데, 뭔가 중요한 것을 놓친 것 같은 느낌…. 이날의 대화를 복기하며, 그 이유가 "옳고 그름에 대한 고민, 사람 관계에 대한 고민, 나에 대한 고민이 참 많은 시기"를 지나고 있다는 김남길의 고민을 조금 더 깊게 이해하지 못하고 돌아가는 게 아닐까 하는 후회 때문임을 알았다. 후회를 만회할 기회는 생각보다 일찍 찾아왔다. 김남길은 자신의 공간으로 〈무뢰한〉 제작사인 '사나이픽처스'의 사무실도 언급했었는데, 인터뷰 다음 날 그곳에서 〈무뢰한〉 팀과의 만남이 있었기 때문이다. 〈무뢰한〉을 만든 사나이픽처스 한재덕 대표와, 전도연 배우가 흔쾌히 기자의 방문에 동의해준 덕분에, 김남길과 헤어진 지 열아홉 시간 만에 다시 그와 마주할 수 있었다. 미처 풀지 못한 김남길 퍼즐의 한 조각을 그의 동료들을 통해 들어봤다.

PM 03:00

〈무뢰한〉 제작사,
사나이픽처스 사무실

Scene 2. **한남동에 위치한 사나이픽처스 사무실(지금은 동대입구역 부근으로 이전했다.)은 〈신세계〉, 〈대호〉, 〈무뢰한〉, 〈검사외전〉, 〈아수라〉 등 굵직굵직한 '싸나이' 영화들이 탄생한 진원지다. 〈부당거래〉, 〈범죄와의 전쟁〉, 〈베를린〉 프로듀서로도 활약한 한재덕 대표가 이곳의 주인장. 강호의 의리가 이전 같지 않다는 영화계에서, 한재덕 대표와 그의 영화 동지들은 '사나이 패밀리'라는 이름으로 만나 서로의 고민에 귀를 기울이고 스스럼없이 어깨를 내준다. 패밀리들이 드나드는 이 사무실은 그러니까, 배우들의 역사가 찍힌 영화적 현장인 셈. 사무실에 방문하자 한재덕 대표와 김남길이 두런두런 이야기를 나누고 있었다. 한재덕 대표를 "형"이라 부르는 김남길의 말끝에 묘한 안도감이 섞여 있었는데, 이날도 그는 블랙 추리닝 차림으로 '추리닝 덕후'다운 면모를 과시했다.**

김남길 밖에 나오면 오는 곳이 여기 재덕이 형 사무실이에요. 제 공간을 이야기할 때 빼놓을 수 없는 곳이죠. 저기 또 저렇게 〈무뢰한〉 포스터가 가장 크게 딱!

한재덕 그 밑에 〈해적〉[9]도 작게 있잖아. (사나이픽처스 사무실에 놓인 포스터 중 유일하게 한 대표가 참여하지 않은 작품이다.) 네가 준 거. 버릴 수도 없고, 참. (웃음)

김남길 정말 많은 일이 일어나는 장소예요. 〈무뢰한〉으로 입성한 후 재덕이 형 덕분에 (정)우성이 형, (황)정민이 형 등과도 가까워졌죠. (주)지훈이가 〈아수라〉로 들어오기 전까진 제가 사나이 패밀리 막내였는데, 말 많은 막내가 들어왔어~! (웃음)

멀리서 귀에 익은 발랄한 콧소리가 들린다. 전도연이다. 전도연의 등장과 함께 두 남자, "전 회장님 오셨습니까!"를 외치며 기립한다. 〈무뢰한〉 팀 사이에서 전도연은 '회장님'으로 통한다. 〈신세계〉 '이자성' 회장님 버금가는 존재란 의미에서 붙여진, 그러니까 사랑과 정열과 존경을 가득 담아 제작진이 전도연에게 올린 호칭이다. 전도연이 〈무뢰한〉 출연을 결정했을 때, 한재덕 대표와 오승욱 감독은 도산사거리에서 "만세!"를 외쳤다고 하니, 이들의 전도연 사랑이 얼마나 각별한지는 짐작하고도 남을 일이다.

전도연 〈무뢰한〉 출연을 결정하고 여기 사나이픽처스로 왔는데, 엘리베이터에서 내리자마자 복도 양쪽에 직원들이 일렬로 쭉 서서 90도 인사를 하지 뭐예요. 아우, 민망해서 정말. (웃음) 그때부터 쭉 '전 회장님'으로 불려요.
한재덕 한 번 회장은 영원한 회장이죠!
김남길 〈무뢰한〉은 제 연기 인생에 전환점이 된 작품이에요. 상업적으로 잘되지는 않았지만, 이 영화에 참여한 스태프들도 그렇고 배우들도 그렇고 다들 자부심이 있어요. 함께했던 스태프들이 그런 이야기를 해요. 어디 가서 〈무뢰한〉 했다고 하면 대우가 달라진다고. "나 〈무뢰한〉 했어!"라고 말할 수 있어서 저도 뿌듯해요.

오승욱 감독이 시나리오를 쓰고 연출한 〈무뢰한〉은 관객을 만나기까지 긴 시간 진통을 겪은 작품이다. 감정적으로 센 연기를 소화해야 하는 여배우 캐스팅이 쉽지 않았고, 투자 역시 순조롭지 못했다. 좌초 위기의 〈무뢰한〉은 그러나 작품의 가치를 알아본 한재덕 대표를 만나 다시 숨 가쁘게 가동됐고, 이정재가 남자주인공 '정재곤' 역에 캐스팅되고, 혹시나 하고 건넨 시나리오를 전도연이 수락하면서 빛을 보는 듯했다. 그러나 이 역시 이정재가 부상으로 하차하면서 제동이 걸렸다. 이때 중심을 잡은 게 전도연. 비상대책회의를 소집한 전도연을 중심으로 〈무뢰한〉 팀은 마지막 단추가 될 '정재곤 찾기'에 나섰다. 알다시피 〈무뢰한〉의 마지막 단추가 바로, 김남길이다.

전도연 남길이는 오다가다 보긴 했지만 제대로 만난 건 〈무뢰한〉이 처음이었어요. 제게 김남길이라는 친구는 연예인, 스타, 잘생긴 배우 느낌이 강했죠. 그런 생각을 가지고 만났는데….
한재덕 이렇게 모자란 앤 줄 몰랐지! (일동 웃음)
전도연 진짜 몰랐어요. 뭐랄까. 모두가 그런 건 아니지만, 많은 남배우들이 겉으로 보여지는 어떤 남성스러움을 콘셉트로 가지고 있거든요. 그게 남자들 사이에서의 어떤 '멋'일 수는 있는데, 저는 남길이가 그런 걸 〈무뢰한〉에서 버릴 수 있는 친구인지가 일단 궁금했어요. '재곤'이라는 인물은 멋스러움과는 동떨어진 인물이니까요.

그래서 만나보니 어땠어요?

전도연 얘는 가져야죠, 멋을! (좌중 웃음) 만나고 화들짝 놀랐어요. 멋 부리는 배우가 아닐까 걱정했는데, 그런 걸 벗어버리고 '정재곤'이 되고 싶어 하는 욕심이 보이더라고요. 저는 진심이 보이면 믿어주는 스타일이에요. "연기 그렇게 하면 이상하지 않아?"가 아니고, 그냥 믿어주는 거죠. 상대의 감정을 받아주고, 반대로 상대가 느끼게끔 내 감정을 내주고. 그게 또 호흡이니까요. 남길이는 그런 걸 너무 잘 아는 친구여서, 고민하고 찾아가는 모습을 믿고 지켜봤던 것 같아요.

한재덕 내가 남길이를 처음 만난 건 술집이었나? 오승욱 감독님과 PD가 남길이와 먼저 만나고 있는 자리였어요. 분위기가 괜찮으면 부르라고 해서 뒤늦게 갔더니, 남길이가 이미 감독님과 PD를 많이 감았나 보더라고. 저에게도 다짜고짜, "형"이라고 하길래 속으로 '얘가 미쳤나~' 했죠. (웃음) 남길이가 사람을 좀 감는 능력이 있어요.

전도연 이왕이면 '감는' 말고, 사람에게 '감기는'! (일동 폭소)

한재덕 냉정하게 이야기하면 '재곤' 캐릭터에 어울리는 외형의 친구는 아니었어요. '정재곤' 이미지는 더 찌든 형사 느낌이 있어야 했거든요. 그에 반해 남길이는 일반적인 필름누아르Film Noir의 주인공과는 다른 느낌을 가지고 있었죠. 사실 캐릭터의 나이도 더 '짬밥'이 있어야 해서 망설였는데, 주변에서 다들 괜찮다고 그러니까 궁금했어요. (웃음) 그런데 실제로 만나보니 나이가 측정 안 되는 느낌이 있더라고요. 일단 철없는 느낌이 안 들었어요. 이 친구도 퇴폐미가 있으니까. 결과적으로 어려운 역할을 굉장히 잘해냈죠. 어울리지 않는 옷을 입고 있다거나, 어른

흉내를 내는 느낌이 전혀 없었어요. 근사하게 어울렸죠.

김남길 그래서 〈무뢰한〉 이후에 형사 역할이 엄청 들어오는데, 저는 못 하겠더라고요. '재곤'을 뛰어넘을 수 없을 것 같기도 했고, 그 이미지를 훼손하고 싶지도 않아서요.

전도연 공감해. 비슷한 것에 안주하고 싶지 않은 마음이 배우들에겐 있지. 내가 잘하는 것 말고, 새로운 도전을 하고 싶은 마음.

김남길 누나를 만나기 전에, 전도연이라는 이름에서 오는 기대와 두려움이 있었어요. 전도연 앞에서는 아마 많은 배우가 그럴 거예요. '재곤' 캐릭터를 너무 잘 표현하고 싶은데, 그런 안간힘을 누나에게 들키고 싶지 않더라고요. 그와 동시에 누나에게 심적으로 기대고 간 것도 있었죠.

전도연은 배우를 긴장시킬 수 있는 드문 배우라고 생각해요. 실제로 많은 배우들이 전도연 앞에서는 긴장된다고 하더군요. 상대의 그런 긴장감이 느껴지나요?

전도연 (경쾌한 콧소리로) 그럼요~ 얼마나 애를 쓰는지. (일동 웃음)

김남길 이전에 (황)정민이 형이 그랬어. 자기가 뭔가 잘했다고 생각했는데, 그러고 바로 '아, 아직 부족한가?' 하고 만드는 게 전도연이라고.

한재덕 영화 고사 현장 같은 곳에 전 회장님이 나타나면 난리가 나지. 점지 받으려 하는 배우도 있고. (웃음) 송강호, 최민식 같은 베테랑 연기자들도 회장님 앞에서는 달라.

전도연 에이~ 선배들과는 필름 시절부터 함께했으니까. 질풍

〈무뢰한〉 포스터 밑에 자리한 〈해적: 바다로 간 산적〉 DVD.
사나이픽처스 사무실에 놓인,
유일하게 한재덕 대표가 참여하지 않은 영화 물품이다.

노도의 시기를 함께 통과했기에 서로가 너무 편한 거죠. 저는 오히려 후배들이 더 어려워요. "누나, 누나~" 해도 편하지가 않아. 오빠들과 연기하면 숨통이 트이는 게 확실히 있어요.

김남길 저는 상대 배우를 많이 타는 스타일이에요. 〈모던보이〉 때 정지우 감독님도 "자기는 좋은 배우랑 하면 연기가 더 좋을 거야. 그래야 긍정적인 에너지를 흡수할 수 있어"라고 조언해주셨어요. 그래서 도연 누나를 만나서 너무 좋았어요. 무엇보다 내가 고민하는 지점들을 누나가 너무 명확하게 보고 있어서 여러 번 놀랐죠. 누나가 '칸국제영화제 심사위원'을 괜히 한 게 아니라니까. 영화와 사람을 보는 눈이 굉장히 냉철해서 도움을 많이 받았어요.

전도연 워낙 연기에 욕심이 많은 친구예요. 좋은 배우에 대한 정답이 있는 건 아니지만, '지금의 김남길'을 뛰어넘고 싶어 하는 게 보였죠. 곁에서 지켜본 남길이는 극단적인 매력을 가지고 있는 것 같아요. 철부지 아이의 모습도 있고, 반대로 굉장히 남자다운 모습도 가지고 있죠. 음… 중간도 좀 있었으면 좋겠는데~ (일동 웃음)

오승욱 감독 등장. 집에서 시나리오를 쓰다가 김남길의 전화를 받고 달려온 감독을 모두가 일어나 반갑게 맞이한다. 〈무뢰한〉 속 김남길에 대해 한창 이야기 중이었다고 말하자, "어허허허허" 사람 좋게 웃으며 의견을 더한다.

오승욱 남길이 캐스팅이요? 하하. PD에게 남길이 출연 영화를 전부 다 달라고 해서 한 3일 동안 봤나? 아무리 봐도 잘 모르겠어~ (일동 웃음) 그래서 사진들을 찾아봤는데, 군대 갈 때 머리 깎은 사진이 있더라고요. 그 모습이 참 좋았어요.

전도연 그때 그거였어요. '이 배우에게 수컷 냄새가 나, 안 나?' '재곤'은 본능적인 인간이기에, 깎아낸 듯 잘생긴 배우가 아니라 수컷 느낌이 있는 배우여야 했거든요. 그런데 멋진 배우는 많은데 남자 냄새가 나는 배우가 별로 없더라고요. 사실 남길이 또래 중에 '정재곤' 역할을 하고 싶어 한 배우가 많았어요.

오승욱 맞아. 딱 정리를 해줬네요. 남길이 사진을 보는데 정말 남자 냄새가 펄펄 났지.

김남길 (애교 가득 담아) 남~자아~!

한재덕 이렇게 없는 줄 몰랐다니까. (일동 웃음) 속았어!

그때는 긴 머리와 콧수염이 김남길이라는 배우의 트레이드마크 같은 거였는데, 오히려 없는 모습을 보고 눈에 들어왔다는 게 재미있는 포인트네요.

한재덕 그래서 저는 처음에 아주 싫어했습니다. (웃음)

전도연 우리도 그랬죠. "콧수염 밀 수 있는지 없는지부터 일단 물어봐요!" (좌중 폭소)

오승욱 처음 만났을 때 남길이가 먼저 밀겠다고 했어.

김남길 처음엔 작품 때문에 기른 게 맞아요. 그런데 반응이 나쁘지 않기도 하고, 뭔가 없어 보이는 느낌도 덜어주실래 오래 유지하고 있었죠. 중후한 느낌을 갖고 싶기도 했고요. 이제는 중후함이나 무게감이라는 게 수염이 있고 없고의 문제가 아니라는 걸 알죠.

전도연 〈무뢰한〉 첫 촬영이 '정재곤'의 뒷모습을 따라가는 신이었는데, 감독님이 그때 그러셨어요. "나는 오늘 남길이 뒷모습에서 정재곤을 봤다." 그런 발견은 영화적으로 정말 중요해요.

오승욱 아주 잘 걸었지. 결핍이 있는 듯 구부정하게… 그런데 또 절뚝이지도 않고. 아주 마음에 들더라고요.

김남길 (쏟아지는 칭찬에 안절부절) 참, 감독님이 만화광이세요. 저보다 더 많이 알아요. 〈무뢰한〉 찍을 때 감독님과 만화책 얘기를 참 많이 했죠.

오승욱 만화로 잘 통했지. 우리가 언제 의기투합했냐면, 촬영하기 2주 전인가? 저희 집 평상에 앉아서 '『드래곤볼』을 몇 권까지 쳐주냐'를 이야기하다가 의견이 일치하면서 가까워졌어요. (일동 웃음)

〈무뢰한〉에서 시작된 대화는 서로의 근황 토크와 고전 영화부터 최신 개봉작에 이르는 다양한 의견 교환과 영화 아카이브 등으로 널을 뛰었다. 이들의 이야기에 빠져든 나머지 시계 볼 생각조차 못 했던 나는, "6시가 넘었네요?"라는 누군가의 말을 듣고서야 시간이 저녁에 닿아 있음을 알았다. 슬슬 허기질 시간. 이들과 근처 식당으로 이동해 저녁을 먹은 후, 다시 사나이픽처스 사무실로 복귀해 술잔을 기울이며 밀린 대화들을 이어나갔다. 여러 농담과 응원과 진심이 오간 밤.

한재덕 (사무실 조명 밝기를 낮추며) 잠시 남길이를 '진실의 방'으로. 현재 가장 호흡 맞추고 싶은 배우는 누구입니까?

김남길 거짓말 아니고 도연 누나랑 다른 장르로 만나고 싶어요.

한재덕 지금 영화냐, 연애냐?

김남길 영화죠!

한재덕 연애보다 영화에 대한 욕망이 앞선다? 그렇다면 질문. 내 모든 걸 다 걸 만큼 사랑하는 사람이 나타났어. 그 사람과 여행을 가기로 했는데, 같은 날 전 회장님과 영화 크랭크인Crank In이야. 그럼 여행 갈 거야, 영화 찍을 거야? (일동 웃음)

김남길 뒤도 돌아보지 않고, 도연 누나랑 크랭크인 하러 갑니다.

한재덕 (잔을 치켜들며) 자, 모두 한잔해!

김남길 사랑하는 사람 마음은 제가 어떻게 해서든 풀어볼 수 있을 것 같은데, 도연 누나와의 크랭크인은 또 언제가 될지 모르잖아요.

한재덕 다시 태어나면 축구 선수? 영화배우?

김남길 축구 선수! (일동 웃음)

전도연 (한재덕 대표에게 바로) 다음에 태어나면 영화제작자? 축구 선수?

한재덕 축구 선수! (좌중 폭소)

전도연 으이그~ 정말. (기자에게) 어떤 것 같아요, 남길이? 어제 길게 인터뷰했다고 들었는데. 저는 남길이를 알기 전에는 '철딱서니 없이 자기 멋에 사는 애'인 줄 알았어요. 그런데 그렇지 않아. 오히려 생각이 너무 깊은 애인 거예요. 연애도 안 하고, 이상한 놈이에요.

김남길 연애가 재미없어진 지는 좀 됐어요. 지금은 연기에 너무 꽂혀 있기도 하고. 그리고 어릴 때는 사랑과 로맨스를 혼동하기도 했던 것 같아요.

일동 (어리둥절) '사랑'과 '로맨스'가 뭐가 다르지?

김남길 음··· 로맨스는 호기심과 관련된 부분인 것 같아요.

오승욱 그런 건가? 로맨스는 일방적 자아로부터 시작하는 거고, 사랑은 타자가 있어서 관계로 이루어지는?

전도연 (아리송) 짝사랑과 사랑?

김남길 그거와는 달라요.

한재덕 야, 너 오늘 너무 고급진 표현을 막 하는데 평소대로 이야기해! (웃음)

오승욱 (번뜩 알겠다는 듯) 아! 로맨스는 그러니까, 사막에 낙타 타고 가서···.

전도연 (막아서며) 무슨 또 사막이야~ (일동 웃음)

김남길 그러니까··· 상대에 대한 단순한 호기심을 사랑이라 착각하는 경우가 있는데, 이건 로맨스에 가까운 것 같아요. 반면 사랑은 호기심을 뛰어넘는, 보다 내밀한 감정이라는 생각이고요.

전도연 그렇게 쉽게 설명하면 되지, 왜 낙타까지 가게 해~! (좌중 폭소)

김남길 감독님 죄송한데, 저도 낙타는 좀···.

오승욱 나에게 '로맨스' 하면 19세기 프랑스 시인 랭보거든. 베를렌과의 지독한 사랑 후, 랭보가 채워지지 않는 열망을 안고 살아가잖아. 낙타 타고 사막을 횡단하며 고독과도 맞서고. 나는 그게 뭔가 로맨스 같다는 생각이 들어. (웃음)

일동 이야, 뭔가 말이 돼~

전도연 남길이 너는 뭐가 궁금해? 너 자신에 대해서 말이야. 가령, 점을 본다면 뭘 물어보고 싶어?

김남길 음, 언제쯤 내가 편안해질 수 있을까?

전도연 편해진다는 게, 마음? 그건 점쟁이가 해줄 수 있는 이야기가 아닌데.

김남길 "언제 돈 많이 벌어요?" "언제 잘돼요?"를 물어볼 수도 있겠지만, 그런 것들은 내 마음이 편해진 후인 것 같아서. 성공해도 마음이 가난해서 불행한 사람이 많잖아요? 마음이 부자인 사람이 되고 싶어요.

어느덧 자정. 평소 믿고 따르는 선배들 앞이어서인지, 김남길은 이날 자신의 감정을 부러 감추려 하지 않았다. 타인의 시선에서 한없이 자유롭고 싶은 욕망과 대중들에게 더 나은 사람으로 보이고 싶은 욕망 사이의 충돌, 사람에 대한 본능적인 호기심과 그런 호기심으로 인해 상처를 주거나 받게 될 상황들에 대한 두려움, 연기에 대한 지독한 욕심과 그럴수록 고독해지는 일상에 대한 고민들을 가감 없이 꺼내서 선배들과 나눴다. 인생의 중요한 시기를 건너고 있는 김남길에게 전도연은 "남길아, 나는 네가 끊임없이 너의 마음에 여러 자극을 줬으면 좋겠어. 연기 외에 말이야. 그리고 생각을 조금 단순화할 필요는 있는 것 같아. 네 선택을 믿고 가야 하는데 생각이 많다 보면 헷갈릴 수 있거든"이라고 따뜻한 조언을 건넸고, 오승욱 감독은 "나는 남길이처럼 과거와 현재를 고민하는 게 참 좋은 거라고 생각해. 예술가, 배우에게 그런 게 없으면 활력도 발선도 없는 것 같아서 말이지"라고 응원을 보냈으며, 한재덕 대표는 말보다 강한 무언의 제스처들로 그가 가는 길에 힘을 실어줬다. "존재만으로 힘이 되는 선배들이 있다"던 김남길의 말의 실체를 눈앞에서 확인하는 순간이

었다. 그리고 그 훈훈한 모습을 지켜보면서 김남길은 굉장히 복 받은 사람이구나, 그가 지금 움켜쥔 고민들이 결국 그를 굉장히 건강하게 만들 것이란 확신이 들었다.

새벽 3시. 자정을 넘어 새벽으로 가는 시간. 박성웅이 뒤늦게 합류하면서 〈무뢰한〉 팀은 완전체를 이뤘다. 밤은 깊어가고, 기분은 취해가고…. 사무실은 잠시 노래방으로 변모했는데, 김남길은 휴대폰에서 흘러나오는 음악 반주에 맞춰 토이의 〈내가 너의 곁에 잠시 살았다는 걸〉과 윤도현의 〈길〉을 열창했다. 내색은 하지 않았지만 그의 수준급 노래 실력에 여러 번 감탄했고, 〈길〉에 담긴 가사 일부분이 어쩐지 그가 걸어갈 '길'에 대한 다짐을 이야기하는 것 같아 뭔가 뭉클했다. 이것은 2018년 5월의 어느 날, 오후 3시부터 새벽 3시까지의 기록 중 일부. 김남길과의 열두 시간이다.

칸국제영화제에서 한재덕 대표, 김남길, 오승욱 감독, 전도연.

『슬램덩크』. 진짜 명작이죠.
'정대만'이 영감님
앞에서 "흑… 흑…
농구가 하고 싶어요…"
오열하는 게, 마치 저에겐
"연기가 너무 하고 싶어요"
하는 느낌이에요.

Essay

“놓고 온다!”

이름도 기억한다. ‘일숙’. 아니, 잊으려야 잊을 수 없는 이름이다. 중학교 2학년 때 같은 반이었던 일숙은 관심사가 생기면 집요하게 파고드는 아이였다. 당시 일숙의 ‘덕질’ 대상은 홍콩 4대 천왕 ‘곽부성’이었던 터라, 그녀의 책가방에서는 늘 곽부성 카세트테이프 앨범과 곽부성 사진, 중국어 초급회화 교본 등이 튀어나오곤 했다. 그런 일숙의 관심사가 곽부성만이 아니라는 건, 조별 과제를 위해 그녀 집에 갔다가 알게 되었다. 일숙의 방 한쪽 벽을 차지하고 있는 거대한 문구. ‘인생은 언제나 예측불허, 그리하여 삶은 그 의미를 갖는다!’

“비장하다, 비장해. 곽부성 영화에 나오는 대사냐?”
“아니, A4야.”
“웬 A4? A4 종이?”

일숙은 한심하다는 듯 고개를 절레절레 흔들더니 범상치 않아 보이는 상자에서 뭔가를 꺼내 내게 건넸다. 자기와 같은 이름의 작가가 쓴 만화책이었다. 신일숙의 『아르미안의 네 딸들』. 일명 ‘A4’로 불린다는 전설의 만화. 일숙은 어떻게 신일숙을 모를 수 있느냐며 신일숙 TMI를 쏟아내기 시작했다. “너도 신일숙 덫에 빠지고 말 거야”라는 말과 함께. 나는 ‘웬, 유난인가’라는 마음으로 첫 장을 펼쳤다가, 마지막 페이지를 덮을 땐 “다음 권은 없냐?”를 외치는 유난을 떨었다.

『아르미안의 네 딸들』은 페르시아 인근에 존재한 가상의 모계 왕국 '아르미안'을 무대로, 아르미안 왕가의 네 딸이 정치와 혁명의 한복판을 헤쳐나가는 순정만화(의 탈을 쓴 대하 서사물)다. 일숙의 예언대로 나는 남은 페이지가 줄어드는 걸 아까워하며 신일숙이 쳐놓은 덫에 빠지고야 말았다. 뭐가 그리도 좋았을까. 유려한 그림체? 역사와 신화를 엮어낸 웅장한 스케일? 구질구질한 치정이나 암투를 과감하게 비껴간 서사? 그것도 맞는 말이지만, 내 마음을 빼앗은 건 〈매드맥스〉 '퓨리오사' 뺨치게 박력 있는 여성 캐릭터들이었다.

백마 탄 왕자님 오매불망하지 않고 각자의 방식으로 삶을 이끌어가는 네 여성의 모습이 어찌나 반짝이던지. A4를 읽으며 왜 나는 아르미안의 딸들 중 한 명으로 태어나지 못했는지, 왜 '선택받은 자'가 아닌지를 진지하게 고민했던 것도 같다. 지금도 상상을 즐기지만, 그땐 망상과 공상이 최고조에 이른다는 중 2였으므로.

어쨌든, 인생은 언제나 예측불허! 일숙이 건넨 A4로 인해 내 인생은 만화를 본격 섭취하기 시작했다. 만화 보는 공간이 '만화 카페'가 아닌 '만화방'이었던 시절이었고, 만화방은 담배 애호가 아저씨들의 주요 거점 중 한 곳이었기에 여중생의 접근이 쉽지 않았지만, 운 좋게도 학교 근처에 시대를 앞서간 금연 만화방이 운영되고 있었다. 나는 시간이 허락할 때마다 그곳에 들러 만화책과 접속했다. 그리고 세상의 많은 이치와 관계성과 감수성을 만화책을 통해 습득했다.

만화방을 찾는 많은 이들이 그렇듯, 그곳 만화방 주인도 만화 애호가였다. 매사에 무뚝뚝해도 만화책을 논할 때만큼은 눈동자에서 불꽃이 일었다. 주인장이 타오르는 눈빛으로 내게 강력 추천해준 만화책은 박희정의 『Hotel AFRICA 호텔 아프리카』였다. 미국 유타주 사막 한가운데 위치한 '호텔 아프리카'에 머물렀던 다양한 인종의 투숙객들을 그린 이 만화는 제주도라는 섬에 사는 여중생에게 세상이 얼마나 드넓은지, 다양한 빛깔을 품은 사람들이 얼마나 많은지, 또 얼마나 다양한 사랑의 방식이 존재하는지를 알려줬다. 모든 삶은 그 자체로 존중받을 만하다는 사실도.

이후 이은혜의 『점프트리 A+』, 원수연의 『풀하우스』, 카미오 요코의 『오렌지 보이』(『꽃보다 남자』의 해적판), 타무라 유미의 『바사라』 등의 순정만화를 친구들과 교실로 조달하며 돌려 읽곤 했지만, 장르를 편식하지는 않았다. 두 살 터울 오빠의 영향으로 『짱』 같은 학원물, 『열혈강호』 류의 무협물도 자연스럽게 접했기 때문이다. 그 중, 오빠와 서로 먼저 읽겠다면서 촌각을 다툰 만화책은 그 유명한 이노우에 다케히코의 『슬램덩크』다.

사실, 90년대에 학창 시절을 보낸 이들에게 『슬램덩크』는 어떤 현상이기도 했다. 농구가 지배하던 시절이었으므로. 90년대엔 마이클 조던이 있었고, 구름 관중을 몰고 다닌 연고전이 있었고, 드라마 〈마지막 승부〉가 있었다. 그리고 이승환이 〈덩크 슛〉을 부르던 시대였다. 이러한 시대를 함께한 『슬램덩크』는 농구를 진정으로 즐기는 다양한 캐릭터들이 거대한 벽 앞에서 질질 짜지 않고 각자의 해법을 찾으며 돌파해나가는 모습이 아름다운 만화였다. 내게 교과서에는 없는 삶의 다양한 태도들을 일러준 것이다.

만화책에 대해서라면 배우 김남길은 나보다 한술 더 뜬다. 연기를 만화책으로 배운다는 그의 애장 도서 목록에도 『슬램덩크』가 있는데, "천재적인 애들보다 강백호처럼 발전해나가는 캐릭터에 끌린다"는 김남길은 부상을 입은 강백호가 출전을 만류하는 안 감독에게 건넨 대사 "영감님의 영광의 시대는 언제였죠? 국가 대표였을 때였나요? 난 지금입니다"를 이야기하며 뜨거워지기도 했다.

"왼손은 거들 뿐", "농구가 너무 하고 싶어요", "포기하면 그 순간이 바로 시합 종료다", "포기를 모르는 남자" 등 숱한 명대사를 배출한 『슬램덩크』는 어떤 시점에 읽느냐에 따라 다르게 읽히기도 한다. 요즘 내가 자주 되뇌는 대사는 "놓고 온다"다. 강백호가 덩크 슛을 하고 싶은 욕심을 뿌리치고, 레이업 슛을 할 때 떠올린 '놓고 온다'의 본질은 아마도 '힘을 뺀다'는 의미일 것이다. 사회라는 코트 위에 선 후 내 어깨엔 자주 힘이 들어간다. 글을 쓸 때도 괜히 미사여구로 과장하거나 덧대게 된다. 그럴 땐 속으로 '타임'을 외치고 잠시 『슬램덩크』의 레이업 슛을 그려본다.

"놓고 온다!"

Presented by

a Room of one's Own

배우

Casting

김남길

Room

No. 7

의 방

Actor's
Room

To be continued.

Actor's

Room

#8

배우 유태오의

방

남산 ~ 유태오의 집 거실

PM 04:00~08:30

민낯을 드러내는 게
좋다고 생각해요.

PM 04:00

남산 야외식물원

내수 시장에서의 인기를 발판으로 해외로 뻗어나간 다수의 배우와 달리, 유태오는 해외에서 먼저 검증받은 후 국내에서 주목도를 끌어올린 희귀한 배우다. 그가 대중의 시야에 들어온 건 2018년 프랑스 칸에서였다. 키릴 세레브렌니코프Kirill Serebrennikov 감독의 영화 〈레토〉[1]에서 러시아 록의 전설 '빅토르 최'를 연기한 그는 이 영화로 칸국제영화제 레드카펫을 밟았다. 〈레토〉가 처음 공개되던 날, 극장 안을 채운 사람들 머리 위로 호기심이란 물음표가 말풍선처럼 둥둥 떴다. '도대체, 어디서 나타난 배우야?' 독일에서 태어나 뉴욕 등지를 떠돌며 연기라는 우물을 파고 있는 유태오와, 러시아에서 태어나 자유와 음악을 향한 끊임없는 구애를 펼친 '빅토르 최'는 흡사 이란성 쌍둥이 같았다. 그들은 '이방인의 정서'를 공유하고 있었으므로. 〈레토〉 이후 유태오의 걸음이 빠르다. '뇌안탈어(드라마 속 가상언어)'를 신비롭게 구사한 〈아스달 연대기〉[2]의 '라가즈'부터 '인간 월가'로 불린 〈머니게임〉[3]의 '유진 한', 미스터리한 분위기를 연신 흘린 〈보건교사 안은영〉[4]의 '매켄지' 등을 거치며 자신을 향한 물음표를 느낌표로 바꿔놓고 있는 유태오를 잠시 불러세웠다.

Scene 1. **우리가 접선한 곳은 남산 야외식물원이었다. 그날 서울은 하루 종일 뜨거웠고, 쨍쨍한 햇볕으로 한껏 달궈진 땅은 오후가 돼도 쉽게 식지 않았다. 매미 우는 소리가 유독 친근하게 남산을 메우고 있었다.**

지금 울고 있는 건 말매미예요. "따라라라라~" 그런데 참매미는 "윙~윙~위잉" 하며 균일한 박자로 울어요. 참매미 소리가 저에겐 되게 아련해요. 어린 시절 여름방학 때마다 한국에 들어왔는데, 아침에 일어나면 참매미 소리가 들렸어요. 멀리서 찹쌀떡 파는 아저씨 소리, 수박 차 지나가는 소리. 그런 것들이 저에겐 노스탤지어예요. 제 추억 속 한국의 여름은 열대지방 같은 느낌이 있죠.

'레토Leto'가 러시아어로 또 여름이잖아요?
네. 제가 가장 좋아하는 계절도 여름이에요.

남산 산책을 자주 한다고요.
시내 한가운데 산이 있다는 게 참 매력적이에요. 도시의 폐 같은 느낌이죠. 예전에는 관악산을 자주 다녔는데, 이름에 '악岳' 자가 들어간 산들이 조금 험하더라고요. 그에 비해 남산은 안전하기도 하고 집과도 가까워서 자주 와요. 운동도 하고 어수선한 마음도 정리하죠.

심신의 안정을 얻는 거군요.

음, 그런데 저는 편한 걸 불편해해요. 편리함을 느끼면 발전하지 못한다는 강박이 있죠.

스스로를 엄격하게 몰아붙이는 건가요?

'Yes Theory'라는 유튜브 채널이 있어요. 인생에 챌린지가 들어왔을 때 일단 무조건 '예스' 하고 도전해보자는 콘셉트의 채널이에요. 그 안에 'Seek Discomfort(불편한 걸 찾아라)'라는 작은 레이블이 하나 있는데, 몸을 불편한 곳에 던져야 발전할 수 있다는 긍정성을 가지고 세계를 해석하고 있어요. 저는 그게 맞다고 생각해요. 안전한 곳에서 나와서 새로운 경험을 해야 발전할 수 있다고 믿거든요. 매너리즘에서 벗어날 방법이기도 하고요. 매너리즘이 습관이 되고, 습관이 버릇이 되고, 버릇이 패턴이 되고, 그 패턴이 결국 인생이 되곤 하니까요.

기억해둬야 할 말이네요. (웃음) 독일 출신이어서 그런지, 독일 국적이라고 오해하는 분들이 많은 것 같습니다.

오해를 받죠. 저는 늘 한국 국적이었어요.

자라면서 독일 국적을 취득하지 않은 이유가 있나요?

뭐가 되고 싶은지 모르는 상황에서 선택할 필요를 느끼지 못했어요. 저는 지역으로 선을 긋는 건 무의미하다고 보는 쪽이에요. 지역 자부심이라는 게 뭔지는 알지만, 그보다는 사람과 사람 간 관계 안에서 느끼고 소통하려고 해요. 어차피 저는 '집시'니까요. 배우라는 직업도 어떤 의미에선 방랑자라고 생각해요.

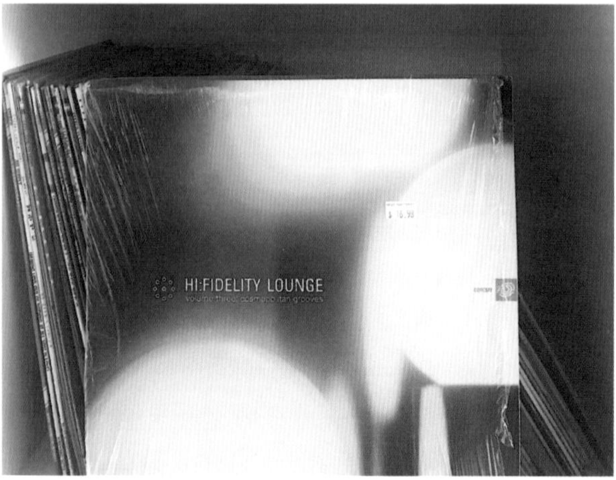

소장 중인 LP앨범들. 그는 해외 아티스트들의 뮤직비디오도 끊임없이 찾아보는데, 음악을 어떻게 영상으로 구현했는가에 관심이 많다고 했다.

떠돌아다니는 게 제 삶의 팔자랄까요.

그런 걸 '역마살이 끼었다'라고 합니다. (웃음)

하하. 감수성으로는 한국이 가장 편해요. 이상하게 그래요. 솔직한 심정이에요.

방랑자의 삶. 그는 베트남, 인도네시아, 중국, 태국, 미국 등 영화가 있는 곳이라면 세계 어디든 발을 내디뎠고, 현지 친구들과 언어를 뛰어넘는 우정을 다졌다. 과거 한 인터뷰에서 그는 이런 이야길 했다. "떠돌아다니는 삶의 외로움이 부정적인 건 아니다"라고. "고마운 특권이라고 생각한다"고.

부모님이 계신 독일은 자주 가나요?

한국에 들어온 뒤 8년 동안은 못 갔어요. 몇 년 전부터서야 해외 작품 촬영할 때 찾아뵙고 있어요. 촬영지가 유럽이면 잠시 들를 수 있으니까요.

당신의 예술적 DNA는 부모님 영향인가요?

돌이켜보면 어릴 때 집에 항상 엄마의 기타가 있었어요. 외삼촌도 밴드 활동을 하셨으니 외가 쪽 영향이 있는 것 같네요. 아버지가 운동을 좋아하시고요. 그렇다고 특별히 예술적인 감각의 환경에서 자란 건 아니에요. 부모님은 파독 광부와 간호사였어요. 노동자 계층 특유의 딱딱한 분위기가 있었죠. 그러다 보니 감수성에 대한 욕구가 늘 있었어요. 공허함도요. 그 공허함을 메울 방법을 많이 찾아다녔던 것 같아요.

독일에서의 어린 시절은 어땠나요?

아버지는 70년대 후반까지 광부 일을 하셨어요. 탄광이 문 닫으면서 그만두셨죠. 이후 쾰른Cologne 쪽에 식당을 열었고, 귀금속상도 차리셨는데 80년대 후반에 강도를 두 번 당했어요. 한 번은 현장을 직접 목격했어요. 그때의 충격이란. 안 되겠다고 생각하셨는지 시골로 이사 가서 다른 일을 하셨죠. 그러니까 부모님은 항상 바쁘셨어요. 저는 많은 시간을 혼자 보내야 했죠.

친구들은요?

동독에서 넘어온 친구와 유고슬라비아 전쟁 후 독일로 온 이민자 친구와 주로 어울렸는데, 대부분의 시간은 숲에서 혼자 보냈어요. 열다섯 살 때 다시 쾰른으로 돌아갔죠. 그때 농구를 본격적으로 시작했어요. 동시에 영화를 많이 봤고, 책과 연극에도 관심을 두게 되었죠. 기술을 익히거나 암기하는 것에는 관심이 없었는데, 문학작품을 해석하고 그 안의 상징성을 찾는 건 친구들보다 빨랐어요. 독일은 열일곱 ~ 열여덟 살에 괴테의 『파우스트』를 읽고 시험을 쳐야 해요. 셰익스피어 작품을 읽고 영어로 시험을 치고요. 커리큘럼이 그래요. 그런데 그게 저하고 너무 잘 맞았던 거죠. 그때부터 성적도 좋아지더라고요. 낙제점이었던 성적이. (웃음)

역시 좋아하는 걸 이기는 건 없군요.

아직도 기억나요. 스티븐 킹의 중편 소설 『사계』 중 가을 편에 해당하는 「더 바디」(영화 〈스탠드 바이 미〉[5] 원작)를 읽었을 때, 제 마음속 깊은 곳에서 어떤 일렁임이 일었어요. 몸은 기차에 치여서 날아갔는데, 신발은 기찻길 옆에 그대로 있는 상황을 풀어낸 대목이 있는데, 그것이 저에겐 인생과 죽음에 대한 상징으로 읽혔어요. 그 해석을 수업 시간에 이야기했죠. 비웃음 사면 어쩌나 조심스러운 마음으로요. 그런데 선생님이 너무 좋아하시지 뭐예요. 큰 격려가 됐어요. 이후 문학을 더 열심히 파기 시작했죠.

죽음과 인생에 대한 인식은 이전에도 있었던 건가요?
농구 선수의 꿈을 키우고 있었는데, 열일곱 살 때 무릎 십자 인대가 끊어지면서 농구는커녕 제대로 뛸 수도 없다는 이야기를 들었어요. 절망했죠. 1년 동안 운동도 못 하고 우울증에 빠져 살았어요. 그때 태어나 처음으로 죽음이라는 걸 생각해봤어요. 남들이 보기엔 별 것 아닐 수 있지만, 당시의 저에겐 농구가 삶의 전부였거든요.

절망은 어떻게 극복했나요?
6개월 동안 아무것도 못 하다가, 걷기 시작했을 즈음에 시를 쓰기 시작했어요. 97~98년도에 인터넷이 발전하면서 교포들끼리 소통할 수 있는 인터넷 커뮤니티가 생겼거든요. 짧은 하이쿠 패턴으로 시작했다가, 점점 더 길게 들어갔는데 피드백이 오더군요. 거기에서 재미를 얻었고 조금씩 (힘든 시기를) 극복하기 시작했어요. 가명을 써서 친구들은 저인 줄 몰랐을 거예요.

가명이 뭐였어요?

'리틀 썬!' (웃음) 영어로 쿨한 사운드인 것 같아서 썼죠.

2009년에 모든 걸 정리하고 한국으로 들어왔습니다. 그때의 서울은 당신에게 어땠나요.

무서웠어요. 긴장도 됐고요. 하지만 칼을 뽑았으니 어떻게든 버티겠다는 의지가 컸죠. 두고 보자는 마음도 있었고요. 한국말도 제대로 못 하는데 배우가 웬 말이냐는 시선이 있었거든요. 증명해 보이고 싶었어요. 나는 다르다는 걸. 물론 쉽지는 않았죠. 뒤돌아보면 그 경험이 저를 더 단단하게 만들어줬던 것 같아요.

시로 한국어 공부를 시작했다는 게 흥미로웠습니다.

학창 시절, 시가 항상 커리큘럼의 시작이었어요. 영국 '로열연극아카데미'에서 공부할 때도 셰익스피어의 『소네트』를 제일 먼저 배웠고요. 그래서 한국에 들어왔을 때도 자연스럽게 시를 외우며 한국어를 공부했어요.

그래서인지 한국어 경력 10년이라고 하기엔, 어휘 선택이 남다른 면이 있습니다.

3개 국어를 하다 보니 여러 가지가 짬뽕된 면이 또 있는 것 같아요.

지금의 날씨를 타국 언어 감수성으로 표현하면 어떤가요?

서트리니스Sultriness! 뭔가 멜랑콜리하면서도 되게 습해서 섹시하다는 뜻이에요. 지금 그래요.

멜랑콜리하면서도 습하고 섹시했던 그날의 날씨.

그 느낌을 딱히 대체할 한국 단어가 없군요.

반대로 '깡', '짜증', '싱거움' 이런 단어는 또 영어에 없거든요. 언어 속에는 해당 지역에 사는 사람들의 감수성과 분위기가 담겨 있다고 생각해요. 그런 점에서 여러 문화를 접하면서 표현 가능한 감수성의 폭이 다양해진 면이 있어요. 연기할 때 큰 도움이 되죠.

누가 당신의 연기를 가장 먼저 인정해줬나요?

뉴욕에서 만난 선생님, 이르마 샌드레이Irma Sandrey. 메소드 연기로 유명한 리 스트라스버그Lee Strasberg의 제자셨어요. 말런 브랜도, 알 파치노 등의 대배우와 어깨를 나란히 한 거장이셨죠. 고등학교 졸업 후 1년의 시간이 주어져서 리 스트라스버그 연기 학교에 갔어요. 일주일에 서른다섯 시간을 채우는 게 학교 프로세스였죠. 운동, 보컬, 작문 등의 과목들이 있었는데, 저는 수업 대부분을 '연기'로만 짰어요. 연기에 관심이 많은 걸 보시고는 선생님이 "너, 내 마스터 클래스에 들어와봐"하신 거죠.

뭔가, 조기 진급한 느낌이 있네요.

맞아요. 초급보다 조금 높은 기술의 연기 미션을 저에게 주셨는데, 연기하면서 제 안의 뭔가가 폭발하면서 터졌어요. 한 번도 경험해 보지 못한 감정이었어요. 과거의 트라우마까지 솔직하게 무대로 쏟아지는데 손발이 저릿해오고 눈물이 터지고… 그때 선생님이 말씀하셨어요. "너에게 뭔가가 있어."

그때까지는 연기에 대한 구체적인 생각은 없었던 건가요?

연기는 그냥 경험이었어요. 이미 유럽에 있는 체대를 가려고 마음먹은 상태였거든요. 대학 입학 전에 다양한 경험을 해보자는 생각으로 뉴욕에 간 것일 뿐이었죠. 3개월 동안 학교 다니고 9개월 동안 뉴욕을 경험하다 독일로 돌아갈 계획으로요. 그런데 그 클래스를 만나면서….

인생이 바뀌었군요.

네. 선생님 말씀을 생생하게 기억해요. "지금 여기엔 배우를 꿈꾸는 서른 명의 학생이 있다. 하지만 이 중 10퍼센트만이 남을 것이다. 만약 너희 중 연기 아닌 다른 걸 더 잘할 자신이 있다면, 너의 시간도 나의 시간도 낭비하지 말고 지금 당장 나가서 그걸 해라. 연기는 고독하고 힘든 길이다. 연기는 100퍼센트여야만 한다. 연기는…." (그의 눈이 붉어졌고, 우린 잠시 침묵했다.) 심장을 꿰뚫는 말이었어요. 선생님을 마지막으로 뵌 게 2008년도예요. 그때 찾아가서 인사드렸는데, 몇 년 전 돌아가셨죠.

마지막까지 남은 10퍼센트가 되셨습니다.

그 자부심은 있어요.

〈레토〉로 칸국제영화제에 진출한 모습을 선생님이 보셨다면….

좋아하셨을 거예요. 선생님이 또 러시아 출신이셨거든요. 특별히 더 좋아하셨을 겁니다.

유태오의 작품 속 캐릭터들로 만든
마트료시카 인형이 거실 한편에 진열되어 있다.

당신은 자신의 어떤 면을 특별히 사랑하나요.
음… 솔직히 그건 잘 모르겠어요. 저에 대한 출발이 사랑이 아니었기 때문에, 증오와 결핍에서 시작했기에, 사랑이라는 단어가 저에겐 조금 추상적인 면이 있어요.

증오와 결핍의 원인은 공허함. '정체성 없는 공허함'이었다고 그는 말했다.

〈머니게임〉에서 연기한 한국계 미국인 '유진 한'은 정체성 혼란을 겪는 캐릭터였죠. 결말에서는 자신과 화해하는 모습을 보였고요. 당신은 어떤가요. 지금도 정체성 사이에서 헤매고 있나요?
이젠 중심을 잡았어요. 왜냐하면 사회적으로 인정받기 전에, 저를 믿어주는 사람을 만났으니까요. 있는 그대로의 솔직한 제 모습을요. 그 사람이 또 니키(아내)라서 더욱더 그래요. 그런데 누구나 다 그렇지 않나요? 누군가가 나를 인정해주면 그곳이 울타리가 되죠.

나를 있는 그대로 인정해주는 사람을 만나기 어렵다는 게 함정이죠. (웃음)
아! (웃음) 그런 생각을 해요. 정체성이라는 게 가정에서부터 시작되어야 하는데, 이민자 2세대로서 부모 세대와 문화적으로 부딪치는 면이 있었어요. 저는 그게 이민의 비극이라고 생각해요. 물론 모든 이민자 가정이 그렇지는 않겠지만, 제 경우는 그랬어요. 그러니까 부모님의 사랑 방식과 제가 받고 싶은 사랑의 방식이 달랐던 거죠.

지금 그 결핍은 해소된 건가요?
많이요. 완전히 없어지지는 않았지만. 연기로 보면 또 그래요. 말씀드렸듯 저는 불편한 곳에 저를 던져야 하는 사람이에요. 연기가 만족스럽게 느껴지려면 저를 괴롭혀야 하고요. 제가 사디스트적인 면이 있나 봐요. (일동 웃음) 물론 관계성 안에서 그런 건 싫고요, 나에 한해서. (주위를 둘러본다) 더 걸으면 극기 훈련이 될 테니 자리를 근처로 옮기실래요?

PM 07:00

유태오의 집
거실 겸 작업실

Scene 1. **그가 다음 행선지로 정한 곳은 자신의 집이었다. 평소에도 손님을 집으로 초대해 자신이 만든 요리를 나눠 먹는 걸 즐기는 유태오였다. 집으로 들어서자 반려 거북이 '모모'가 느릿느릿 걸어나와 귀가한 아빠 태오를 반겼다. 우린 시원한 음료로 목을 축이고 거실 소파에 앉아 이야기를 이어나갔다.**

집에 꽃이 많네요?

2주에 한 번씩 꽃시장에 가요. 이 꽃은 클레마티스라고, 요즘 제가 가장 좋아하는 꽃이에요. 아직 꽃봉오리 상태인데 개화하면 꽃잎이 와일드한 게 엄청 예뻐요. 컨트롤이 안 되는 듯한 모습이 오히려 아름답죠. 저를 닮은 느낌이 있어요.

본인이 컨트롤이 안 된다고 생각하세요?

제가 저를 컨트롤하는 건 되는데, 남이 저를 컨트롤하는 건…. (웃음) 물론 일할 때는 다르죠. 연기자는 연출가의 악기라고 생각하니까요. 작품 안에서 좋게 쓰이길 원해요.

테라스에서 유태오와 반려 거북이 '모모'.

클레마티스, 유태오가 최근 가장 좋아하는 꽃.

어떤 사람에게 흥미를 느끼나요.
자기 생각이 뚜렷한 사람. 그 생각이 매너리즘이나 사회적 코드에 기반해서 나오는 게 아니라, 정말 자기 안에서 솔직하게 나오는 사람이요. 그런 사람을 좋아해요.

당신도 그런 사람이라고 생각하나요?
아니었기에 그런 사람들에게 매력을 느끼는 거 같아요. 점점 그런 사람이 되어가고 있다고 믿어요. 노력하고 있는 거죠.

최근 무엇이 당신의 호기심을 자극하고 있나요.
미국 코미디언 조 로건이 진행하는 팟캐스트를 즐겨 듣고 있어요. 흥미로운 게스트들이 출연하는데, 인상 깊었던 건 '데이비드 최'라는 재미교포 아티스트였어요. 데이비드는 홈리스Homeless로 살기도 했고, 이스라엘에서 자원봉사도 하고, 다큐멘터리 필름을 만들어서 상을 받는 등 삶이 굉장히 흥미로운 사람이에요. 그러다가 2005년, 한 회사로부터 그라피티를 그려달라는 부탁을 받아요. 사무실 벽화 작업을 마치자 회사 사람이 묻죠. "답례로 몇천 달러를 줄 수도 있고 회사 주식을 줄 수도 있는데 어떤 걸 받을래요?" 이때 데이비드는 주식을 선택합니다. 그 회사가 '페이스북'이에요.

그렇다면!!!
네. 그 회사가 7년 뒤 기업 상장을 할 줄 누가 알았겠어요. 2억 달러 주식 부자가 된 거예요. 이후 아티스트로서 자기와의 싸움이 있었대요. 자본에 구애받지 않고 뭐든 마음먹은 대로 할 수 있게 된 상황에서의 싸움들…. 그런 갈등 안에서 계속 고민하고 벽들을 뚫으면서 자신만의 아트를 만들어가는 모습에서 참 많은 걸 배웠어요.

당신은 본질에 대해 고민하는 사람 같다는 생각도 듭니다.

맞아요. 어렸을 때 오해를 많이 받아서인 것 같아요. 같은 언어를 사용해도 오해가 발생할 때가 많더라고요. 감수성이 다르니까. 참 어려워요. 인간의 감수성이 너무 깊어서 언어라는 것 하나로 그 감수성을 다 표현하기가 턱없이 부족해요.

좋은 의도로 한 말도 오해를 받곤 하죠.

노력해도 오해를 낳곤 하고요. 그래서 소통에 있어 좀 더 섬세해질 필요가 있어요.

오해를 받으면 어떻게 합니까.

최근엔 오해받아 본 적이 없어요. 하지만 받게 되면, 오해하신 분에 대한 배경을 파악하고 싶어요. 이분은 나에 대해 왜 이런 생각을 하시게 된 것인가를요. 그다음엔 이 오해를 솔직하게 풀어야 하는 건지, 아닌지를 고민하죠. 오해를 푸는 데 에너지를 쏟을 만큼 가치가 있는 일인지를 생각하는 거예요. 왜냐하면, 이미 잔이 꽉 채워져 있어서 새로운 걸 받아들일 마음이 없는 분이라면 제가 아무리 이야기해도 소용이 없으니까요.

혹시 아세요? 오늘 가장 많이 언급한 단어가 '솔직'이에요.

아! 그건 브루스 리, 이소룡에게 배운 거예요. 잠시 보여드릴게요. (그는 브루스 리 인터뷰를 유튜브에서 찾아 재생했다.) 이 분은 무술인이기 이전에 훌륭한 철학자셨죠.

"저에게 무술이란 솔직하게 저 자신을 표현하는 것입니다. (중략) 이를테면, 세련된 동작을 보여주는 것은 어렵지 않습니다. 그러나 거짓말하지 않고, 나를 있는 그대로 표현하는 건 굉장히 힘듭니다."

- 브루스 리 인터뷰 中

저는 이 말을 매너리즘과 관련해서 해석했어요. 지난번에 이 기술이 먹혔으니 또 이거 해야지, 라는 매너리즘에 빠지지 않고 순간의 나를 있는 그대로 표현하는 것 말이에요. 가령 나는 이런 배우다, 기교를 부리며 저를 어필할 수는 있지만 저는 알잖아요? 그것이 솔직한 것인지, 아닌지를. 민낯을 드러내는 게 좋다고 생각해요.

브루스 리처럼 수련도 필요하겠죠.

이전에 (류)승범 형이 그랬어요. "연기할 때 화살을 쏘듯 포인트를 잘 찍어야 하는데, 진짜 좋은 연기는 화살이 과녁을 뻥 뚫고, 관통해버리는 거"라고. 참 멋진 말이었어요. 그런데 다음에 다시 만나서 물어봤더니, "내가 그렇게 멋있는 이야길 했었다고?" 하시더라고요. (웃음)

'솔직'이라는 것에 대해 조금 다른 면에서 질문을 드리고 싶은데요, 어쨌든 지금 쇼 비즈니스 세계에 들어와 계시는데, 이 세계의 논리

유태오가 보여준 이소룡 인터뷰 영상, '솔직함'에 대하여.

중 하나는 포장이라고 생각하거든요. 특히 스타가 될수록 감추고 싶어 하는 게 많아지죠.

신비주의 측면에서라면 그럴 수 있죠. 그런데 시대 흐름상 많이 달라질 것 같아요. 인터넷 시대에 완전한 비밀은 점점 사라지고 있으니까요. 그렇다면, 나를 솔직하게 드러내는 것도 방법인 것 같아요. 무엇이 좋고 나쁘다는 말은 아니에요. 저는 다양성을 존중해요. 평소 자신을 드러내서 친근한 배우가 있고, 작품으로만 소통해서 신비로운 점이 흥미로운 배우가 있죠. 전자가 '로버트 다우니 주니어'라면, 후자는 '라이언 고슬링'이죠. 자기 매력에 맞는 방식과 롤모델을 찾는 게 중요한 것 같아요. 저의 경우, 소통 면에서의 롤 모델은 'BTS'예요.

솔깃한 말이군요.

BTS가 세계적으로 사랑받는 원동력 중 하나로 SNS 소통이 이야기되잖아요. 그래서 물어봤어요. 제 주위 '아미(BTS 팬클럽)'들에게. BTS를 살펴보고 할리우드 배우들을 연구하다 보니, 어떤 아티스트의 경우엔 그 자체가 하나의 브랜드더라고요. 호기심이 생겨서 최근엔 브랜드 마케팅의 역사를 또 찾아보고 있어요.

하하. 꼬리에 꼬리를 물고 뻗어가는군요.

가령 유태오라는 이미지가 브랜드라면, '유태오에게 이런 건 기대할 수 있겠다'는 게 있을 수 있잖아요. 그랬을 때 그 기대를 깰지 충족시킬지는 또 저의 선택이고 전략이 될 거예요. 그런 것들을 찾아보는데, 너무 재밌더라고요.

당신의 브랜드 이미지는 뭐라고 생각합니까.
음… 유니크하다? 다양한 문화를 흡수한 배우가 흔하지는 않으니까요.

그렇다. 유태오라는 개성은 유일무이다. 자신의 정체성을 찾아 방랑자처럼 헤맸던 그의 여정이, 그의 결핍이, 그의 노력이 낳은 유의미한 열매다.

유태오라는 예명 역시 뭔가 글로벌한 느낌이 있어요.
본명이 김치훈이라 친구들이 '김치'라고 부르곤 했어요. 2009년인가, 배우 활동에 적합한 이름이 필요하겠다 싶어서 작명원에 갔어요. '여명'부터 해서 별의별 이름이 다 나오더라고요. (일동 웃음) 안 되겠다 싶었는지, 니키가 작심하고 앉아서 5일 동안 작명 공부를 했어요. 한국 이름이면서 영어 이름이고, 유럽에서도 쓸 수 있고, 발음하기 좋고, 스펠링 예쁘고, 영화나 드라마 크레디트에서 쓸 수 있는! 이 모든 걸 고려해서 나온 게 '태오'인 거죠. 별 태台, 낮 오午. 밝은 대낮에도 빛나는 사람이란 뜻이에요.

이름이라는 게 일종의 정체성이기도 한데, 근사하군요. 참, 인스타그램을 할 때 행과 열을 맞춰서 사진을 한 번에 세 개씩 올리시잖아요? 통일성 있게. (그가 웃는다.) 보면서 형식주의자가 아닐까란 생각을 했습니다.
단순한 이유예요. 예뻐서. 남을 위한 게 아니라, 제가 봤을 때

예쁜 게 좋아서요.

혹시 책상이 어지러우면 작업을 못 하는 스타일이신가요?

정리하고 작업하긴 해요. 딱 한 가지, 제가 정리를 못하는 게 옷이에요. 옷을 벗어서 여기저기에… 하하하하.

러시아에서는 '빅토르 최'가 죽지 않았다고 믿는 사람들이 아직 있다고 들었습니다. 그래서 드리는 질문인데요, 길을 가다가 우연히 '빅토르 최'를 만나면 무슨 말을 할 것 같아요?

담배 하나 달라고 할 거예요. 지금은 담배를 끊었는데, 그땐 피울 것 같아요. 담배 하나 나눠 피우고, 미소 한 번 짓고, 서로 수고했다 인사 나누면서 헤어지는…. 네, 그걸로도 충분해요, 저는.

〈레토〉에서 '빅토르 최'의 열여덟 살을 연기하셨어요. 먼 훗날 당신을 주인공으로 한 전기 영화가 나온다면, 언제의 당신이 작품 안에 담기길 원하나요.

지금 저의 모습으로 시작해서, 뉴욕에서 니키를 처음 만난 스물여섯 살 때로 플래시백 되면 좋겠어요. 특수한 이야기보다, 누구나 보고 느낄 수 있는 보편성 있는 영화이길 원해요. 그랬을 때 인생의 파트너를 만나고 그 안에서 이뤄지는 변화와 사랑 이야기가 흥미롭죠.

사랑은 당신에게 추상적인 단어라고 했지만, 그럼에도 사랑이 뭐냐고 묻는다면요?

작업실 책장. 유태오가 출연한
〈레토〉, 〈버티고〉의 흔적과
영화 서적들이 보인다.

독일에서의 어린 시절 유태오.
팬들이 그의 사진을 모아서 만들어 선물했다.

'아낌없이 주는 나무' 같은 것. 그 무엇도 기대하지 않고 순수하게 줄 수 있는 것. 사랑이라는 건 그보다 더 많은 감수성을 내포한 단어지만, 정수만 뽑아서 표현하자면 그래요.

지금 할리우드는 다양한 인종을 적극적으로 끌어안고 있어요. 목표가 단순히 한국에 머물러 있을 것 같지 않습니다.

이미 많은 오디션을 보고 있어요. 베이스는 한국일 테지만, 경계를 나누지 않고 활동하려고 해요. 그런데 이건 욕심에 관한 이야기라기보다는 현실(의 흐름)에 관한 이야기예요. OTT(온라인 스트리밍 서비스) 시장이 등장하면서 글로벌 프로젝트가 늘어나고 있잖아요? 해외 투자사들이 한국 시장에 관심을 두기도 하고, 나라 간 공동 제작도 많아졌죠. 제가 달려온 활동 방향이 시대의 흐름과 접점을 이룬 게 지금인 것 같아요. 레시피와 재료가 딱 만난 시점이랄까요. 그 운이 너무나도 고마운 거죠. 지금의 시대 흐름에서 살 수 있다는 게.

그는 '아웃라이어'를 언급하며 말했다. "아웃라이어 같은 사람이 될 수 있는 지금의 운이 고맙다"고. 말콤 글래드웰은 자신의 저서 『아웃라이어』에서 성공의 기회를 발견해 그것을 자신의 것으로 만든 사람을 아웃라이어라고 정의했다. 개인의 자질이 사회적 변화와 만나는 '타이밍'과 이를 위한 '1만 시간의 연습'은 아웃라이어가 되기 위해 필요한 요소들. 인터뷰를 마치고 돌아오며 생각했다. 유태오가 지닌 감수성과 호기심, 재능과 오랜 담금질이 그를 아웃라이어로 이끌 것이라고. 이미 그렇다고.

지금의 날씨를

타국 언어 감수성으로

표현하면 어떤가요?

서트리니스Sultriness!

뭔가 멜랑콜리하면서도

되게 습해서 섹시하다는

뜻이에요. 지금 그래요.

Essay
섬세해지려는 노력

"서트리니스Sultriness!"

뭔가 멜랑콜리하면서 습해서 섹시하다는 뜻. 여름의 한가운데서 만난 유태오에게 그날 날씨를 타국 언어 감수성으로 표현해달라고 요청하자, 그가 꺼낸 단어다. 그 말을 듣는데, 이 세상 어딘가에 봉인돼 있던 문 하나가 슬며시 열리는 느낌을 받았다. 이보다 더 적확하게 그날의 풍경을 설명해낼 단어가 있었을까. 어떤 풍경이나 사물을 표현하기에 언어가 초라하게 느껴질 때가 있는데, 유태오의 말은 이를 이겨내고 있는 느낌이었다.

유태오는 내가 만난 사람 중, 손에 꼽힐 정도로 언어를 섬세하게 다루려 노력하는 사람이다. 그건 단순히 그가 독일에서 태어나 한국어를 뒤늦게 터득해서가 아니다. 한국어가 능숙하지 않다는 이유로 섬세하지 못한 언어 구사를 이해받길 바라는 해외파들이 많은데, 유태오는 그런 한계를 뛰어넘어 적확한 언어를 구사하려 부단히 공부한다. 심지어 이 땅에서 태어나 자란 사람들보다 더 수준급으로 한국어를 다룬다. 언어란 그에게 감수성의 영역이고, 노력의 일환이다. "인간의 감수성이 너무 깊어서 언어라는 것 하나로 그 감수성을 다 표현하기가 턱없이 부족해요. 그래서 소통에 있어 좀 더 섬세해질 필요가 있어요." 섬세해지려 노력하는 인간이 얼마나 아름다운가를 나는, 그를 보면서 느꼈다.

유태오의 말이 깊게 각인된 건, 내가 그 부분에 예민한 인간이어서이기도 하다. 나는 타인이 내뱉은 말에 셜록 홈스처럼 추리의 레이더망을 자주 세우는 유형이다. 후천적으로 생긴 습관인데 아마도 그건 내가 타인의 섬세하지 못한 말에 상처를 받은 적이 있어서이고, 반대로 나의 섬세하지 못한 말로 상대가 아파하는 것을 본 적이 있기 때문일 것이다. 전자든 후자든 그럴 때마다 나는 나를 무섭게 몰아세우며 자책했고, 그로 인해 스스로에게 또 한 번 상처받곤 했다.

경험이 쌓이면서 조금 더 능숙해지긴 했다. 좋게 말하면 조심성이 늘었고, 나쁘게 말하면 기술이 늘었다. 물론 여전히 자주 실패한다. 여전히 내뱉고 나서 '아차' 하는 말들이 있고, 해야 할 말과 하지 말아야 할 말 사이를 구분하지 못해서 '이불 킥'하기도 하고, 테이블을 사이에 두고 상대와 서로의 말을 오역하고 편집해 듣기도 하며, 타인의 말에 지나치게 의미 부여하다가 피로해 나가떨어지기도 한다. 그럴 때마다 생각한다. 더 섬세해지기 위해 노력하는 것 외에는 방법이 없다고.

말에 유독 예민하게 된 데에는, '글 쓰는 사람의 운명'이 작용한 때문인지도 모른다. 나에게 글이라는 건 내 안에 있는 말들을 긁어서 활자화하는 것이기에, 말과 나는 애증의 관계가 되곤 한다. 내가 쓴 글이 의도와 다르게 읽히는 경우를 보면, 그것이 좋은 의미로 읽히든 나쁜 의미로 읽히든, 목적이 닿지 않은 것이기에 적잖은 패배감에 휩싸인다. '조금 더 섬세했으면 어땠을까', '저 문장에서 저런 비유는 적당치 않았구나', '무슨 생각으로 저렇게 썼었대?'

많은 말 중에, 내가 가장 많은 검열을 거치는 말들은 '인터뷰의 말들'이다. 누군가는 인터뷰가 타인이 한 말을 있는 그대로 옮기면 되는 쉬운 작업이라고 하지만, 내 생각은 다르다. 인터뷰이가 쏟아낸 언어들은 자칫 인터뷰어의 해석에 따라 완전히 다르게 변형되거나 왜곡돼 전달될 수 있기에, 그 무엇보다 예민해져야 하는 작업이 인터뷰라 생각하니까. 우리 말은 조사 하나, 감탄사 하나, 어미 처리 하나로도 문장의 결이 완전히 달라지기에 특히 더 그렇다.

가령 "~예요"와 "~것 같아요" 사이에는 아슬아슬하게 그어진 간극이 있다. "내가 좀 잘났잖아요!"라고 끝내는 것과, "내가 좀 잘났잖아요! (웃음)"처럼 괄호를 치고 '웃음' 지문을 넣어주느냐 안 넣어주느냐에 따라서도 분위기는 다르게 읽힌다. 말하는 이의 뉘앙스가 바싹 거세된 '글 안의 말'이라는 건, 오해를 낳기 더없이 좋기에 대화가 굴절되지 않도록 예민해져야 한다고 믿는다. 물론 그럼에도 인터뷰이의 말에 깃든 속뜻을 놓치거나 읽어내지 못할 때가 있다. 역시 이 경우에도 방법은 더 섬세해지려 노력하는 것 외엔 없다.

박준 시인이 쓴 산문집 『운다고 달라지는 일은 아무것도 없겠지만』의 많은 부분이 좋지만, 특히나 좋아서 마음에 밑줄 그어 저장해둔 문장은 "말은 사람의 입에서 태어났다가 사람의 귀에서 죽는다. 하지만 어떤 말들은 죽지 않고 사람의 마음속으로 들어가 살아남는다"라는 구절이다. 생각해보니 그랬다. 말이란 생물과 같은 면이 있어서 타인 안으로 파고들어 흔적을 남긴다. 그래서 어떤 말은 사람을 살리고, 어떤 말은 사람을 아프게 하고, 어떤 말은 위로를 전하고, 어떤 말은 인생을 바꾸는지 모른다. 생각해보면, 말로 아파하는 나에게 위로가 됐던 것도 말이었다. “너의 탓이 아니야”라는 말. 어떤 말이 적당한지, 어떤 말이 필요한지, 나는 앞으로도 자주 헤맬 것이다. 다만, 지금보다는 조금 더 말 앞에서 섬세한 인간이 되고 싶다. ‘따뜻한 말 한마디’를 필요한 순간 꺼낼 수 있는 사람이 될 수 있으면 참 좋겠다.

Presented by

a Room of one's Own

배우

Casting

유태오

Room

No. 8

의 방

Actor's
Room

To be continued.

Actor's

Room

#9

배우 오정세의

방

병원

PM 01:00 ~ 05:00

연기도 야구처럼,

늘 잘 맞을 수는 없어요.

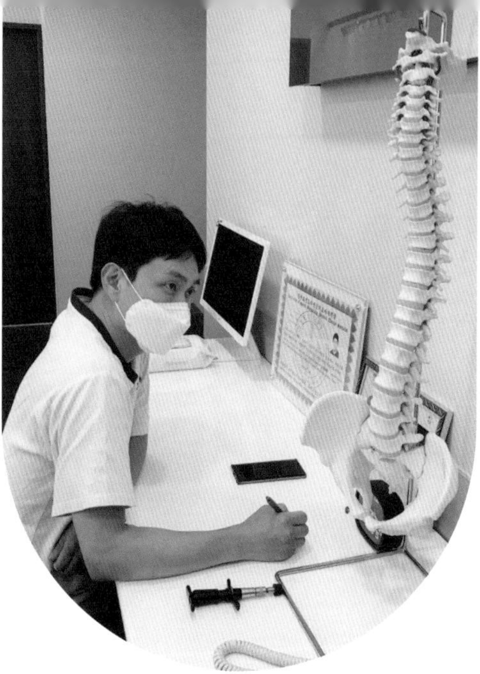

PM 01:00

병원 근육치료실

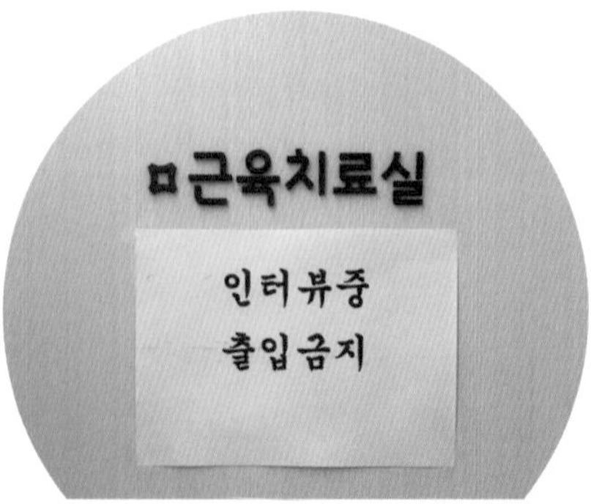

K-드라마 리그 2019/2020 시즌 올스타전이 열렸다면, 가장 많은 출장 기록을 세웠을 선수는 '요정세', 오정세일 것이다. 실로 그가 연기한 캐릭터 모두가 브라운관의 대어들이었다. 〈동백꽃 필 무렵〉[1] 속 '노규태'의 '찌질함'은 오정세의 육신을 빌어 사랑스럽게 만개했고, 〈스토브리그〉[2]에서 빌런 '권경민'은 오정세를 통과하며 정당성을 획득했으며, 〈사이코지만 괜찮아〉[3]의 '문상태'는 오정세 안에서 타인을 품을 수 있는 인물로 성장했다. 높은 비중의 서사를 부여받은 작품에서는 물론이고, 우정 출연한 영화 〈극한직업〉[4]의 '테드 창'처럼 기능적으로 소모될 수 있는 캐릭터마저도 오정세는 연기로 맛깔스럽게 뒤집곤 했다. 배우 오정세의 진짜 얼굴은 도대체 몇 개인 걸까. 마침 〈사이코지만 괜찮아〉에서 고기능 자폐HFA를 겪는 '문상태'가 그림 작가로 데뷔한 동화책 제목이 『진짜 진짜 얼굴을 찾아서』였다. 의미심장한 제목이렷다.

낯빛을 능구렁이처럼 바꾸는 '배우 오정세'와 달리 '사람 오정세'의 진짜 얼굴을 예측할 만한 단서들은 꽤 있다. 오정세는 '오른손이 하는 일을 왼손이 모르게 하라'를 실천하는 사람이지만, '좋은 건 나눌수록 커진다'고 믿는 사람들에 의해 그와 관련된 미담들이 세상에 알려지곤 했으니까. 이름 석 자만으로도 고른 지지를 받는 위치에 섰지만, 오정세는 그런 건 전혀 모르겠다는 얼굴로, 누군가의 주목을 받는 건 어색하다는 듯 숨어버린다. 그리고 구석 어디론가로 가서 재미있는 일을 궁리한다. 오정세 스스로도 "개구쟁이 오정세와 낯가리는 오정세가 있다"라고 말하는데, 이러한 그의 매력을 최근 잘 포착해낸 것 중 하나가 CF다. 대중이 사랑하는 오정세의 코믹한 이미지가 광고 아이디어와 만나 불꽃을 일으키는 모습이 자주 목격된다. 그에게 인터뷰를 요청하며, 어떤 얼굴의 오정세를 만날 수 있을까 내심 궁금했던 건 이 때문이다.

Scene 1. **오정세를 만나러 가는 길. 약속 장소를 들여다보며 여러 번 웃었다. 병원에서 인터뷰라니, 이 엉뚱한 사내를 보았나. 물론 병원 인터뷰는 틀을 벗어난 재미를 추구하는 그의 기질에서 나온 것이기도 했지만, 동시에 배려였음을, 촬영으로 바쁜 와중에 인터뷰 약속을 어떻게든 지키려 지극히 개인적인 시간을 공유한 것이었음을 대화가 진행될수록 깨달았다. 인터뷰는 근육치료실에서 진행됐는데, 열대야로 잠을 설쳐 퀭해진 내 다크서클을 발견한 것일까. 그가 담당의와 한참을 의논하더니, 비타민 수액을 함께 맞으면 어떻겠냐고 물어왔고, 그렇게 나란히 누워서 대화를 나누는 웃지 못할 상황이 펼쳐졌다. 대화할 때 눈맞춤은 필수인지라, 고개를 90도로 꺾은 채로.**

수액 맞으며 배우 인터뷰하는 최초의 기자가 아닐까 싶습니다. (웃음)

하하하. 기획을 보니까, 배우의 공간에서 인터뷰하시려라고요. 요즘 제가 자주 가는 곳은 촬영장 아니면 소속사나 물리치료 병원이에요. 인터뷰 요청 듣자마자 병원에서 하면 되겠네 싶었죠. (대뜸) 그런데 겁이 없으신가 봐요.

(흠칫) 어떻게 아셨어요?

저는 겁이 많아서 주사 맞을 때 바늘을 못 봐요. 그런데 아까, 대수롭지 않게 링거 바늘이 피부로 들어가는 걸 보고 계시길래 추측했죠.

작은 행동 하나에서 사람을 읽어내시다니!

뭐든 인상적인 걸 발견하면, 내 안에 저장해둬요. 연기할 때 꺼내 쓰려고요. 기자님 보면서는 '주사 맞으면서 바늘을 볼 수도 있네?'가 인지됐어요. 그럼 이제 풍성하게 그리는 거죠. 가령 작품에서 외과적 응급 처치를 받는 장면을 찍을 때, '상처로 찢긴 부위를 피하지 않고 바라보면 캐릭터가 강인해 보일 수 있겠구나'가 입력된 거예요.

예리한 관찰력은 선천적 재능입니까, 후천적 노력입니까.

부모님이 슈퍼마켓을 운영하세요. 일을 도우면서 많은 손님을 봤죠. 외모에서 묘한 인상을 주는 분들이 있는데, 그런 특징을 기억해뒀다가 캐릭터에 덧칠해오곤 했어요.

"연기할 때 물리치료사 같은 느낌이 든다"라고 말한 인터뷰를 본 기억이 있어요. 오늘 보니 이 역시 다년간의 관찰에서 나온 말인 것 같습니다.

맞아요. 제가 허리 아픈 게 어떤 건지 아니까, 주변에 허리 아프다는 친구들이 있으면 마사지를 해줘요. 그럼 다들 시원해하는데, 그걸 보면 괜히 뿌듯해요. 배우의 보람도 그와 비슷하다고 생각했죠. 내 연기를 보고 누군가 감동받으면 거기에서 행

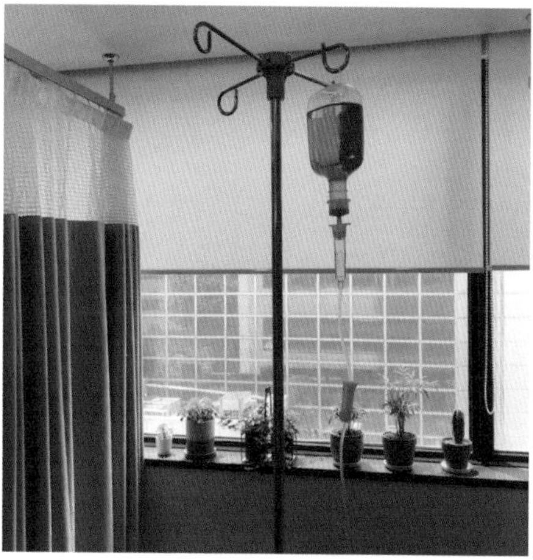

오정세는 바쁘게 이어지는 촬영
틈틈이 아픈 허리를 치료 중이다.

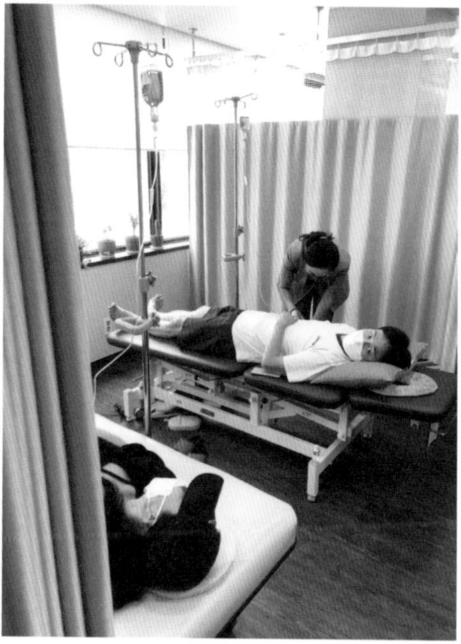

어쩌다 보니, 누워서 하는 인터뷰.

복을 느껴요.

오늘은 물리치료와 함께 운동치료도 받으신 거죠? 우리 몸은 유기적으로 연결되어 있기에, 어디 한 곳만 고장나도 전신의 불균형을 초래하죠. 연기는 어떤가요. 연기를 구성하는 요소 중 무엇 하나에 문제가 생기면 도미노 현상이 일어나나요?

(골똘히 생각하다가) '어떻게 하면 연기가 다 망가지지?'라고 조금 돌려서 생각해봤을 때, 욕심부리면 문제가 생기는 것 같아요. 가령 카메라가 상반신만 잡는 '버스트숏'으로만 들어와도 뭔가를 표현해야 한다는 강박 때문에 욕심을 부리게 돼요. 힘을 주게 됩니다. 그래서 대개 머리부터 발끝까지 전체가 나오는 '풀숏'일 때 연기가 좋고, 상대방 리액션해줄 때 (어깨만 찍히는) 뒷모습 연기가 가장 좋아요. (일동 웃음)

마음의 문제군요.

네. 연기할 때 저는 늘 싸워요. 긴장이라는 친구와. '지금 풀숏을 찍는 거야'라고 주문을 거는데, 성공할 때도 있고 실패할 때도 있습니다. 오래전에 설치미술 작가의 작품에 참여한 적이 있어요. 미술관에 카메라 두 대를 설치하고, 그 안에서 제가 자연스럽게 움직이는 걸 15분 동안 촬영하는 영상물이었죠. 뭘 표현하지 않아도 되는 작업이라 너무 좋더라고요. 결과물도 마음에 들었어요. 그 영상물이 부산에서 다른 작품들과 함께 전시되었는데, 그중엔 배우가 아닌 분들이 출연하는 다큐멘터리도 있었어요. 그걸 보고, 제 영상을 다시 보니… 아뿔싸. 제가 연기를 하고 있더라고요. '아무것도 안 하려고 하는 연기'를요.

당신의 연기가 거짓으로 보였나요?

거짓까지는 아닌데, 뭐라고 해야 하지? 한 끗 차인데, 완전 진짜를 보니까 내가 넘지 못한 그 '한 끗'이 굉장하게 느껴지더라고요. 그때 생각했죠. '너무 어렵다, 연기라는 게.'

저는 그래서 배우분들을 존경해요. 연기라는 것 자체가 가짜인데, 거기에서 진짜를 또 찾아내시잖아요?

작품 전체를 '진짜'로 채우기란 쉽지 않죠. 진짜에 가까워지려고 노력하는 와중에 하나둘 정도가 나도 모르게 진짜로 나오는 게 아닐까 생각합니다.

그런 순간을 만나면 느껴지나요? '지금 이거, 진짜구나!'라는 게.

느껴져요. 욕심이 없을 때 그런 진짜들이 나옵니다. 제가 〈우리들의 행복한 시간〉[5]에 사형수 '정윤수(강동원)'의 감방 동기로 나왔어요. 사형수는 사형 집행일이 언제인지 모른대요. 그런데 그걸 직감적으로 안다고 하더군요. 교도관이 "면회 왔다"라고 호명해도 그 길이 형장으로 가는 길이라는 걸. 그걸 '윤수'와 감방 동기들이 직감하는 장면을 찍는 날이었어요. 단역은 고개만 숙이고 있으면 됐으니, 저에겐 사실상 '풀숏' 같은 신이었죠. (웃음) 그런데 "3987 면회!" 호명을 받은 강동원 씨가 출발하는데 '저 친구, 지금 나가면 죽네?'라는 생각이 훅 들면서 눈물이 갑자기 떨어지는 거예요. 카메라에 찍히지는 않았지만, 그런 감정이 저에겐 너무 소중해요. 참 소중한 장면으로 남아 있습니다.

그런 감정을 한 번 경험한 것과 아닌 것에는 큰 차이가 있겠죠?

그게 신기한 게, '이런 감정을 한 번 경험해봤으니 다음에 또 마음 비우고 해야지'가 안 돼요. 경험할수록 성공 횟수도 늘면 참 좋겠는데, 연기라는 놈은 그게 아니라서 참… 허허허.

경남 의령에서 태어나 세 살부터는 성남에서 유년 시절을 보내셨죠? 아까 잠시 언급한, 부모님이 운영하는 가게는 이제 너무 유명한데요. 학창 시절, 부모님이 아들에게 기대하는 게 있으셨나요.

넌 훌륭한 사람이 돼야 해, 넌 뭐 해야 해, 하는 건 없으셨어요. 부모님이 열심히 사시는 걸 보면서, 나도 열심히 살아야겠다고 자연스럽게 느낀 쪽입니다.

당신들의 삶으로 자식에게 인생의 옳은 방향을 보여준 셈이군요.

우리 부모님 세대는 아등바등 일하면서 산 세대잖아요? 그래서인지, 해준 게 없다고 늘 미안해하셨어요. 해준 게 없는 게 아닌데. 슈퍼를 쉬지 않으셨던 건 우리를 위해서였는데, 당신들은 뭘 못 해줬다고 생각하시는 것 같아요. 열심히 사는 부모님의 삶 자체가 저에겐 교훈이었어요. 설렁설렁 살면 안 되겠구나, 부모님을 바라보며 늘 생각했죠.

부모님에 대한 존경이 느껴집니다.

그런데 애교 많은 아들은 못 돼요. 활발하고 장난꾸러기인 오정세가 있고 소극적이고 낯가리는 오정세가 있는데, 아버지 앞에서는 후자가 나와요. 오래전에 동네 골목길에서 아버지와 마주친 적이 있어요. 멀리서 아버지가 걸어오시는데 가까워질수록 되게 어색한 거예요. (웃음) 돌아가기엔 이미 늦었고. 그래서 어색한 상태로 지나갔는데, 보통 길에서 부모님을 만나면 "식사하셨어요" 내지는 "어디 가세요?"라고 묻잖아요? 그런데 저는, 무의식적으로 "안녕하세요~!" 했어요. (일동 폭소)

1남 2녀 중 막내시죠? 누나만 있는 막내들은 굉장히 사랑을 받거나, 반대로 누나들에게 강하게 키워지는 면이 있던데, 어느 쪽이었나요.
막내라서 사랑을 많이 받았어요. 저도 누나들도 초등학생일 때였어요. 그 당시 제가 살던 성남에는 음악을 틀어놓고 길에 앉아 도움을 청하는 분들이 많았어요. 크리스마스를 앞두고 누나들이 그분들께 선물을 드리자고 하더라고요. 모아둔 용돈으로 양말 몇 켤레 사서 따뜻한 보리차랑 함께 드리자고요. 그렇게 "메리 크리스마스~" 인사를 전하면서 보온병에 담은 보리차랑 양말을 선물한 경험이 있는데, 뻘쭘하고 낯설기는 했지만 그게 저에겐 굉장히 좋은 정서로 남아 있어요.

듣기만 해도 너무 따듯하네요. 갑자기 궁금한데 스스로가 감성적이라고 생각하시나요, 이성적이라고 생각하시나요.
제 일로 운 건 손꼽힐 정도로 없는 편이에요. 드라마를 볼 때도 담담해요. 그런데 다큐멘터리나 리얼 예능을 보면서는 지나칠 정도로 많이 울어요. 옛날에 〈우정의 무대〉(군대 예능의 효시로 꼽히는 90년대 인기 프로그램) 보면서도 그랬어요. 병사가 "(장막 뒤 어머니가) 저희 어머니가 확실합니다! 어~머니!" 하고 외치면 이제 눈물이 막~ (웃음)

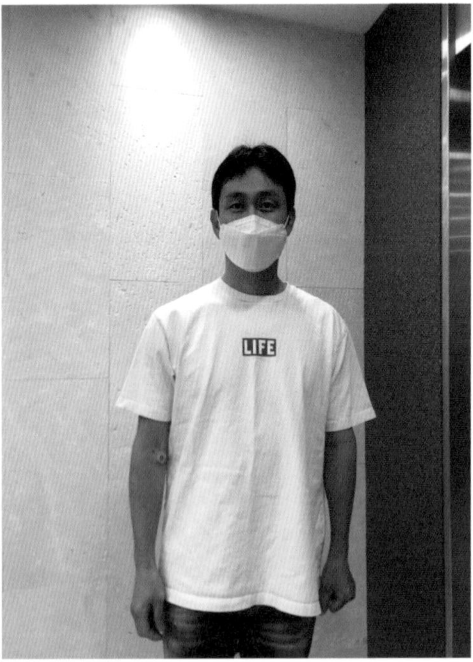

삶Life을 연기하는 배우.

오정세는 스무 살 때까지 자신의 의지 하에 뭔가를 직접 선택한 기억이 별로 없다. 남들이 가니까, 남들이 하니까. 다수가 걸어간 길을 큰 고민 없이 따라가던 오정세는 대학 진학을 앞두고, 자기 인생에서 자신이 뭔가를 결정해야 할 때임을 강렬하게 느꼈다. 그렇게 전국 대학에 있는 모든 과를 펼쳐놓고 생각했다. 지금의 선택이 삶에 큰 영향을 미칠 텐데, 평생 즐기면서 할 수 있는 일이 무엇일까. 경영학과? 아니야! 건축학과? 아니야! 그렇게 지워나가다 보니 남은 건 하나. 연극영화과였다.

지금의 오정세를 떠올리면 이렇게 끼 많은 사람이 대한민국 모든 연극영화과를 낙방한 사실이 기막히기도 하지만, 그의 말대로 "준비된 게 없으니 떨어지는 건 당연한 일"이었고 "결과적으로는 약"이 됐다. 연기를 전공했다면 이를 공부로 받아들였을 텐데, 아니었기에 연기에 대한 호기심과 열망과 갈증은 커져만 갔다. 그는 연기 강좌와 세미나를 찾아다니며 몸으로 부딪쳤고, 각종 오디션에 도전하고 떨어지고 도전하고 떨어지고, 또 도전했다.

오디션에 합격하고 합격하고 합격한 게 쌓여서 지금의 오정세가 된 게 아니라, 떨어지고 떨어지고 수백 번 떨어진 게 지금의 저를 만든 거잖아요? 그렇기에 놓쳐서 아쉬운 건 별로 없어요. 물론 사람이기에 당시에는 많이 아쉬워했지만요.

어딘가에서 읽었던 문구가 떠올랐다. "지금의 나는 지나온 날들의 총합이기도 하지만, 선택하지 않고 놓쳐버린 것들의 총합도 지금의 나"라는 문구가.

무수히 많은 탈락의 경험에서 얻은 게 참 많습니다. 한번은 너무 하고 싶은 캐릭터가 있었어요. 제가 할 수 있는 최선을 다해 오디션 준비를 하고 갔죠. 결과는 탈락! 몇 달 후에 운 좋게도, 좋은 역할의 오디션 기회가 왔어요. 그랬을 때 이전 경험을 복기해요. '잠깐만! 내가 이전에 최선을 다했는데 떨어졌어. 어쩌면 내가 그때 한 게 최선이 아닐 수도 있겠네? 그럼 그때 했던 최선의 곱하기 3을 해볼까?' 이런 흐름으로 더 준비하고 더 고민하죠.

데뷔작이 2002년 연극 〈이발사 박봉구〉[6]였습니다. 정보를 찾아보니, 5월에 시작해서 월드컵 기간에도 열기를 이어간 연극이더라고요. 2002년 6월은 우리에게 월드컵 함성으로 기억돼 있는데, 당신에겐 무대 밖 함성과 무대 위 함성이 오버랩된 해가 아닐까 짐작해 봅니다.

맞아요. 저희 연극도 축제 분위기였어요. 연일 매진이었거든요. 둘 다 축제인데 저에겐 완전히 다른 축제였죠. 축구는 마음껏 즐길 수 있었던 축제, 반면 무대는 조마조마한 축제였죠. 운 좋게 기회를 얻었지만, 기본이 안 되어 있었기에 무대에서 많이 깨졌거든요. 그때의 저에게 연극은 관객과의 소통 이런 개념이 아니라, 제 연기하기에 급급한 것이었어요.

그런 무대가 왜 그렇게 좋았나요.

'행복하다'라는 감정 있잖아요? 저는, 그 감정을 그때 처음 느꼈어요. 이전까지 행복이라는 건 저에게 추상적인 개념이었거든요. 그런데 첫 커튼콜 때 생각지도 않았던 눈물이 쏟아지면서 그 감정의 실체를 만났죠.

소속사 '프레인TPC'와 오랜 시간 함께해오고 계십니다. 2017년 재계약 발표 당시, 여준영 대표님이 직접 써서 전한 러브레터에 가까운 긴 글이 참 뭉클했어요. "야구로 치면 홈런왕, 다승왕은 아직 못했지만, 연속 출장, 최다 경기 출장 같은 기록에 도전은 해볼 만한 배우"라고 당신에게 애정을 드러낸 부분이 개인적으로 인상적이었는데요, 이후 4년간 홈런도 치고 다승왕 행진도 하는 배우가 되셨어요.
야구로 치면 언제 은퇴할지 모르겠지만, (웃음) 지금은 운이 좋아서 홈런도 치고 안타도 치고 있는 상황이에요. 그런데 야구가 그렇잖아요? 잘 맞을 때도 있지만, 안 맞을 때도 있잖아요. 연기 역시 몇 번 잘했다고 해서 탄력 받아서 계속 올라가지 않아요. 최근엔 안타를 쳤지만, 올 하반기에는 9회 말 2사 만루에 타자로 들어서서 삼진 당하는 선수가 될 수도 있기에 당장의 결과에 휘둘리지 않으려고 마인드 컨트롤을 많이 합니다.

마음을 다잡는 데 에너지 소비는 없으신가요.
주사 맞기 전과 비슷해요. 무섭다고 아등바등해봤자 피할 수 없으니, 에라 모르겠다! 힘 빼고 맞자 그러거든요. (웃음)

수많은 오디션을 보러 다닌 이력이 유명합니다. 정은표 배우가 당신에 대해 이런 말을 했더군요. "작은 역할이라도 마음에 들면 감독을 먼저 찾아간대요. 진짜 멋지지 않나요?"라고. 정은표 배우 말의 방점은 '멋지다'에 찍혀 있었는데, 공감했어요. 쉽지 않은 일이니까요. 누군가는 거절당할까 봐, 누군가는 자존심 때문에 행동으로 옮

기지 못하잖아요?

'큰 역할=성공' '작은 역할=실패'라는 기준 자체가 저에겐 없기 때문이지 않을까 싶군요. 가령 이충현 감독의 〈몸 값〉[7]이라는 단편을 제가 너무 좋아해요. 감독님의 첫 장편은 어떨까 하는 '궁금증', 그 작품이 잘 됐으면 좋겠다는 '응원의 마음', 그리고 그 작품에 '참여하는 배우'가 되면 참 좋겠다는 생각이 있었는데, 마침 장편(영화 〈콜〉[8]) 준비 중이시라는 소문을 들었어요. 그래서 뒷모습만 나와도 상관없으니 참여하고 싶다는 뜻을 전했죠.

〈콜〉은 참여에 의미를 둔 작품이었군요.

그렇죠. 조금 다른 개념이긴 한데, 〈극한직업〉도 사실 '테드 창'이 아닌 다른 역할로 제안받았어요. 당시 시나리오상에 '테드 창'보다 분량이 더 많은 배역이었죠. 그런데 저는 어떤 캐릭터가 더 좋고 나쁘다가 아니라, 분량이 적더라도 '테드 창'을 더 즐겁게 할 수 있을 것 같더라고요. 저에겐 출연 분량이 기준이 아니기에, 그런 선택을 하는 힘이 생기는 것 같아요.

〈극한직업〉 이야기가 나와서 그런데, '테드 창'과 '이무배(신하균)'의 티키타카를 굉장히 사랑합니다. 두 분이 대사를 치는 타이밍은 거의 도사 수준인데요. 아이러니한 게, 신하균 배우도 당신 못지않게 카메라 울렁증이 있는 것으로 알려진 분이잖아요? 그런 두 분이 영화 안에서 '도른자' 연기를 하고 계시니 너무 신기하더라고요.

아까 말씀드렸듯 제가 활달함과 낯가리는 모습 사이의 간극이 큰 사람이라면, 하균이 형은 조용한 모습을 기본 바탕으로 유쾌

함을 품은 사람이에요. 그 모든 걸 떠나서, 작품 안에서 다른 옷을 입으면 그냥 그 사람이 돼버리는 게 있고요. 그런데 모두가 그런 경험을 할 수 있는 게, 기자님도 추리닝 입고 슈퍼 나갈 때와 차려입고 예식장 갈 때의 걸음걸이나 말투가 조금은 다르잖아요? 그런 개념인 것 같아요. 의상에 따라서 달라지는.

연기 유형으로 보면 두 분 모두 자신을 지우고 캐릭터에 몰입하는 스타일이죠.

제 부하들이 '이무배'에게 달려드는 신이 있어요. 그때 제가 부하들을 말리며 "괜찮아~ 애 싸움 졸라 못해!"라고 애드리브를 하는데, 그 대사도 사실 형 때문에 나왔어요. 그 신을 형이 먼저 찍었는데, 형이 ('나 잡아 봐라' 포즈 취하며) 이렇게 하면서 들어오지 뭐예요. (웃음) 제 눈에는 싸움을 진~짜 못하는 사람으로 보였어요. 그래서 자연스럽게 그 대사가 나온 거죠.

당신은 상대가 어떤 액션을 주느냐에 따라서 리액션이 많이 바뀌는 스타일이네요.

이전에는 준비해간 걸 현장에서 모두 구현하려고 했어요. 그러다가 어느 순간부터 준비해간 걸 상황에 맞게 쓰기도 하고 버리기도 하기 시작했어요. 이전에는 잘 못 버렸거든요. 이젠 상대방의 호흡이랄지, 현장 분위기랄지, 전체를 보고 쓸지 말지를 결정하죠.

덕분에 '저세상 텐션'인 '테드 창'을 우리가 만날 수 있었군요.

(깊게 생각한 후) 연기라는 게 그렇더라고요. 가끔가다 혼나기

도 하고, 가끔가다 칭찬도 받고, 가끔가다 보너스도 받아요. 제 입장에서 '테드 창' 타입의 인물이 처음은 아니었어요. 결이 조금 다르긴 하지만, 그런 캐릭터를 연기했었단 말이죠. 그랬을 때, '테드 창'을 제가 이전 캐릭터들보다 훨씬 더 열심히 하고 잘했느냐! 그건 아니거든요. 조금 다르게 표현한 정도일 뿐이에요. 다만 '테드 창'은 〈극한직업〉이 잘되면서 이전 캐릭터보다 더 많은 사랑을 받은 거죠. 제겐 보너스 같은 느낌인 겁니다.

백상예술대상에서 드라마 〈동백꽃 필 무렵〉으로 남우조연상을 받은 후 그는 이렇게 말했다. "제가 잘해서 결과가 좋은 것도 아니고, 못해서 망한 것도 아니라는 생각이 들었습니다. 포기하지 말고 계속하셨으면 좋겠습니다." 뜻대로 되지 않는 일에 자책하던 날, "계속하다 보면 여러분만의 동백을 만날 수 있을 것"이라는 오정세의 말에 전기가 온몸을 관통하는 듯한 위로를 받았었다. 하루아침에 나온 말이 아니었음을, 100편 넘는 작품을 하면서 늘 똑같은 마음으로 열과 성을 다했던 자의 토양에서 나온 말이었음을 다시금 확신했다.

배우 인생을 야구로 친다면, 지금 어디에 서 있는 것 같으십니까.
6회 초. 목표라면… '1루 정도는 계속 출루할 수 있으면 좋겠다!'

'스토브리그(비시즌에 프로구단이 팀 전력 보강을 위해 선수 영입과 연봉 협상에 나서는 시기)'를 배우에게 대입한다면, 작품 사이사이가 모두 스토브리그가 아닐까 싶습니다. 그 시간을 잘 보내는 게

중요할 것 같은데요.

저는 전시회나 공연을 많이 보러 다녀요. 언제가 될지 모르는 작품들을 위해 여러 가지를 저장해놓으려는 거죠. 그렇다고 제가 미술이나 음악을 많이 아는 건 아니고요. 예전에는 전시회를 가면 둘러보는 데 5분이면 끝났어요. (웃음) 두세 시간 보는 분들을 신기해했죠. 그런 분들만큼은 아니지만, 이전보다는 감정적으로 받아들이는 게 더 넓어졌어요.

최근 눈길이 가는 전시나 작가가 있다면요?

영국을 기반으로 두고 활동하는 익명의 그라피티 작가 '뱅크시Banksy'요. 사회적인 메시지를 재치 있게 해석해서 전달하는 것도 그렇고, 그 행보가 참 흥미로워요. 뱅크시처럼 자신의 존재를 드러내지 않으면서도 자기 이야기를 전달할 수 있는 방법이 배우에겐 무엇일까도 연결 지어서 생각해보곤 합니다.

혹시 그게 연출작이 될 수도 있을까요? 영상을 찍고 있다고 들었거든요.

써놓은 시놉시스가 세 개 있어요. 언제고 풀어보고 싶은 생각은 있는데, 어찌 될지는 모르겠어요. 시놉시스 중 하나는 '행복한 감정'과 '가장 슬픈 감정'이 함께 오는 설정인데, 그래서 〈스윙키즈〉[9] '병삼' 역을 만났을 때 너무 좋았어요. 표현해보고 싶었던 감정의 결이 '병삼'에게 있었거든요. 찾아 헤매던 아내 '매화(주해은)'를 드디어 발견했는데, 그 아내가 놓여 있는 참혹한 상황도 동시에 보게 되는 인물.

말씀처럼 가장 행복한 순간에, 가장 큰 슬픔을 겪는 인물이었죠.

네. 촬영 전에 매화를 맡은 배우에게 양해를 구해서, 그 친구의 돌 사진부터 초중고 사진을 전부 받았어요. 받아서 매일 봤어요. 내가 사랑하는 사람이라고 되뇐 거죠. 탭댄스 연습하다가 꺼내 보고, 대사 외우다가 또 꺼내서 '이 사람을 꼭 찾아야 하는데' 상상하고. 드디어 촬영 날, 재회 장면에서 주체 못 할 감정이 빵 터지길 바랐는데 그러지는 못했어요. 만족스러운 감정을 연기하지 못한 거죠. 그럼에도 병삼을 제 안에서 잘 보낼 수 있었습니다. 준비를 안 해서 감정이 안 나왔더라면 속상했을 텐데, 할 수 있는 선에서 최선을 다했기에 놓을 수 있었던 거죠.

최선을 다했기에 놓을 수 있었다 ….

올림픽에서였나? 한 수영 선수가 3위로 들어왔어요. 은메달을 딴 선수와의 차이는 불과 0.01초. 기자가 묻습니다. 아쉽지 않냐고. 선수는 해맑게 웃으면서 그래요. 자신의 기록을 넘어서 너무너무 행복하다고. 최선을 다한 자의 아름다운 미소였어요.

그 미소를 오정세에게서 본 적이 있다. 〈사이코지만 괜찮아〉 방영 당시, 그가 발달장애를 지닌 첼리스트 배범준 씨와 놀이공원에서 시간을 보낸 사연이 알려진 바 있다. 극 중 오정세가 맡았던 역할인 '문상태'를 위로해주고 싶다는 범준 씨의 요청으로 성사된 만남이었다. 오정세의 마음이 괜한 오해를 살까 봐 소속사도 함구했던 이야기. 그러나 범준 씨 가족이 오정세의 미담을 알리고 싶어 SNS에 공개하면서 그날의 사연은 퍼져나갔다. 함께 공개된 사진 속, 오정세

의 미소는 아름다웠다. 이 사연에는 몇 가지 맥락이 숨어 있다고 생각한다. 먼저 오정세의 연기가 진실되지 않았다면 범준 씨는 드라마를 보며 "상태를 위로해줘야 한다"라고 말하지 않았을 것이다. 그리고 오정세가 '상태'를 그냥 '연기'라고만 여겼다면, 그는 범준 씨 요청에 고민했을 것이다.

어릴 때 친누나들과 경험한 정서가 저에게 귀하게 남아 있다고 했잖아요? 누군가와 마음을 나눈다는 게 얼마나 소중한 것인지는 아는데, 실천은 많이 못 해왔어요. 방법을 몰라서. 그래서인지 연락을 받았을 때, 저긴 그냥 가야 한다는 느낌을 받았죠. 범준 씨 어머니가 "어렵게 와주셨는데 범준이가 낯선 사람 보듯 할 수도 있다"라고 하셨는데, 그건 저에게 전혀 고민이 아니었어요. 오정세로 가는 게 맞나, '상태'로 가는 게 맞나가 고민이었죠. 생각해보니 오정세는 그 친구에게 의미가 없더라고요. 그래서 '상태' 복장으로 가서 함께 시간을 보냈죠. 저도 많은 걸 얻은 하루였습니다.

당신을 이야기하면서 〈남자사용설명서〉[10]를 언급하지 않을 수 없는데요, '오정세사용설명서'라는 게 나온다면 어떤 문구가 특별히 있어야 할 것 같나요?

'놔둬라?' 왜 보통 매장에 가면 직원들이 묻잖아요. "어떻게 오셨어요?" "뭐 찾으세요?" "색깔 뭐 좋아하세요?" 그런 안내가 편한 분들도 많겠지만, 저는 조금 불편하더라고요.

하하. 같은 입장인지라, 너무 공감되는군요.

여(준영)대표님이 운영하는 패션 숍이 있는데 거기가 그래요. 함께 일하시는 분들에게 대표님이 주문하신 게 '최대한 놔둬라'예요. 대신, '고객이 물어보면 그 누구보다 친절하게 설명해드려라'거든요. 그런 느낌인 것 같아요. 저는 놔둬야 자연스럽게 마음을 여는 편이에요. 제가 타인을 대할 때도 그렇습니다. 좋아하는 배우를 만났을 때, 기쁜 마음에 연을 맺고 싶어 억지로 뭔가를 하면 오히려 어그러지더라고요.

〈남자사용설명서〉엔 '연애 비법 비디오테이프'가 중요한 소품으로 등장하죠. 현실에 대입하면 어떨까요. '연애 비법' 말고, 어떤 비법을 다룬 비디오테이프가 있으면 구매하실래요?

어떤 게 좋으려나. (잠시 생각) 떠오르는 것들은 시중에 이미 다 판매하고 있는 것 같은데요? '행복해지는 비법', '건강해지는 비법' 같은 것들 말이죠. 교재들이 있는데도 불구하고 제가 실천을 안 하고 있으니 '실천하는 비법'이 나오면 사려나? (웃음)

"배우가 되기 전에 인간이 돼야 한다"라는 말에는 동의하시나요?

동의해요. 그걸 인디 음악 하는 친구들을 통해 느껴요. 열심히 일하고 음악 하고 자신에게 휴식을 선물하며 건강한 삶을 사는 뮤지션들이 있는데, 그런 친구들을 보면 응원하고 싶다는 생각이 듭니다. 동시에 그들이 들려주는 음악이 더 좋게 들려요. 어떤 사람인지 모르고 들었다면 여느 가수 음악과 다르지 않게 들렸을 텐데, 어떤 삶을 사는지 알기에 음악도 더 와닿는 거예요.

그의 뒷모습.

그런 걸 보면서 생각하죠. 좋은 가수라는 게 기술적으로 훌륭한 게 전부가 아니라는 걸. 같은 맥락에서 배우로서 조금 서툴면 어때, 좋은 사람이 되는 게 중요하다는 걸.

누가 그랬더라, 우린 오정세라는 동백꽃이 만발한 시대에 있다고. 박노해 시인은 동백꽃은 세 번 핀다고 했다. 나무에서 한 번 피고, 떨어져 땅에서 또 한 번 피고, 이내 가슴에 붉게 다시 핀다고. 오정세의 동백꽃들이 그렇다. 그의 마음에서 한 번 피고, 작품으로 스며들어 또 한 번 피고, 이내 보는 이들의 마음으로 붉게 물든다. 물론 제대로 피지 못하는 꽃들이 있고, 인생도 연기도 그러하다. 오정세는 다짐하듯 말했다. "60~70대까지 연기를 한다면 계속 오르락내리락할 텐데, 조금 칭찬받았다고 신나하고 조금 내려갔다고 힘들어하면, 버틸 수 없어요. 의미 부여를 하지 않아야 오래 이 일을 할 수 있다고 생각합니다." 대화 말미에 그는 최근 재미있게 본 광고 영상들을 열거하며 즐거워했다. 가령, 본드 한 방울 똑 떨어뜨리자 시곗바늘 초침이 3초 만에 멈추는 '본드 광고' 같은 것들. 이 모든 게 그가 만들어가는 캐릭터의 질료가 되겠구나, 믿어 의심치 않았다.

지금의 오정세를 떠올리면 이렇게
끼 많은 사람이 대한민국 모든
연극영화과를 낙방한 사실이 기막히기도
하지만, 그의 말대로 "준비된 게 없으니
떨어지는 건 당연한 일"이었고
"결과적으로는 약"이 됐다.
연기를 전공했다면 이를 공부로
받아들였을 텐데, 아니었기에
연기에 대한 호기심과 열망과 갈증은
커져만 갔다.
그는 연기 강좌와 세미나를 찾아다니며
몸으로 부딪쳤고, 각종 오디션에
도전하고 떨어지고 도전하고 떨어지고,
또 도전했다.

오디션에 합격하고
합격하고 합격한 게
쌓여서 지금의 오정세가
된 게 아니라, 떨어지고
떨어지고 수백 번
떨어진 게 지금의 저를
만든 거잖아요?
그렇기에 놓쳐서 아쉬운 건
별로 없어요.

승리의 횟수가 중요한 게 아니라

"우리가 좋아하는 걸 하자!"

Mnet 여성 댄서 크루 서바이벌 프로그램 〈스트릿 우먼 파이터〉에 출전한 '홀리뱅' 크루의 리더 '허니제이'에 푹 빠져 있다. 무대를 '찢어버리는' 춤 실력도 실력이지만, 사람 자체가 지닌 '멋' 때문이다. 계속되는 미션 패배에도 변명 하나 없이 깔끔하게 승복하고 승자에게 박수를 보내는 매너, 껄끄럽게 갈라선 후배에게 먼저 손을 내미는 남다른 배포. 대중성이 부족하다는 심사위원 중간평가에 팀원들 멘탈이 흔들릴 땐 이렇게 말한다. "우리가 좋아하는 걸 하자. 우리가 잘하는 걸 하자."

나는, 경쟁을 부추기는 방송사 관행 안에서 '승리하기 위한 춤'이 아닌 자신들이 '추고 싶은 춤'을 추는 그들의 모습에 마음이 웅장해졌다. 자신들의 문법으로 대중을 설득해낼 땐 짜릿함도 느꼈다. 진심, 리스펙! 진정, 존멋! 어쩌면 해피엔딩은 승리가 아니라, 패배할 줄 알면서도 '자신의 것'을 자존감을 걸고 지킬 줄 아는 용기에 있는지 모른다고 생각했다.

여러 인터뷰를 통해 쌓인 데이터 중 하나는, 의외로 많은 인터뷰이가 화려한 성공담보다 실패담을 이야기할 때 눈이 더 반짝거린다는 것이다. 넘어진 경험에서 얻은 게 많아서일 것이다. 당장의 실패가 영원한 실패가 아니라는 사실을 터득한 까닭도 있을 것이다. 일찍이 인생의 모순을 깨달은 이들은 성공과 실패를 한두 마디로 규정하는 태도를 경계했는데, 몇 해 전 영화 〈아수라〉로 만난 김성수 감독님도 그랬다.

"유비와 조조의 성장담이기도 한 『삼국지』를 보면 두 사람이 끊임없이 전쟁해요. 그런데 두 사람이 전쟁에서 이긴 횟수는 얼마 안 돼요. 패배의 경험이 오히려 많아요. 그런 두 사람을 보며 생각하죠. 승리해야지만 패권을 차지하는 게 아니라는 걸. 멋지게 잘 지는 놈이 진짜 센 놈이라는 걸. 그러니까 승리의 횟수가 중요한 게 아니라, 어떤 종류의 싸움을 하느냐가 그 사람의 '지금'을 만든다고 생각해요. 영화도 마찬가지예요. 흥행한 작품에 출연한 배우가 아니라, 좋은 작품에서 이전투구한 배우들을 우리가 인정하잖아요?"

지는 게 두려운 나에게 인생 선배의 말은 거대한 위로가 됐다. 고백하자면, 내 인생의 많은 부분은 실패하지 않기 위한 안간힘이었다. '미래 = 과거 성과들의 축적'이라고 믿었던 시절도 있었다. 지금은 그 시절과 많이 달라졌다. 인생의 난관에 봉착하는 순간마다 내게 손을 내민 건 '과거의 성공한 내'가 아니라 '넘어졌던 나'였음을 알아챈 후였다. 시행착오에서 터득한 깨달음들이 다시 겪을 오류를 조금이나마 줄여주고 있었다. 적당한 타협을 통해 얻은 성과의 기쁨은 빠르게 휘발됐지만, 좋아하는 일에 전력투구하다가 엎어진 경험은 쓰릴지언정 내가 조금은 더 나은 사람이 되고 있음을 곱씹게 해줬다.

'실패학'의 창시자로 불리는 하타무라 요타로는 "있어서는 안 될 실패도 있지만, 필연적으로 따르는 필요한 실패도 있다"라고 했다. 전자가 자만심이 부른 실수라면, 후자는 다음 단계로 나아가기 위해 무언가를 시도하는 과정에서 겪는 일일 것이다. 세월과 함께 대중이 믿고 보는 배우가 된 오정세의 말도 내게 깊이 남아 있다. "오디션에 합격하고 합격하고 합격한 게 쌓여서 지금의 오정세가 된 게 아니라, 떨어지고 떨어지고 수백 번 떨어진 게 지금의 저를 이렇게 만든 거잖아요?"라고, 그는 말했다. 원하는 바를 이루지 못했더라도 그 과정 전체를 실패로 재단하지 않으려는 마음. 함부로 실패나 성공을 해석하지 않으려는 자세가 빛이 나는 배우였다.

언젠가 친구와 노포에서 술 한잔하다가 칼칼한 국물이 당겨서 국수를 추가로 주문했는데, 육수 맛이 가히 국물계의 끝판왕이라 감격에 겨워, 술을 마시려 국수를 먹는지 국수를 먹으려 술을 마시는지 모르는 상황이 됐었다. 얼큰하게 취해 계산하고 나오는 길, 주인 어르신에게 "국수 육수가 진짜 최고였어요"라고 전하자, 돌아온 말은 의외였다. "그거 다 실패의 맛이야. 그 육수 맛 내느라 흘린 짠내 나는 눈물이 한 바가지여. 그런데 지금도 자주 실패해. 그럼 어때, 다시 만들면 되지. 허허허." 다시 한번 써본다. 진심, 리스펙! 진정, 존멋!

Presented by

a Room of one's Own

배우

Casting

오정세

Room

No. 9

의 방

Actor's
Room

To be continued.

Actor's

Room

#10

배우 고두심의

방

제주도 감귤창고

PM 12:30 ~ 07:40

연기는 살아내는 거더라.
살아내는 거야.

PM 12:30

제주 한림읍, 감귤 창고

"혹시 인터뷰, 오늘 가능할까요?" 수화기 너머 배우 고두심의 친동생이자 매니저인 고두화 선생님의 목소리가 들려왔다. 순간 정신이 번쩍. 전화를 끊자마자 부랴부랴 옷을 챙겨입고 택시를 탔다. 고두심에게 인터뷰를 요청한 건 몇 개월 전이었다. 서울에서 만날 기회가 있었지만, 만남의 장소가 제주도였으면 좋겠다는 생각에 일정을 조율하고 또 조율했다. '고두심의 공간' 하면 상징적으로 떠오르는 게 제주도여서도 있지만, 그녀가 내겐 고등학교(제주여고) 선배이기도 했기 때문. 21세기에 학연과 지연을 내세우는 것만큼 촌스러운 게 없다는 걸 알지만, 고두심의 전설을 들으며 학창 시절을 통과한 나로서는 제주에서 그녀의 목소리를 듣고 싶은 마음이 간절했다. 그러니까 제주도에서의 인터뷰는 어떻게 보면 졸랐다고 하는 게 맞을 수 있다. 그런 나의 집요한 연락을 선생님은 아마도, 학교 후배라는 이유로 늘 기분 좋게 받아주셨으리라. 그렇게 만남의 시기를 조율하는 사이 몇 번의 계절이 지났고, 선생님이 '제주영화제' 참석을 위해 제주를 찾는다는 소식을 들었다. 마침 제주도에 머물고 있던 나는 금요일 아침, 이렇게 연락을 받은 것이다.

Scene 1. **내가 머무는 곳에서 한림읍까지는 한 시간가량을 달려야 하는 거리. 차는 연신 덜컹거렸고, 대선배를 만난다는 긴장감에 더해, 질문지를 제대로 준비하지 못했다는 걱정이 급습해왔다. 도착한 곳은, 인적 드문 곳에 위치한 감귤 창고였다. 고두심 선생님 지인의 개인 공간이었다. 문을 열고 들어서자, 맛있는 냄새와 함께 익숙한 얼굴들이 눈에 들어왔다. 고두심 외에도 예기치 못했던 얼굴, 배우 송새벽도 있었다. 고두심과 송새벽이 앉은 테이블에는 고기가 맛있게 구워지고 있었고, 이 자리가 단순한 인터뷰 이상의 자리라는 걸 깨닫는 데에는 오래 걸리지 않았다. 허물없이 이것저것 음식을 챙겨주는 고두심의 미소에 긴장된 마음이 사르르. 그러니까 이건 '인터뷰'라는 형식과는 거리가 먼, 무방비 상태에서 진행된 일곱 시간의 대화 기록이다.**

먼 길 오느라 수고했어요. 밥 먹었어요? 앉아, 앉아. 우리 고기 구워 먹고 있었는데 앉아서 같이 먹어요. 인터뷰 시간이 넉넉하게 필요하다고 해서 고민하다가 그냥 편한 자리에 불렀는데 괜찮죠?

아우, 감사하죠. 오늘은 그냥 학교 후배거니 생각해주세요. (웃음)
그러니까. 나도 그게 좋아. 선후배 사이니까 너무 좋다.

영화제 일정보다 일찍 오셨네요.

예능 녹화를 하나 했어요. 〈정글의 법칙〉이 제주도에서 촬영을 하나 봐요. 특별 게스트로 와달라길래 제주 전통 음식들을 준비해서 다녀왔죠. 바람이 어찌나 불던지.

촬영장에 제주 음식을 종종 가져가시는 것으로 알아요.

내가 제주 향토 음식을 좋아해요. 빙떡(제주식 메밀전병), 곤떡(제주식 송편), 오메기떡 같은. 촬영 때 오메기떡하고 곤떡을 해가면 여자애들은 곤떡을 좋아해. 하얗고 깨끗하다고. 남자들은 오메기떡이야. 팥 맛이 좋다나. 나는 빙떡이 좋은데. (웃음)

(두부가 든 접시를 앞으로 밀어주며) 이거 먹어봐요. 마른두부(ᄆᆞ른둠비)라고, 제주도 전통 두부야. 어릴 때 집에 잔치가 있으면, 어머니 따라 외도에 있는 두부집에 콩을 가지고 갔어요. 그럼 그 콩으로 두부를 만들어줬거든. 내겐 추억 같은 거죠. 이젠 이거 하는 집 찾기 어려워요. 만들기 어렵다고 제주 사람들도 잘 안 하거든.

제주도 일정은 느낌이 다르시죠?

아우, 다르지. 좋아. 다 좋은데, 고두심이는 선거철에만 안 내려오면 돼요. 그 철에 한 번 내려왔다가 큰코다칠 뻔했지 뭐예요. (웃음) 이후부턴 선거에 지인이 나와서 도와달라고 해도 그건 힘들다고, 이해해달라고 하죠. 좋아하는 사람들이 (나로 인해) 반으로 쪼개지면 너무 마음 아프잖아요.

어린 시절 살던 집이, 무전여행 온 대학생들이 식객으로 찾아올 정도로 인심이 후했다는 인터뷰를 본 적이 있습니다. '남양집'으로 불렸다고요. 지금은 제주도에 오면 어디에서 머무르시나요.

부모님 계실 땐 4대가 그 집에서 함께 살았어요. 43년 살다가 이사 갔는데, 지금은 부모님 계시던 곳에 둘째 오빠네가 살아요. 내려오면 보통 그곳에 머물죠. 그런 건 있어. 어머니 계실 땐, 비행기가 제주도에 도착한다는 안내 방송만 흘러나와도 가슴이 뛰기 시작했어요. 엄마 만날 생각에 너무 좋아서. 엄마 돌아가시고 나서는 그런 기쁨은 사라졌죠. 고향이라는 게, 그래요. 부모님 품이 곧 고향이지.

제주도 오면 찾는 곳이 또 있으세요?

고두심 어머니 산소 찾아뵙고, 송새벽이 꼭 만나고. 내려오면 보고 싶어. "술 자그마치 좀 먹어" 이 얘기 해주려고. (웃음)

송새벽 선생님 뵐 때마다 왜 이렇게 술이 단지! (일동 웃음)

두 분, 드라마 〈나의 아저씨〉[1] 인연이죠?

송새벽 네. 저는 선생님과의 첫 신도 기억나는 게, 시장통 골목에서 엄마(고두심)가 걸어오시고 제가 차 타고 가는 신이었어요. 사실 선생님과의 첫 만남을 앞두고 긴장을 많이 했어요. '고두심 선생님을 만난다고? 어쩌지? 이걸 어쩌지?' 그런데 "슛 들어갈게요. 액션!" 딱 하는데, 선생님 얼굴 보자마자 긴장이 바로 쑥 내려가는 거예요. 마치 체기가 내려가듯이.

〈나의 아저씨〉의 엄마와 아들,
실제로도 모자관계 같은 두 사람.

선생님 얼굴이 일종의 특효약이었던 거네요.

고두심 사실, 배우들도 첫날 만나면 데면데면하거든. 그래서 굉장히 긴장들을 해요. 상대방이 어떤 톤으로 나올지, 성격이 유별나진 않을지…. 그런 것들에 너무 신경쓰다가 연습한 대로 연기하지 못하는 사람도 있어요. 흥분해서 톤 조절이 안 되면, 서로 당황하기도 하고요.

송새벽 그래서 진짜 신기했다니까요. 어쩜 얼굴을 뵙자마자 그렇게 쑥 내려가는지.

선생님에게도 그런 경험이 있으셨나요? 호흡을 맞추면 이상하게 마음이 편한.

이정길 선생님. 그 선생님이 눈빛이 참 좋아. 선하고 곱고. 그리고 굉장히 열정적이셨어요. 작품을 논할 땐 또 어찌나 멋있는지. 선생님이랑 부부 역할도 꽤 했는데, 그때마다 참 좋았어요. 그 눈을 보고 있으면 이상하게 마음이 편해. 그런 배우를 만나길 원하죠, 다들. 만나지면 좋고. 새벽이도 지금 그 이야기지. 첫 만남이 그랬으면, 그건 '럭키' 한 거지.

가끔 어떤 배우의 연기가 갑작스럽게 일취월장했다고 느껴질 때가 있어요. 왜 그런가 살펴보면 적지 않은 경우, 연기 고수인 선배와 호흡을 맞춘 이후더라고요. 그런 걸 목격할 때마다, 프로와 부딪치며 직접 깨닫는 것만큼 좋은 연기 공부는 없다고 느낍니다. 그런 의미에서 선생님과 함께하는 건 후배들에게 그 자체로 좋은 경험이지 않을까 싶은데요.

노력하죠, 그렇게 되기를. 그랬으면 좋겠고. 그리고 TV 메커니

즘이 익숙하지 않을 땐 다들 불안하거든. 카메라가 어디 있고, 조명은 어디에서 오는지 다들 헤매요. 그러면 자기 매력을 잘 못 찾아 먹는다고. 그래서 촬영 때, 슬쩍 밀어서라도 라이트 잘 받는 곳에 세워주죠.

현장에서 조언을 구해오는 후배도 많죠?

먼저 손 내미는 친구에게는 내가 아는 걸 다 꺼내서 내어줘요. 그런데 먼저 다가가지는 않아. 조심스럽거든. 요즘 사람들은 터치하는 걸 싫어하기도 하고. 그래서 모른 척 지나갈 때도 있는데, 나도 조금 비굴한 거죠. 선배로서 이야기해줄 수도 있는데, 불편하다고 그걸 안 하는 거니까. 어른 같지 않은 비굴함이 있는 거예요. 후배들에게 그 말은 해요. "자신을 위해 동료를 미워하지 마라. 문제가 생기면, 어떤 형식으로든 바로바로 풀어버려라." 왜냐하면 그 동료가 나중에 어떤 상대로 올지 모르잖아요. 아들로 올지, 동생으로 올지, 오빠로 올지. 우린 눈을 보면서 이야기하는 사람들인데, 서로 미워하면 정말 어렵거든.

촬영장에 "우리 딸, 지은이 잘 부탁해요"라는 응원의 글귀를 적어서 아이유에게 보낸 커피차가 이슈였어요.

〈최고다 이순신〉[2] 때 내 딸이었고, 〈나의 아저씨〉도 함께했죠. 진짜 괜찮은 친구야. 자기가 사랑받는 만큼 사회에 공헌하겠다는 자세도 그렇고. 그런 걸 보면 후배라도 존경스러운 마음이 들죠. 내가 배워. 배움에는 위아래가 없으니까요.

선생님을 뵈면 '두심장학금'에 대해 꼭 여쭙고 싶었어요. (고두심

은 모교 제주여중·여고에 '두심장학회'를 열었다.) 학교 다닐 때 궁금했거든요. 성적우수자가 아닌 예체능계 학생들에게 주는 장학금이잖아요?

조례 시간에 교장 선생님이 학생들을 연단으로 불러서 장학금을 주는데, 살펴보니 다 공부 잘하는 애들이에요. 공부를 어떻게 했길래 돈까지 받으면서 학교 다닌대, 싶더라고요. 부럽기도 하고. (웃음) 생각했죠. '난 못 받았으니 주는 사람이라도 되자', '언제고 목돈이 생기면 장학금을 주리라!' 마음먹은 거죠.

두심장학회가 94년도에 설립돼서 지금까지 운영되어오고 있으니 선생님의 많은 후배가 도움을 받은 셈입니다.

한번은 미국 시애틀에 갔는데, 날씨가 너무 을씨년스러워서 한국 사람이 하는 한증막 같은 곳을 찾았어요. 발가벗고 앉아 있는데, 누가 다가오더니 자기 딸이 두심장학금 받았었다고, 너무 감사했었노라고 인사하지 뭐예요. 발가벗고 인사 받으려니 부끄럽기도 한데, 뭔가 보람도 있고…. 발가벗고 보람 느낀 사람 있으면 나와보라고 그래요. (일동 웃음)

학창 시절, 선생님에 대한 여러 전설을 들었습니다. 무용에 대한 일화가 특히 많았어요.

내가 무용을 참 잘했어. (웃음) 중·고교 6년간 제주 민속 무용의 개척자인 송근우 선생님 밑에서 고전무용을 배웠어요. 도 대표로 전국 민속경연대회에 나갔는데, 우리 팀이 대통령상도 받았죠. 당시 경희대 무용과와 제주여고가 MOUMemorandum Of Understanding를 맺어서 1년에 한 번 특기생을 보내는 제도가 있었는데,

우리 해에는 내가 뽑혔어요. 그런데 못 갔어요. 집에서 반대해서. 무용을 하면 이상한 곳으로 흐른다나. 그래도 서울행은 포기할 수 없겠더라고요. 바로 위 오빠가 서울에서 유학하고 있었는데, "가서 오빠 밥해주쿠다(줄게요)!" 하니까 "가랜(가라)" 하는 거야. 아우, 우리 제주도 옛날 어른들은 남아선호가 말도 못 했어요. (웃음)

연기자의 꿈은 언제부터 품으신 건가요.

춤을 추면서 자연스럽게. 배우가 되기 위해 뭘 어떻게 해야 하는지 아무것도 몰랐지만, 어쨌든 서울에 가서 연기해야 할 것 같더라고요. 스크린에 나오는 사람이 돼야 할 것 같고. 그래서 서울에 갔는데, 오빠 밥해주기는커녕 오빠가 내 밥을 해줬죠. (웃음)

본격적으로 연기하시기 전에, 무역회사에 다니신 것으로 압니다.

광화문에 있는 직원 열 명 남짓한 조그마한 무역회사였어요. 그곳에서 불린 이름은 '미스 고'. (웃음) 아침에 가장 먼저 출근해서 보리차 끓여놓고 책상 걸레질한 후, 무교동 지하도 두 개 지나 신세계 백화점 건너편에 있는 중앙 우체국에 가서, 국제사서함 2175호에 있는 편지들을 가지고 돌아와 책상에 분배해놓으면 이제 직원들이 왔죠.

사서함 번호까지 기억하고 계시네요!

그럼요. 현금 출납, 타이핑, 사장님 비서 역할 등을 혼자 다 했어요, 이 '미스 고'가. (웃음) 지금도 회자되는 게 '미스 고'가

은행에 딱 들어서면 그 아우라가 장난 아니었대요. (폭소) 미인 축에 드는 얼굴은 아니었지만, 그땐 건강미가 말도 못 했거든요.

서울 한복판에서도 눈에 띄셨으니, 결국 배우를 해야 할 운명이셨나 봐요.

하하하. 그렇게 4년 일하는데 어느 날 갑자기 내가 서울에 왜 왔지? '미스 고'만 할 게 아닌데? 싶더라고요. 마침 탤런트 공채가 눈에 띄었어요. 그때가 정동 MBC(현재는 상암 MBC) 시절이었어요. 내 등록 번호는 1513번. 마흔두 명을 뽑는데, 제가 1등이었죠.

합격하고 나서 드라마에는 빨리 들어가셨어요?

제일 먼저 뽑혔는데 책을 못 읽었죠. 대본 리딩하러 갔더니 제가 좋아하던 김성옥 씨도 있고, 최불암 씨도 앉아 계시는 거예요. 이런 기라성 같은 분들 앞에서 내가 대사를 읽는다고? 입이 안 떨어지더라고요. 선배들이 괜찮다고, 당신들도 그런 시절이 있었다고 격려해줬지만, 몸이 바들바들 떨렸어요. 결국 "저 못 하겠어요" 하고는 화장실로 달려가 얼~마나 울었는지.

와, 선생님에게도 그런 시절이 있었다니.

배우 하겠다고 온 사람이, 막상 판을 깔아주니까 못 한 거죠. 그래서 그만뒀어요. 다시 '미스 고'로 돌아가서 2년 정도 근무하는데, MBC에서 연락이 왔어요. 그렇게 다시 연기를 시작했죠. 지금 이런 이야기 하면 사람들이 "말도 안 돼"라고 하시는데, 그

런 말도 안 되는 짓을 제가 했더라고요. (웃음)

대화 중에 깜짝 손님의 등장으로 자리가 들썩했다. 드라마 〈전원일기〉[3]에서 고두심의 어린 아들 '영남이'로 15년을 함께한 김기웅 씨였다. 제주도에 살며 서울을 오가고 있는 김기웅 씨는 이웃사촌 송새벽의 연락을 받고, 고두심을 찾아온 터였다.

김기웅 (반가운 목소리) 선생님!

고두심 (화들짝 놀라며) 어머~어머~! 이게 누구야. 세상에 이게 웬일이니. 이게 얼마 만이야.

김기웅 선생님, 기억 못 하시죠? 제가 MBC 바로 옆 회사에서 직장생활을 시작했었는데, 그때 일부러 찾아오셔서 신입인 저에게 힘을 실어주셨어요.

고두심 내가 자기 체면 세워줬구나.

김기웅 네. 그때 뵙고 13~14년 만이에요. 저 어릴 때, 크리스마스나 어린이날이면 선생님이 카드도 써주시고, 네잎클로버 넣어서 손편지도 써주시고 그랬어요. 선생님 떠올리면 늘 따뜻했던 모습만 남아 있어요.

고두심 나, 알고 보면 따뜻한 사람이야. (일동 웃음) 코흘리개 때부터 나와 함께했으니, 아들이나 마찬가지였지. 또 한창 자랄 때니까, 영남이에겐 얼마나 중요한 시기였겠어. 엄마인 내가 행동을 똑바로 해야 한다, 생각했죠.

송새벽 네가 선생님의 15년 아들이었지? 나는 4~5개월 아들. 이 친구 앞에서 제가 주름 잡으면 안 돼요. (일동 웃음)

〈전원일기〉 '영남이'와 예상치 못했던 조우

김기웅 최불암 선생님은 잘 지내세요?

고두심 잘 지내셔. 그거 하시잖아, 〈한국인의 밥상〉. 내가 그랬지. 선생님은 절대 이 프로그램 놓으시면 안 된다고. 송해 선생님처럼 프로그램의 산증인이 되셔야 한다고.

김기웅 고등학생 때 최불암 선생님이 저희 학교에 명예 교사로 와주신 적이 있어요, 스승의 날에.

고두심 그랬구나. 영남이가 잘 커서 그렇게 가신 거지. 자랑스러워서. 또 할아버지니까. 〈전원일기〉는 어쩔 수가 없어. 극 중 그 가족 같은 느낌이 있었지.

김기웅 얼마 전에 〈전원일기〉 팬이라며 어떤 분이 그런 이야길 했어요. 〈전원일기〉는 '인생의 책' 같은 드라마였다고.

고두심 맞아. '인생의 책' 같은 드라마였지. 김정수 씨가 12년을 썼는데, 김정수 씨가 쓴 작품들은 정말 주옥같았어요. 화요일 8시가 되면 둥그런 책상에 모여 앉아 대본 연습을 했어요. 리딩이 끝나고 이렇게 보면, 배우들이 모두 김정수 씨가 앉아 있는 곳을 쳐다보고 있어요. '어떻게 이렇게 쓸 수 있니!' 하는 기분으로. 시골 생활이라는 게, 특별할 것 없잖아요. 다람쥐 쳇바퀴 굴러가듯 사는 모습인데도 삶의 지표 같은, 뭉클뭉클한 글들을 썼어요. 대사 한마디에도 사람에게 힘이 되는 온기가 담겨 있었죠.

〈전원일기〉가 선생님 일생에 끼친 영향은 측정이 안 되겠죠?

그럼요. 어마어마하죠. 인생을 보는 눈이라든지, 배려심이라든지. 〈전원일기〉 배우진들이 또 짱짱했잖아요. 모두 주인공 할 수 있는 역량을 가진 사람들인데 그 안에서 병풍 역할도 마다 하지 않았죠. 어떤 회는 누구 집 이야기니까 나머지는 다 병풍이고, 또 다음 회에선 다른 집이 다 병풍이고… 드라마 회차별로 주연이 바뀌었으니까. 사실, 그런 거 힘들어하는 배우도 있어요. 자기가 큰 배우라고 생각할수록 더 힘들어해. 그런데 우린 〈전원일기〉를 통해 자연스럽게 배려하는 걸 배웠죠. 그랬어.

김기웅 씨가 자리를 떠난 후에도 우린 〈전원일기〉 이야기를 조금 더 이어나갔다. 고두심이 〈전원일기〉와 함께한 세월은 22년(1980~2002). '대한민국 맏며느리'라는 무게를 그 어떤 캐릭터로 지울 수 있을까. 놀랍게도 고두심은 1989년 KBS 드라마 〈사랑의 굴레〉[4]에서 둔갑술에 가까운 모습으로 돌아와 안방을 뒤집어 놓았다. 히스테릭하면서 의부증을 지닌 캐릭터 '한정숙'을 통해 '파격 변신'이라는 말의 뜻을 온몸으로 증명한 것이다. 그해 전국에서 한정숙의 대사가 들려왔다. "잘났어, 정말!"

〈전원일기〉의 얌전한 맏며느리가 "잘났어, 정말!" 이러니까, 많은 여성 시청자들이 대리만족을 느꼈죠. (웃음) '한정숙'은 패션도 남달랐어요. 뉴욕에서 온 디자이너가 드라마 방영 내내 붙어서 '한정숙' 옷부터 모자, 액세서리 등 모든 걸 정열적으로 챙겨줬어요. 자기 물품도 아낌없이 소품으로 내줬던 기억이 나요.

매번 다른 인물로 사는 건 어떤가요.

소설은 세 페이지만 읽어도 잠이 쏟아지는데, 대본은 밤새 외워도 정신이 또렷해요. 외우고, 외우고, 외우고, 또 외우느라 시간 가는 줄 몰라. 그리고 내 경우엔, 감정을 넣어 울어야 하는 장면이면 100번 연습할 때마다 100번을 울어야 해요. 그래야 실전에서도 감정이 나오지, 거짓으로 운다든지 맹숭맹숭하면 안 돼요. 왜, 나만의 징크스랄까. 그런 게 있어. 바보 연습쟁이죠, 내가.

고두심은 언제고 "연기자는 레미콘 같다"고 말한 적이 있다. 레미콘을 계속 돌리지 않으면 굳어버리듯, 연기자도 끊임없이 대본을 분석해야 한다고. 문득 드라마 〈꽃보다 아름다워〉[5]의 '영자 씨'가 떠올랐다. 시름시름 앓아온 마음의 상처를 외부로 드러내며 가슴에 빨간 약을 발랐던, 치매 걸린 엄마 '영자'를 보고 정말 많은 시청자가 울었었다.

그 장면은 연습할 때도 울었고, 연기할 때도 울었고, 지금도 볼 때마다 울어요. '에잇, 지가 연기해놓고 지가 우는 건 뭐냐?' 이러면서. (웃음) 극 중 남편이 둘째 부인을 동네에 데려다놓고, 그것도 모자라서 장기까지 달라잖아. 얼마나 억장이 무너져. 그래서 그걸 볼 땐 마당에 나가서 "후후" 심호흡하고 들어와야지, 안 그러면 미칠 것 같아요.

〈꽃보다 아름다워〉의 노희경 작가님과는 이후 〈디어 마이 프렌즈〉[6]도 함께하셨어요.

노희경 씨가 진짜 잘 써. 대사들이 정말 주옥같죠. 노희경 씨와는 세 번째 작품이에요. 첫 작품은 〈내가 사는 이유〉[7]라고, (김)

주혁이 아버지 김무생 씨랑 나랑 부부로 나왔죠. 김무생 씨가 장난을 잘 쳤는데, 연습할 때 방귀를 어찌나 뀌는지~ (웃음) 그럼 나는 또 "저놈의 영감탱이" 그러고. 장난꾸러기셨어. 주혁이 아버지가 … 사람 참 좋고. 그런데 가셔서 정말….

〈꽃보다 아름다워〉는 선생님에게 '국민 엄마'라는 수식어를 더욱 견고하게 붙인 캐릭터이기도 한데요, '국민 엄마'라는 수식어는 싫다고 말해오셨습니다.

이미자나 조용필 같은 분들에게나 '국민'이란 수식어가 합당하지, 나는 그 말이 무거워요. 어머니란 말에는 '나Me'는 없고, 'You'만 있더라고요. 당신만 있는 거지, 나는 없어요. 국민 엄마라고 하면 그래야 할 것 같아서 나는 정말 버거워요. 싫어. (웃음)

자식들에겐 어떤 엄마셨나요.

자식들에겐 '누나' 정도의 힘이랄까. 아이들이 엄마의 손을 필요로 할 때, 일하느라 곁에 있어주지 못했어요. 그게 마음에 남아 있죠. 가슴 아파. 지금 우리 딸이 미국에 사는데, 여덟 살짜리 쌍둥이랑 갓난아이를 키우고 있어요. 어릴 적 엄마가 자기 옆에 없었던 게 한이 됐는지, 나 보란 듯이 일하는 와중에도 자기 손으로 애들을 모두 케어하더라고요.

오랜 시간 대중의 시선 안에 머문다는 건 그만큼 신경쓸 것도 많다는 의미일 텐데요, 복잡한 마음들은 어떻게 추스르시나요.

이제는 사람들이 지나가면서 수군거려도 크게 상관 안 하는데,

젊었을 때는 그러지 못했어요. 많은 배우들이 그러죠. 그러다 보니 우리가 폐쇄적으로 돼. 사람 만나기 조심스럽고. 왜냐하면 사람들은 그날 본 배우의 단 한 컷을 가지고 판단해서 자기가 너무 잘 아는 사람처럼 얘기하니까. 그게 염려돼, 결국 집돌이 집순이가 되는 거죠. 배우라는 건 참 아이러니해요. 얼굴이 팔렸다는 건 아무것도 못 하는 거니까. 반대로 얼굴을 알리지 않아도 아무것도 못 하고. 열 번 잘해도 한 번 못하면, 대중은 배우를 한 방에 쓰러뜨려버리기도 하죠.

그런 불편함을 모두 이겨내는 건 연기가 너무 좋아서인가요.

그렇죠. 좋은 거지, 그 행위가. 나이 오십이 되면 오십견도 오고 우울증도 온다는데, 그런 건 슬쩍 스쳐만 갔지, 크게 오지는 않았어요. 내 사상이 아닌 걸 주입해서 내 것처럼 만들어야 하잖아요. 이런 숙제가 세상에 어디 있나요. 거기에 집중하다 보면 사적인 거고 뭐고 다 놓치는 거예요. 그땐 아픈 것도 몰라요. 아파도 잠시 잠깐이죠. 작품이 나를 휘감아버리면 다른 건 다 잊어버리니까요.

연기에 대한 열망. 그 공들임의 압도적인 양과, 양을 추월하는 질과 공력.

우리 아이 몸이 펄펄 끓는 걸 보고 나왔는데, 저녁에 돌아와서야 그 생각이 난 적도 있어요. 하, 그게 불행인지 다행인지…. 그래서 '국민 엄마' 소리 듣는 건 무겁고 미안하다는 거예요.

'지상파 방송 3사 연기 대상 그랜드 슬램을 기록한 유일한 배우'라는 건 선생님에게 어떤 의미인가요.

3사 방송국에서 모두 받는 건 조금 운이에요. 편성 등도 맞물려야 가능한 거니까요. 따지고 보면 역할들이 굴레를 씌워서 내가 이렇게 살아오지 않았나, 싶어요. 제주도에서 태어나 서울에 갔더니 내 이름 석 자가 의도치 않은 방향으로 흐르고 흘렀어요. 사람들이 나를 보고 그래요. '아, 제주도 사람은 저렇구나!'

제주도 사람의 어떤 기준이 돼버리셨죠.

그게 너무 무겁더라고요. 〈전원일기〉를 하면서는 맏며느리 이미지로 낙인이 찍혔어요. 나이가 조금 더 드니까 이젠 어머니라는 허울이 씌워지더라고요. 시어머니도 아니고, 모든 걸 내어주는 친정어머니 역할로 그렇게 부르더라고요.

얼마 전엔 대중문화예술상 은관문화훈장도 받으셨습니다.

나이 마흔이 되면 자기 얼굴에 책임지라고 하잖아요? 훈장을 또 이렇게 얹어주시니 '너는 꼼짝 마라' 이거죠. (웃음) 그런데 우리 어머니 아버지가 정말 좋은 어른이셨어요. 그런 부모님을 보면서 내 안에 차곡차곡 쌓인 게 있지 않았을까, 그래서 이 길로 온 게 아닐까 하는 생각을 해요. 내가 아까 '굴레'라 표현하긴 했지만, 사실 감사한 일이에요. 그런 굴레가 버거운 순간이 알게 모르게 있었을 테지만, 후회도 없을뿐더러 이젠 감사하다는 생각만 들어요.

만약 선생님이 올해 데뷔하는 신인이라면, 어떨 것 같아요?

이상하지… 나는 안 돌아가고 싶어. 돌아가긴 싫어요. 그냥 이대로 지내다가, 어느 날 문득 떠나고 싶어요. 누군가 내 삶을 아쉬워해줄 수 있을 때, 그렇게 어느 날 바람 같이, 그렇게 갈 수 있으면 참 좋지 않을까.

아직 하실 일이 너무 많으십니다. 우리가 아직 만나지 못한 '배우 고두심'의 세계가 있을 거란 생각을 늘 해요. 누군가가 선생님을 더 멋지게 탐험해주지 않을까 싶거든요.
(눈 반짝이며) 그 누구도 나를 잘 모르는 것 같아요. 나를 아직 다 안 끄집어낸 것 같은 느낌이랄까. 나도 모르는 나를 끄집어내주면 좋겠다 싶죠. 남들이 못 봤던 나를. 〈마더〉[8] 보면서 그랬어요. (김)혜자 언니가 영화에서 춤추는 첫 장면을 보자마자, 봉준호 감독이 혜자 언니의 저걸 끄집어내네, 생각했죠.

그런 탐험가를 기다리시나요.
김정수 씨나 노희경 씨라면 알지 않을까 생각은 해봐요. 노희경 씨가 이전에 배우 고두심에 대해 논해놓은 글이 있어요. "촌스러우면 촌스러운 대로 둬도 좋다" 뭐 그런 글이었는데, 읽으면서 '어머! 맞아, 맞아. 내가 그런 지점이 있는데!' 했어요. 뭔가 기분 좋게 들킨 것 같은 느낌이랄까. '이 양반이 나를 아나?' 흠칫 놀랐었죠.

"있는 그대로 두어도 좋을 사람. 틀리면 틀린 대로. 다르면 다른 대로. 넘치면 넘치는 대로. 있는 그대로 충만한 사람. 넘칠 때도, 부자

연스러울 때도, 유난히 촌스러울 때도, 그대로가 좋은 사람. '온전한 그 사람' 고두심."

–『낭독의 발견』 中「있는 그대로 충만한 그녀」

조금 거창한 질문일 수 있는데요, 연기를 잘한다는 건 뭘까요.

어려운 질문이다~ 연기라는 건, 정말 미세하게 사람을 건드려야 하죠. 관객의 심장을 고동치게 해야 해. 그렇지 못한 연기는 죽어 있는 거야. 가닿지 못하면 소용없는 거지.

송새벽이 의견을 보탠다. "제가 보기에 선생님은 뭐랄까. 그냥 살아내시는 것 같습니다."

맞아. 연기는 살아내는 거더라. 살아내는 거야. 나는 나에게 떨어진 이걸 숙제라고 생각해요. 내 머리는 그 숙제 풀이로 꽉 차 있어. 고통을 스스로 껴안는 것도 같은데, 어쩔 수 없어요. 그건 숙명이니까. 나에게 이만큼 짐을 줬는데, 그 짐을 안 지겠다? 말도 안 돼. 내가 이 길을 택했으니까.

세월이라는 것에 대해, 시간이라는 것에 대해 어떻게 느끼시나요.

언제 이렇게 왔지 싶죠. 어릴 때 바라보던 우리 엄마 나이가 됐네, 싶고요. 이 느낌을 뭐라고 표현하지? 불안한 것도 아니고, 좋은 것도 아니에요. '여기까지 살아냈다'에 더 가까울까. 모르겠어. 많은 것들이 여전히 소용돌이예요.

이날 고두심은 아들 같은 송새벽에게 주기 위해
마른두부와 귤 한 봉지를 직접 챙겼다.

고두심은 인생이 '아무것도'야, 라고 했다.

인생은 더 많이 살수록 현명해지는 건가요, 선생님?

그것도 아닌 것 같아요. 어떤 부분이 바보 같은 건, 영원히 바보 같은 거야.

〈나의 아저씨〉에 그런 대사가 나온다. "옛날 일 아무것도 아니야. 네가 아무것도 아니라고 생각하면 아무것도 아니다." 고두심은 이에 대해 이렇게 말씀했다.

사실, '아무것도'거든. 아니라고 하지만 사실 '아무것도'야. 인생이 그래.

제주도, 동문시장 앞. 저녁 시간이 다가오자, 송새벽이 선생님께 맛있는 밥을 대접하고 싶다며 자신의 단골집으로 이끌었다. 저녁을 먹은 후, 집 근처까지 데려다주겠다는 고두심 손에 이끌려 차를 얻어 탔다. 동문시장 근처에서 헤어지며 선생님이 엄마처럼 꼭 안아주며 말했다. "오늘 반가웠어요. 인터뷰인데, 인터뷰가 아니네. (웃음) 그런데 진실이고 뭐고 이게 내 전부예요, 그 이상은 없어. 가끔 사람들이 '조금 더 멋진 거 꺼내주세요' 하는데, 없어요. 내가 살아가는 일상을 그냥 허심탄회하게 보여주면 되는 거죠. 그게 진짜 나니까. 너무 이야기해서 탈이기도 해요. 배우 같지 않은 배우지, 내가."

그날의 공기는 왜 그렇게 따뜻했을까. 내가 화장실에 가려고 자리를 비웠을 때 녹음기에 담겼던 소리를 며칠 후에 들었다. 송새벽이 물었다. "선생님, 노래방 애창곡이 뭔가요?" 고두심이 노래로 응답

했다. 현철의 히트곡인 〈사랑의 이름표〉였다. 구성진 노래를 들으며 고두심이라는 이름표에 나는 다시 확실한 사랑의 도장을 찍었다.

어린 시절 살던 집이, 무전여행 온
대학생들이 식객으로 찾아올 정도로
인심이 후했다는 인터뷰를 본 적이
있습니다. '남양집'으로 불렸다고요.
지금은 제주도에 오면
어디에서 머무르시나요.

부모님 계실 땐 4대가
그 집에서 함께 살았어요.
43년 살다가 이사 갔는데,
지금은 부모님 계시던 곳에
둘째 오빠네가 살아요.

내려오면 보통 그곳에
머물죠. 그런 건 있어.
어머니 계실 땐, 비행기가
제주도에 도착한다는 안내
방송만 흘러나와도 가슴이
뛰기 시작했어요.

엄마 만날 생각에 너무 좋아서. 엄마 돌아가시고 나서는 그런 기쁨은 사라졌죠. 고향이라는 게, 그래요. 부모님 품이 곧 고향이지.

Essay

엄마와 제주도

“제주도에서 왔다고요?” 내 출신을 듣는 사람들은 약속이라도 한 것처럼 말끝에 의문문을 붙였다. 2000년대 초반이었다. 전국엔 8도가 있다지만, 그중에서도 제주도가 고향이라는 건 여러모로 튀는 일이었다. 타인의 눈에 비친 나는 한국말을 구사하는 섬나라 사람 같았을까. 가장 자주 듣는 질문은 “집은 귤 농사해요?” 였다. 그놈의 귤, 귤, 귤. 제주 사람이 다 귤 농사하는 건 아니거든요? 성급한 일반화의 오류입니다.

자주 쏟아진 또 하나의 질문은 “사투리를 왜 안 써요?”다. 그렇다. 나도 이게 참 신통방통하긴 하다. 제주도 사람 DNA엔 언어 둔갑술 같은 게 숨어 있다. 많은 지방 사람들이 입에 붙은 어투와 억양을 서울말로 변환하는 데 꽤 고생한다는데, 제주 사람들은 별다른 프로세스 없이 김포공항에 내리자마자 표준어를 모사한다. 제주 말은 왜 감쪽같이 숨기기가 가능할까. 이건 언어학자들이 풀어줘야 할 영역이니 더는 파지 않기로 하고, 어쨌든 이런 연유로 나는 한때, 신분을 감추고 도시에 섞여 살아가는 ‘엑스맨’들처럼 언어적인 측면에선 정체를 완전히 숨기고 살았다.

‘교양 있는 사람들이 쓰는 서울말’이라는 주입 교육의 영향이었을까. 변방의 정서를 지우고 싶어서였을까. 아마도 둘 다였을 것이다. 일단 전자라면 미디어 탓도 크다. 사투리란 악당이나 감초 연기자들이 구사하는 언어일 뿐, 우리나라 드라마에서 주인공이 사투리를 쓰는 일은 드물다. '귀가 시계'로 유명했던 드라마 〈모래시계〉에서 전라도 출신 깡패 최민수가 사투리를 썼다면 그 유명한 대사 "나 떨고 있냐?"는 이래야 했을 것이다. "나가 시방 떨고 있냐? 나가 떨께비고거이 겁나게 겁나부러." 흐음. 느낌이 안 살긴 안 산다…고 느껴지는데, 이 자체가 편견에 기반할 것이다.

그리고 제주도가 품은 변방의 정서. 다산 정약용이 자식들에게 "무슨 일이 있어도 한양 사대문 안을 떠나지 말라"고 당부했을 정도로 수도권 집중 현상은 조선시대부터 이어져온 이 땅의 기조인데, 하물며 '바다 건너 고을' 제주도는 한양에서 가장 멀고 먼 최악의 유배지였다. 변방의 정서 안에서 제주는 발전도 느렸고, 유행도 느렸고, 문화 제반 시설도 여러모로 열악했다. 콘서트나 연극은 물론, 독립영화조차 마음대로 볼 수 없는 이 섬이 나는 많이 갑갑했다. 그렇게 대학 진학을 핑계로 서울로 날아가 서울 시민이 됐다.

처음엔 제주도를 잊고 살았다. 화려한 조명이 나를 감싸는 서울의 밤이 좋았다. 서울살이에 무덤덤해질 무렵, 서울 하늘은 머리 위에만 있다는 걸 실감했다. 사방이 트인 제주는 하늘이 언제든 눈앞에 펼쳐져 있지만, 서울 하늘은 빌딩으로 가려져 고개를 들어야만 볼 수 있었다. 삭막한데…. 서울엔 바다가 없다는 지극히 당연한 사실 역시 뒤늦게 엄습해왔다. 답답할 때마다 버스를 타고 근처 바다로 달려가곤 했던 어린 시절이 떠올라, 나는 조금 울었던 것도 같다. 짭조름한 바다 냄새를 상상하며.

그리고 2020년 봄부터 나는 제주도와 서울을 오가는 이중생활을 하고 있다. 계기는 코로나였다. 사회적 거리 두기로 갈 수 있는 서울 시내 공간이 축소되자 심리적 위축이 왔다. 출근하지 않는 프리랜서인 데다 1인 가구인 탓에, 혼잣말하는 시간도 늘었다. 홀로 있는 시간을 좋아하긴 하지만, 내가 선택하는 혼자만의 시간과 어쩔 수 없이 그래야 하는 혼자만의 시간은 질적으로 다른 것이다. 어느 날 거울에서 쓸쓸해 보이는 여자의 얼굴을 발견하고 깜짝 놀랐다. 낯설었다. 나는 짐을 싸서 도망치듯 제주로 갔다. 어릴 적 그토록 도망쳐 나오고 싶었던 섬으로.

그렇게 시작된 제주에서의 일상은 소소하다. 매일 아침 엄마와 바다를 끼고 있는 동네 산책로를 걸으며 수다를 떤다. 숨기고 있던 사투리를 섞어가며. 낮엔 커피숍에서 글을 쓰고, 해가 떨어질 무렵 집으로 돌아와 엄마와 소주를 나눠 마시며 밤하늘을 본다. 자투리 시간을 허용하지 않았던 전과 달리 멍도 자주 때리고, 트렌드에 뒤처지지 않으려 손에서 놓지 못했던 SNS를 잠시 꺼두기도 한다. 얼굴 낯빛이 좋아졌다는 서울 친구들의 증언을 굳이 듣지 않아도, 느껴지는 내 안의 변화들. 그동안 많이 지쳐 있었구나. 내 안에 알게 모르게 들어차 있는 욕망을 털어내고 싶었구나. 그 와중에도, 제주도를 향한 내 애정이 크게 바뀐 이유는 의문이었다. 단순히 고향이어서?

그 해답을 얻은 건 고두심 선생님을 통해서다. 제주의 상징인 배우이자, 나에겐 제주여고 선배이기도 한 고두심 선생님께서 제주 바람을 느끼며 말했다. "어머니가 살아 계실 땐, 비행기가 제주도에 도착한다는 안내 방송만 흘러나와도 가슴이 뛰기 시작했어. 엄마 만날 생각에 너무 좋아서. 엄마 돌아가시고 나서는 그런 기쁨은 사라졌지 뭐야. 고향이라는 게, 그렇더라고."

그러고 보니 내게 고향은 엄마였음을, 고두심 선생님을 통해 뒤늦게 깨달았다. 제주도는 나의 엄마가 자기 삶의 주체로서, 누군가의 어머니로서, 자신을 다독이며 가꾼 소중한 터전이다. 일찍이 남편을 잃고 생계를 책임져야 했던 엄마는 비록 배움이 깊지 못했지만, 책임감과 자긍심으로 자기에게 주어진 일에 최선을 다했고, 무례한 사람들이 인생에 함부로 침범하면 강인하게 맞섰으며, 그 와중에도 마지막까지 예의를 잃지 않는 삶의 자세를 내게 알려주셨다. 어릴 땐 그것이 무엇인지 몰랐다. 그러나 세월은 그것이 품은 의미를 내게 알려주는 중이다. 나는 그것이 그리워 자꾸 제주도를 찾는지 모르겠다. 엄마라는 바다를.

Presented by

a Room of one's Own

배우

Casting

고두심

Room

No. 10

의 방

Actor's
Room

To be continued.

Epilogue.
"당신의 공간은 어디인가요?"

『배우의 방』 인터뷰를 하며 가장 많이 물었던 질문. 그 질문이 '극장'으로, '만화방'으로, '제주도'로, '드라이브'로, 심지어 '물리치료실'로까지 확대될 줄은 미처 몰랐다. 그 과정에서 공간이 지닌 힘을 새삼 실감했다. 누군가에게 공간은 위로였고, 누군가에겐 영감의 창고였으며, 누군가에겐 고향이었고, 누군가에겐 자신의 지금을 있게 해준 출발점이었다. 의미가 부여된 공간은 어쩜 이리도 입체적이고 애틋하게 다가오는지. 타인의 추억이 쌓인 공간을 동행하는 시간은 나를 둘러싼 공간을 점검하는 기회이기도 했다. 덕분에 나를 조금 더 이해하게 되었고, 나만의 특별한 공간을 만들어가는 재미도 터득했다. 이 책이 독자들에게도 '자기만의 방'을 탐험하는 계기가 되었으면 좋겠다.

책에는 '씨네플레이'에 연재된 〈정시우의 Aroom〉 인터뷰 중, 열 분의 대화가 동행했다. 여러 이유로 모든 인터뷰가 함께하지는 못했지만, 고마움에 행복의 눈물을 흘린 횟수는 결코 다르지 않다. 이번에 함께하지 못한 공간 이야기도 책으로 묶이는 날이 오길 간절히 바라는 마음이다. 자기만의 공간을 허락해주신 배우님들에게 내가 전할 수 있는 최대치의 감사를 드린다. 〈정시우의 Aroom〉 코너를 연재할 수 있도록 '씨네플레이'에 귀한 공간을 내어준 한겨레 서정민 기자님(전 '씨네플레이' 편집장님), 원고를 보낼 때마다 첫 독자로서 기운 나는 피드백을 주신 심규한 편집장님에게도 마음을 보낸다. 인터뷰 섭외에 힘을 보태주신 선배님들, 배우 소속사 분들도 각별하다.

“내 재능은 글렀어”라고 마음 약한 소리를 할 때마다, 등짝 스매싱과 조언을 아끼지 않아준 고등학교 절친들과 민짱, 시우회 회장님 덕분에 기운을 얻어 끝까지 프로젝트를 이어나갈 수 있었다. 늘 자기 책처럼 원고에 애정을 쏟아주신 이화령 편집자님에게는 무한 경의를 표하고 싶다. 원고를 다듬는 과정에서 내 재능의 한계를 느끼는 순간들이 많았는데, 그럴 때마다 세상 가장 따뜻한 언어를 콕 집어서 선물처럼 건네주셨다. INFP 동료로서 대동단결할 수 있어 행운이었다.

무엇보다 『배우의 방』은 친애하는 내 인생 선배들이자, 막역한 친구이기도 한 김민기 주간님과 김보희 편집자님이 없었다면 세상에 나올 수 없었을 것이다. 두 분이 어떤 애정으로 이 인터뷰집을 가꿔주고 있는 '자기만의 방'이라는 브랜드에 씨앗을 심었는지를 가까이에서 봐서일까. 자연스럽게 그것이 내 안에 스며들었고, '자기만의 방'이라는 키워드에 나의 가장 큰 관심사인 '배우'를 얹히니 '배우의 방'이 떠올랐다. 배우의 공간을 들여다보는 인터뷰는 두 분에게서 시작됐다고 해도 과언이 아닌 셈이다.

『배우의 방』에 에세이를 함께 넣어보자고 조언해준 것 역시 두 분이었는데, 쓰다 보니, 내가 에세이라는 장르를 매우 흠모하는 인간이라는 걸 깨달았다. 어쩜 늘 나보다 나를 더 간파하고 있는지. 내 안에 잠자고 있는 무언가를 자꾸 끄집어내주는 소중한 인생 친구가 있다는 게 너무 행복해서 마음 두근거리며 잠든 날들도 많다. 삶의 어떤 순간에서든 나는 두 분 곁에 설 것이다.

마지막으로 나의 든든한 버팀목이자, 나의 내밀한 절친이고, 나의 빛이며, 나의 우주인 사랑하는 나의 엄마. 변경선 여사님에게 이 책을 안겨드릴 수 있어 무한히 행복하다.

Thanks to.

『배우의 방』 초석인 〈정시우의 Aroom〉
프로젝트의 문을 열어주시고,
깊은 배려와 따뜻한 위트를 나눠주신
하정우 배우님에게 감사의 마음 전합니다.
덕분입니다. 잊지 않겠습니다.

Ending Credits.

배우들이 언급한 작품

박정민

1 〈와이키키 브라더스〉

임순례 감독의 2001년 작품. 학창 시절 음악을 했던 친구들이 고향에 모여 밤무대 삼류 밴드를 재결성하는 과정을 통해, 어린 시절 꿈과 현실의 간극이 주는 슬픔을 담담하게 그려냈다. 황정민, 류승범, 박해일, 박원상 등이 출연했다.

2 〈7년의 밤〉

정유정 작가의 베스트셀러 소설 원작을 영화화한 2018년 작품으로, 7년의 밤 동안 아버지와 아들에게 일어난 슬프고 통렬한 이야기를 담았다. 추창민 감독이 메가폰을 잡고 류승룡, 장동건, 고경표가 출연했다.

3 〈변산〉

박정민이 〈동주〉(2016)에 이어 이준익 감독과 두 번째로 호흡을 맞춘 2017년 작품. 영화에서 박정민은 6년째 랩 오디션 프로그램에 도전하는 무명 래퍼 '학수'를 연기했는데, 〈변산〉 OST 'Byunsan Monologue(변산 모놀로그)'에는 그가 직접 랩 가사를 만들고 부른 아홉 곡이 담겼다.

4 〈연애담〉

한국예술종합학교 영상원 출신인 김도연 감독의 2009년 단편영화. 외국에 나간 가족들과 떨어져 혼자 살고 있는 중년 남성 '명준(박봉서)'과 재수생 '호영(박정민)'의 사랑을 잔잔하게 담아냈다.

5 〈파수꾼〉

한 소년의 죽음을 통해 밝혀지는 소년들의 우정과 폭력, 그리고 성장담을 밀도 있게 그린 2010년 작품. 한국 독립영화에 새로운 활력을 불어넣은 영화로 평가되며 윤성현 감독과 이제훈, 박정민이 이 영화를 통해 주목받기 시작했다.

6 〈세상의 끝〉

남궁선 감독의 2007년 단편영화. 박정민의 데뷔작으로, 윤성현 감독은 이 영화를 보고 박정민에게 〈파수꾼〉 오디션을 제안했다.

7 〈G코드의 탈출〉

박정민이 한국예술종합학교 출신 동료들과 극단 '경(鏡)'을 만들어 올린 2인극. 고(故) 윤영선 극작가의 작품으로 1년 전 헤어졌던 남녀가 허름한 여관방에서 재회하면서 벌어지는 이야기를 그렸다.

8 〈타짜: 원 아이드 잭〉

권오광 감독이 2019년 메가폰을 잡은 〈타짜〉 시리즈의 세 번째 이야기. 영화에서 박정민은 전설적인 타짜 '짝귀(주진모)'의 아들인 '도일출' 역을 맡아 극을 이끌었다.

9 〈동주〉

친구이자 라이벌이었던 시인 '윤동주(강하늘)'와 독립운동가 '송몽규(박정민)'의 청춘을 담은 흑백 영화. 연출을 맡은 이준익 감독은 윤동주에 대해 '과정은 내세울 게 별로 없지만 결과가 아름다운 인물', 송몽규에 대해서는 '과정은 아름다우나 결과가 없는 사람'이라고 했다. 박정민은 이 영화로 청룡영화상, 백상예술대상, 디렉터스 컷 어워즈 등에서 신인상을 받았다. 과정도 결과도 아름다웠던 셈.

10 〈그것만이 내 세상〉

떨어져 지내던 형제가 한 집에 동거하면서 형제애를 회복하는 과정을 그린 2017년작. 이병헌과 박정민의 만남이 큰 기대를 낳았던 작품으로 영화에서 박정민은 서번트 증후군을 앓는 피아니스트 '진태' 역을 찰떡같이 소화하며 호평받았다.

11 〈전설의 주먹〉

학창 시절 전설로 불렸던 남자들이 격투 프로그램에서 재회하는 이야기를 그린 2013년 영화. 과거와 현재가 교차하며 전개되는 영화에서 박정민은 황정민의 아역을 연기했다.

천우희

1 〈한공주〉

예기치 못한 사건을 겪은 소녀가 상처를 치유하고 감내하며 극복해가는 과정을 그린 이수진 감독의 2014년 작품. 국내외 영화제를 통해 작품성을 인정받은 수작으로 천우희 또한 이 작품에서 대체 불가한 연기를 선보이며 호평받았다.

2 〈버티고〉

2019년 개봉한 전계수 감독의 영화. 고층 건물에 근무하는 30대 계약직 디자이너 '서영(천우희)'과 유리창 너머로 그녀의 상처를 바라보는 로프공 '관우(정재광)', 서영과 비밀 연애 중인 '진수(유태오)'를 통해 하루하루를 위태롭게 버티는 현대인의 불안과 고독을 바라본다.

3 〈곡성〉

2016년 개봉한 나홍진 감독의 미스터리 스릴러. 곡성에 외지인이 나타난 후 시작된 의문의 연쇄 살인 사건 속에서 실체를 알 수 없는 존재와 맞닥뜨린 사람들의 이야기를 그렸다. 곽도원, 황정민, 천우희, 김환희 등의 탄탄한 연기력과 독창적인 스토리에 687만 관객이 현혹됐다.

4 〈우상〉

충무로를 대표하는 연기파 배우 한석규, 설경구, 천우희와 〈한공주〉를 연출한 이수진 감독의 만남만으로도 화제의 중심에 섰던 스릴러 영화. 2019 개봉작. 우연히 일어난 뺑소니 사고에 연결된 세 인물이 걷잡을 수 없는 파국으로 걸어가는 이야기를 냉소적인 시선으로 그려냈다.

5 〈미드나잇 인 파리〉

파리의 낭만을 소환한 우디 앨런의 2011년 작품. 파리의 밤거리를 배회하던 시나리오 작가 '길(오웬 윌슨)'이 우연히 1920년으로 시간 여행을 가게 되고, 그곳에서 평소 흠모하던 파리 예술가를 만나면서 벌어지는 이야기를 그린 판타지 로맨스.

안재홍

[1] 〈족구왕〉

4만 7000명의 관객을 동원하며 독립영화로는 경이적인 흥행을 기록한 2014년 작품. 모두가 '스펙'을 외칠 때, 족구를 차는 낭만 청년 '만섭' 캐릭터를 통해 안재홍은 한국 영화계에 개성 강한 배우의 등장을 알렸다.

[2] 〈응답하라 1988〉

2015년 방영된 tvN 〈응답하라〉 시리즈 세 번째 이야기. 안재홍은 '덕후' 기질의 6수생 '정봉' 역으로 '봉블리'라는 애칭을 얻으며 큰 사랑을 받았다.

[3] 〈쌈, 마이웨이〉

남들이 뭐라고 하든 마이웨이를 고집하며 갈 길을 가는 네 청춘(박서준, 김지원, 안재홍, 송하윤)의 성장 로맨스를 담은 2017년 드라마. 안재홍은 6년째 연애 중인 '김주만' 역으로 분해 청춘의 고민을 현실감 넘치게 그려내며 배우로서의 영역을 확장했다.

[4] 〈멜로가 체질〉

서른 살 여자 친구들(천우희, 전여빈, 한지은)의 일과 우정, 연애에 대한 고민을 현실적으로 녹여낸 2019년 JTBC 드라마. 시청률은 낮았지만, 웰메이드 작품으로 불리며 마니아층의 두터운 지지를 받았다. 안재홍은 독특함으로 무장한 흥행불패 스타 감독 '손범수'로 분해 대체 불가한 매력을 선보였다.

[5] 〈울렁울렁 울렁대는 가슴안고〉

안재홍이 연출, 각본, 주연을 맡은 30분짜리 단편영화. 울릉도에 살고 있는 남자친구 '철수(안재홍)'를 찾아가 이별을 통보한 '영희(이솜)'가 난데없는 풍랑주의보로 섬에 발이 묶이면서 펼쳐지는 이야기를 그렸다. 제25회 부산국제영화제에 이어 제46회 서울독립영화제에 초청됐다.

6 〈좋은 연기〉

안재홍의 단편 연출작. '좋은 연기란 무엇인가'라는 질문을 코믹하게 풀어낸 작품으로 복합문화공간 'KT&G 상상마당'에서 '이달의 단편 우수작'으로 선정되기도 했다.

7 〈꽃보다 청춘: 아프리카〉

드라마 〈응답하라 1988〉에 출연했던 쌍문동 4인방 안재홍, 류준열, 고경표, 박보검의 해외 배낭 여행기를 담은 tvN 예능 프로그램.

8 〈사관과 신사〉

해군 생도 '잭(리차드 기어)'과 직공 '폴라(데브라 윙거)'의 사랑을 그린 1982년 작품으로 리처드 기어에게 세계적인 스타덤을 안겼다.

9 〈1999, 면회〉

〈족구왕〉을 제작한 '광화문 시네마'의 첫 영화. 군대에 복무 중인 '민욱(김창환)', 그에게 면회를 가는 '상원(심희섭)', '승준(안재홍)' 세 친구의 좌충우돌을 그렸다. 안재홍은 〈1999, 면회〉를 시작으로 '광화문 시네마' 모든 작품에 출연해오고 있다.

10 〈화양연화〉

사랑하지 않으려고 노력했지만, 결국은 서로에게 빠져들 수밖에 없었던 두 사람의 슬프고도 찬란한 시간을 그린 장만옥, 양조위 주연의 2000년도 작품. 20년이 지난 지금도 뜨거운 사랑을 받고 있는 멜로 영화.

11 〈청춘예찬〉

1999년 초연된 이후 대학로에서 오래도록 사랑받은 박근형 연출가의 작품. 4년째 고교 2학년인 문제아 청년과 그를 둘러싼 인물들을 통해 불완전한 청춘을 예찬하는 이야기로, 안재홍이 〈응답하라 1988〉의 차기작으로 선택해 다시 주목받았다.

12 〈인사이드 아웃〉

디즈니 픽사의 2015년 장편 애니메이션. 다섯 가지 감정(기쁨, 슬픔, 까칠, 소심, 버럭)을 의인화한 캐릭터들의 활극을 그렸다.

변요한

1 〈미스터 션샤인〉

1900년대 초 의병들의 항일투쟁사를 그린 2018년 tvN 드라마. 김은숙 작가와 이병헌, 김태리, 변요한, 김민정, 유연석의 만남으로 방영 내내 화제를 모았다. 갑부집 도련님 '김희성'으로 분한 변요한은 능청스러운 매력과 순애보적인 면모를 변화무쌍하게 표현하며 극에 존재감을 새겨넣었다.

2 〈토요근무〉

2011년 변요한의 데뷔작. 구은지 감독이 메가폰을 잡은 단편영화로, 변요한은 인터넷 설치 기사 '도연' 역을 맛깔스럽게 연기하며 주목할 배우의 탄생을 알렸다.

3 〈스카페이스〉

갱스터 영화의 참맛을 느낄 수 있는 브라이언 드 팔마의 1983년 작품. 미국의 전설적인 마피아 '알 카포네' 이야기를 모티브로 만든 작품으로, 알 파치노의 열연을 언급할 때 빠지지 않고 거론된다.

4 〈내겐 너무 사랑스러운 그녀〉

소심하고 수줍은 많은 남자 '라스(라이언 고슬링)'가 사람 크기의 인형을 여자친구로 받아들이며 겪는 에피소드를 그린 2007년 작품. 자칫 황당무계한 농담으로 보일 법한 설정의 영화를 라이언 고슬링이 따뜻한 동화로 완성시켰다.

5 〈미생〉

윤태호 작가의 동명 웹툰을 원작으로 한 2014년 tvN 드라마. 직장인의 애환을 현실적으로 담아내며 방영 내내 '미생 신드롬'을 일으켰다. 변요한은 원 인터내셔널 섬유 1팀 신입사원 '한석율' 역을 개성 넘치게 표현하며 시청자의 눈도장을 받았다.

6 〈별리섬〉

단편영화에 대한 애정을 밝혀온 변요한이 〈미스터 션샤인〉 차기작으로 선택해 눈길을 끈 2018년 단편영화. 스펙을 쌓으려 외딴섬에 신입 영어 강사로 들어간 대학생 '한기탁(변요한)'과 통제 불능 중학생들이 꿈을 찾아가는 이야기를 그렸다.

이제훈

1 〈건축학개론〉

2012년 전국에 첫사랑 열풍을 몰고 온 이용주 감독의 멜로 영화. 집 짓는 과정과 사랑의 감정이 쌓여가는 과정을 절묘하게 접목해 주목받았다. 사랑에 서툰 새내기 대학생 '승민'으로 분한 이제훈의 감성 연기가 인상적.

2 〈고지전〉

장훈 감독이 메가폰을 잡은 2011년 작품. 1951년 6월 전선 교착 이후 2년 동안 고지를 지키기 위해 싸운 남북한 병사들의 처절한 전투를 그렸다. 〈파수꾼〉으로 영화계 안팎에 눈도장을 찍은 이제훈은 이 작품에서 전쟁의 극심한 공포로 모르핀 중독자가 된 '신일영 대위'를 무시무시하게 연기하며 존재감을 다시 한번 각인시켰다.

3 〈박열〉

1920년대 항일운동을 하던 조선의 청년 '박열(이제훈)'과 그의 정신적 동지이자 연인인 '가네코 후미코(최희서)'. 엄혹한 시대 안에서 마지막까지 삶의 주체성을 잃지 않으려 했던 이들의 결기를 그린 이준익 감독의 2017년 작품.

4 〈아이 캔 스피크〉

일제하 일본군 위안부 피해자 이야기를 대중영화 장르 안에 풀어낸 2017년 작품. 원칙주의 9급 공무원 '박민재'로 분한 이제훈은 위안부 할머니 '옥분(나문희)'이 유엔 연단에 설 수 있도록 영어를 가르쳐주는 든든한 조력자 역할을 해내며, '캐릭터 비중'보다 '작품의 의미'를 살피는 배우라는 점을 각인시켰다.

5 〈사냥의 시간〉

경제 불황으로 붕괴된 근미래 한국을 배경으로, 위험한 작전을 계획했다가 정체불명의 남자에게 쫓기게 된 네 청춘의 '헬조선' 탈출기를 그렸다. 〈파수꾼〉 윤성현 감독이 9년 만에 내놓은 이 영화는, 충무로의 단단한 허리로 자리매김한 이제훈, 박정민, 안재홍, 최우식의 만남으로도 눈길을 끌었다. 2020년 넷플릭스를 통해 공개됐다.

6 〈유리〉

박상륭 작가의 소설 『죽음의 한 연구』를 원작으로 한 1996년 영화. 실험성이 돋보이는 작품으로 배우 박신양이 구도를 위해 온갖 기행과 파계를 서슴지 않는 수도승 '유리'를 맡아 주목받았다.

7 〈초록물고기〉

소설가였던 이창동 감독의 데뷔작(1997). 신도시가 건설되던 일산을 배경으로 군대를 갓 전역한 청년 '막동이(한석규)'의 비극적인 삶을 리얼하게 그려 평단의 극찬을 받았다. 한석규의 공중전화 신이 오래도록 회자됐다.

8 〈쉬리〉

한국형 블록버스터의 효시로 평가받는 강제규 감독의 1999년 작품. 분단 상황을 액션 영화에 접목해 성공한 대표적인 사례로 한석규, 최민식, 송강호, 김윤진 등 당대의 배우들이 출연한다.

9 〈파비안느에 관한 진실〉

전설적인 여배우 '파비안느(카트린 드뇌브)'가 자신의 회고록을 발간하는 과정에서 딸 '뤼미르(줄리엣 비노쉬)'와 서로에게 쌓인 오해와 숨겨진 진실을 알아가는 이야기. 2019년 개봉작.

10 〈진실 리트머스〉

2006년 세상에 나온 양경모 감독, 김유경 PD의 단편영화. 이제훈의 공식 데뷔작이다. 이제훈은 양경모 감독, 김유경 PD와 함께 제작사 '하드컷'을 설립했는데, 그들이 선보인 첫 번째 프로젝트가 2021년 왓챠를 통해 공개된 숏필름 〈언프레임드〉다. 이제훈은 그중 〈블루 해피니스〉라는 작품으로 박정민, 손석구, 최희서와 함께 감독으로 데뷔했다.

11 〈시그널〉

현재를 사는 형사 '박해영(이제훈)'과 과거의 형사 '이재한(조진웅)'이 낡은 무전기로 교감을 나누며 장기 미제 사건을 해결해나가는 내용을 그린 2016년 tvN 드라마로, 작품성과 흥행성 모두를 만족시켰다.

주지훈

1 〈아수라〉

황정민, 정우성, 주지훈, 곽도원 등 캐스팅만으로도 큰 화제를 모았던 김성수 감독의 2016년 작품. 악이 득실거리는 가상의 도시를 배경으로 살아남기 위해 싸우는 악인들의 전쟁을 냉혹하게 그렸다.

2 〈신과함께-죄와 벌〉, 〈신과함께-인과 연〉

주호민 작가의 인기 웹툰을 원작으로 한 작품으로, 한국 영화 최초로 시리즈 모두 천만 관객을 돌파하는 신드롬을 일으켰다. 주지훈은 저승차사 '해원맥'을 통해 능청스러우면서도 처연한 면모를 흘리며 관객을 홀렸다.

3 〈공작〉

실제 대북 공작원 출신 '흑금성'을 모델로 한 윤종빈 감독의 2018년 작품으로 배우들(황정민, 이성민, 조진웅, 주지훈)의 호연과 치밀한 각본, 리듬감 있는 편집 등으로 호평받았다.

4 〈암수살인〉

감옥에서 일곱 개의 추가 살인을 털어놓은 살인범(주지훈)과 그 살인범의 사건을 파헤치는 형사(김윤석)의 이야기를 다룬 2018년 영화. '김윤석의 관록'과 '주지훈의 패기'가 멋진 앙상블을 빚어내며 팽팽한 긴장감을 만들어냈으며, 주지훈은 이 작품으로 생애 첫 남우주연상을 수상했다.

5 〈비트〉

허영만 화백의 만화를 영화화한 김성수 감독의 1997년 작품. 배우 정우성은 이 작품을 통해 청춘의 아이콘으로 자리매김했다.

6 〈궁〉

동명 만화를 원작으로 한 2006년 드라마. 대한민국이 입헌군주제라는 가정하에 평민 여고생(윤은혜)과 황태자(주지훈)의 결혼 이야기를 그렸다. 연기 신인이었던 주지훈은 황태자 '이신' 역할을 통해 단숨에 스타덤에 올랐다.

7 〈마왕〉

주지훈이 〈궁〉의 차기작으로 선택해 관심을 모았던 2007년 드라마. 주지훈은 선과 악을 동시에 품고 있는 복잡미묘한 '오승하' 캐릭터로 연기력을 인정받기 시작했다.

8 〈돈 주앙〉

2009년, 주지훈이 김다현, 강태을과 '트리플 캐스팅' 된 라이선스 뮤지컬. 스페인의 젊은 귀족이자 세기의 옴므파탈 돈 주앙의 삶과 사랑을 그렸다.

김남길

1 〈선덕여왕〉

역사상 첫 여성 임금인 '선덕여왕(이요원)'과 그녀를 둘러싼 정치적 인물들의 갈등을 그린 2009년 MBC 드라마로 40퍼센트를 넘나드는 시청률로 방영 내내 화제의 중심에 섰다. '미실(고현정)'의 아들인 '비담'을 연기한 김남길은 발랄함과 카리스마를 자유자재로 오가며 전국에 '비담 열풍'을 불러일으켰고, 배우로서 새로운 챕터를 열었다.

2 〈후회하지 않아〉

두 남자의 계층을 뛰어넘는 사랑을 그린 2006년 퀴어 멜로. 영화를 반복해서 관람하는 '후회 폐인'을 만들어낼 정도로 마니아층에게 오랜 사랑을 받았다.

3 〈강철중: 공공의 적 1-1〉

강우석 감독의 〈공공의 적〉 시리즈, 세 번째에 해당하는 2008년 작품. 제목을 통해 '강철중(설경구)'의 귀환을 적극 알렸다. 김남길은 '강철중'에 맞서는 조직폭력배의 행동대장 '문수' 역을 맡았는데, 예명인 '이한'으로 활동하던 김남길이 본명으로 다시 활동하기 시작한 작품이기도.

4 〈모던보이〉

정지우 감독의 2008년 작품. 1930년대 경성을 배경으로 모던보이 '이해명(박해일)'과 모던걸 '조난실(김해수)'의 사랑과 음모를 담았다. 김남길은 극의 또 다른 한 축을 담당하는 '신스케' 역을 맡아 작품에 긴장을 불어넣었다.

5 〈연인〉

김은숙 작가가 집필하고, 이서진, 김정은이 주연을 맡은 2006년 SBS 드라마. 김남길은 묵묵하게 자기 일을 수행하는 보스(이서진)의 부하 '태산'을 연기했다.

6 〈굿바이 솔로〉

2006년 KBS를 통해 방영된 어른들을 위한 치유 드라마. '노희경 표 성장 드라마'의 진수를 보여줬다는 호평을 받았으며, 김남길은 선악으로 나눌 수 없는 복잡한 내면의 '지안'으로 분해 시청자의 눈도장을 받았다.

7 〈무뢰한〉

범인을 잡기 위해선 어떤 수단이든 다 쓸 수 있는 형사 '정재곤(김남길)'이 살인자 '박준길(박성웅)'을 잡기 위해 그의 애인 '김혜경(전도연)'에 접근하면서 벌어지는 이야기를 다룬 오승욱 감독의 2015년 개봉작. 제68회 칸국제영화제에 초청되는 등 수작 멜로라는 평을 받았다.

8 〈기묘한 가족〉

좀비 소재를 코믹하게 풀어낸 2019년 작품. 조용한 마을에 좀비가 나타나면서 벌어지는 소동을 그렸다.

9 〈해적: 바다로 간 산적〉

2014년 개봉한 김남길, 손예진 주연의 해양 어드벤처 영화. 전국 866만 명의 관객을 동원하며 한국 오락 블록버스터의 저변을 넓혔다는 평가를 받았다.

유태오

1 〈레토〉

러시아 감독 키릴 세레브렌니코프의 2018년 영화. 러시아의 저항 가수 '빅토르 최'의 데뷔 초창기 활동을 모티브로 한 작품으로 유태오는 2000대 1의 경쟁을 뚫고 '빅토르 최' 역할을 거머쥐었다.

2 〈아스달 연대기〉

태고의 땅 '아스'에서 서로 다른 전설을 써가는 영웅들의 운명적 이야기를 그린 2019년 tvN 판타지 드라마. 송중기, 김지원, 장동건, 김옥빈 등이 출연했으며 유태오는 사람과는 신체적 특징이 다른 종(種)인 뇌안탈 종족의 '라가즈' 역을 맡아 극 초반 엄청난 존재감을 과시했다.

3 〈머니게임〉

대한민국을 뒤흔든 금융 스캔들을 다룬 2020년 tvN 드라마. 수단과 방법을 가리지 않고 돈을 좇는 월가(Wall Street)의 대리인 '유진 한' 캐릭터로 유태오는 '섹시 빌런'이라는 수식어를 얻었다.

4 〈보건교사 안은영〉

정세랑 작가의 동명 소설을 이경미 감독이 영상으로 옮긴 2020년 넷플릭스 작품. 정세랑 작가가 극본에도 참여했다. 남들 눈에 보이지 않는 젤리를 볼 수 있는 특별한 능력을 지닌 보건교사 '안은영(정유미)'이 괴물들과 맞서 싸우는 이야기를 그렸다. 유태오는 미스터리를 품은 원어민 영어 교사 '매켄지'를 의뭉스럽게 연기해냈다.

5 〈스탠드 바이 미〉

스티븐 킹의 소설을 기반으로 한 1986년 영화로 남자아이들이 실종된 친구의 시체를 찾아 떠나는 여정을 그렸다.

오정세

1 〈동백꽃 필 무렵〉

'옹산'이라는 가상의 도시를 배경으로 사람이 사람에게 기적이 될 수 있음을 그려내며 호평받은 공효진, 강하늘 주연의 2019년 KBS 드라마. 차기 군수를 꿈꾸는 허세남 '노규태'로 분한 오정세는 찌질하지만 미워할 수 없는 매력의 신공을 발산하며 시청자 마음을 훔쳤다.

2 〈스토브리그〉

'스포츠 드라마는 흥행이 힘들다'는 편견을 깬 2019~2020년 SBS 방영 드라마로 만년 꼴찌 야구단 '드림즈'가 하나의 팀으로 뭉치는 과정을 섬세하게 그려냈다. '드림즈'의 실질적 구단주이자 '백승수(남궁민)'와 대립각을 이루는 '권경민' 역으로 분한 오정세는 빌런의 행보 속에서도 인간적인 면모를 놓치지 않는 입체적인 연기로 시청자들의 감탄을 자아냈다.

3 〈사이코지만 괜찮아〉

정신 병동 보호사 '문강태(김수현)'와 동화 작가 '고문영(서예지)'이 서로의 상처를 치유해가는 과정을 담은 2020년 tvN 드라마. 오정세는 자폐 스펙트럼을 지닌 캐릭터를 통해 강한 울림을 선사했다.

4 〈극한직업〉

안면 근육 운동이 필요했던 이들을 마음껏 웃게 했던 이병헌 감독의 코미디 영화. 2019년 설 연휴에 개봉해 천만 관객을 돌파했다. 주연 배우 류승룡, 이하늬, 진선규, 이동휘, 공명 외에도 이제껏 본 적 없는 신개념 악당의 매력을 제대로 보여준 '신하균 - 오정세' 콤비가 큰 사랑을 받았다.

5 〈우리들의 행복한 시간〉

소설가 공지영의 동명 소설을 영화화한 2006년 작품. 사형을 선고받은 남자 '윤수(강동원)'와 세 번이나 자살을 시도했던 여자 '유정(이나영)'을 중심으로 삶의 문제, 소통의 문제 등 인간의 근원적인 문제를 다뤘다.

6 〈이발사 박봉구〉

우연찮은 사고로 교도소에서 11년을 보낸 '박봉구'가 출소 뒤, 의뭉스러운 이발소에서 가위질을 하면서 겪는 고생담을 그린 연극. 2002년 초연 당시 연일 매진을 기록하며 연극계에 신선한 에너지를 안겼다.

7 〈몸 값〉

영화 〈콜〉로 이름을 알린 이충현 감독의 2015년 단편영화. 중년 남성과 여고생이 몸값을 놓고 흥정을 하면서 벌어지는 이야기로 국내외 영화제에 소개되며 화제를 모았다.

8 〈콜〉

배우 박신혜와 전종서가 주연을 맡은 이충현 감독의 2020년 영화. 서로 다른 시간대에 살고 있는 두 여자가 한 통의 전화로 연결되며 벌어지는 이야기를 그린 미스터리 스릴러물로, 오정세는 딸기 농장을 운영하는 '성호' 역할로 등장해 극에 긴장감을 더했다.

9 〈스윙키즈〉

1951년 거제 포로수용소를 배경으로 춤에 대한 열정으로 똘똘 뭉친 오합지졸 댄스단 '스윙키즈'의 탄생기를 그린 2018년 영화. 강형철 감독이 메가폰을 잡았으며 도경수(디오), 박혜수, 자레드 그라임스, 오정세, 김민호가 '스윙키즈' 멤버로 호흡을 맞췄다.

10 〈남자사용설명서〉

존재감 없던 CF 조감독 '최보나(이시영)'가 '남자사용설명서'라는 비디오테이프를 우연히 얻게 되면서 한류 톱스타 '이승재(오정세)'와 사랑에 빠지는 이야기를 키치적으로 그린 2013년 개봉작. 오정세의 첫 주연작이다.

고두심

1 〈나의 아저씨〉

삶의 무게를 버티며 살아가는 아저씨 3형제와 거칠게 살아온 한 여성(아이유)이 서로를 통해 삶을 치유하게 되는 이야기를 그린 2018년 tvN 드라마. 김원석 연출, 박해영 극본. 우리 시대 감동의 의미를 되새기게 한 수작으로 평가받는다.

2 〈최고다 이순신〉

출생의 비밀을 품은 '이순신(아이유)'과 엄마 '정애(고두심)'의 사랑과, 가족 간의 화해를 그린 2013년 KBS 주말 드라마. 아이유와 조정석의 첫 주연작이라는 점에서도 눈길을 끌었다.

3 〈전원일기〉

MBC에서 1980년부터 2002년까지 무려 22년 동안 방송된 국내 최장수 드라마. 고두심은 '김 회장(최불암)' 댁 첫째 며느리 '박은영'으로 매주 시청자를 만나며 '국민 엄마+맏며느리'라는 타이틀을 얻었다.

4 〈사랑의 굴레〉

1989년 공전의 히트를 기록한 KBS 드라마. 남편을 의심하는 신경질적인 아내 역으로 출연한 고두심은 〈전원일기〉의 '국민 엄마' 이미지를 깨는 파격적인 연기로 생애 첫 연기대상을 거머쥐었다. 고두심의 대사 "잘났어 정말"은 국민 유행어로 사랑받았다.

5 〈꽃보다 아름다워〉

2004년 시청자들의 눈시울을 적시게 했던 노희경 작가의 드라마. 바람 잘 날 없는 집안의 엄마(고두심)와 그 자식들이 일궈가는 사랑을 통해 사랑의 진정성을 환기시켰다. 이 작품으로 고두심은 〈사랑의 굴레〉에 이어 또 한 번 KBS 연기대상을 수상했다.

6 〈디어 마이 프렌즈〉

'꼰대 찬가'라는 카피를 전면에 내세운 노희경 작가의 2016년 tvN 드라마. 고두심, 김혜자, 신구, 김영옥, 나문희, 윤여정, 주현, 박원숙 등 대한민국 대표 베테랑 연기자들이 출연해 '시니어벤져스(시니어+어벤져스)'로 불렸다.

7 〈내가 사는 이유〉

1997년 MBC에서 방영한 노희경 작가의 첫 장편 드라마. 개발의 열기가 한창 달아오르던 1970년대 마포 달동네를 배경으로 소시민들의 삶과 사랑을 실감 나게 그렸다.

8 〈마더〉

살인범으로 몰린 아들(원빈)을 구하기 위해 혈혈단신 범인을 찾아 나서는 엄마(김혜자)의 사투를 다룬 2009년 영화. 봉준호 감독이 김혜자를 염두에 두고 구상한 작품으로, 김혜자가 단 한 번도 보여주지 않았던 어머니의 모습을 선보이며 '김혜자의 재발견'이라는 찬사를 받았다.

인용하거나 언급한 책

박정민 지음, 『쓸 만한 인간』(상상출판, 2019)
서은국 지음, 『행복의 기원』(21세기 북스, 2021)
도종환 지음, 『흔들리며 피는 꽃』(문학동네, 2012)
정현종 지음, 『섬』(문학판, 2015)
이노우에 타케히코 지음, 『슬램덩크』(대원, 1998)
와츠키 노부히로 지음, 『바람의 검심』(서울문화사, 1996)
신일숙 지음, 『아르미안의 네 딸들』(대원, 1996)
박희정 지음, 『Hotel AFRICA』(서울문화사, 2005)
말콤 글래드웰 지음, 『아웃라이어』(김영사, 2009)
스티븐 킹 지음, 『스탠 바이 미』(황금가지, 2010)
박준 지음, 『운다고 달라지는 일은 아무것도 없겠지만』(난다, 2017)
조용 지음, 잠산 그림, 『진짜 진짜 얼굴을 찾아서』(위즈덤하우스, 2020)
홍경수 지음, 『낭독의 발견』(샘터, 2004)

Editor's letter

정시우라는 사람이 쓰는 글을 좋아합니다. 오래전 소설 쓰기 모임에서 만났을 때부터(그땐 무슨 글 쓰는 사람인지 몰랐…) 그가 쓴 소설에 반했고, 이후 인터뷰들과 에세이, 짧은 영화평에 이르기까지 모든 글을 좋아하게 되었습니다. 언젠가 물은 적이 있습니다. 글을 쭈욱쭈욱 빠르게 쓰지 않느냐고요. 의외의 답이 돌아왔어요. 정말 오래 생각하고 또 생각하고, 다듬고 또 다듬어 쓴다고요. 이 책에 담긴 인터뷰들도 쭉쭉 직진하듯 읽힐 테지만, 사실은 인터뷰 준비, 녹취, 원고 작성까지 매만지고 또 매만져 만들어낸 결과물입니다. 그 과정도 주민님들께 느껴지기를 바라요. 그리고 무엇보다 정시우 기자의 글은, 참 좋습니다. **희**

물리치료실, 만화방, 단골카페… 배우들이 스스로 고른 자신의 공간. 자연인으로 돌아갈 수 있는, 그곳에서만 나올 수 있는 이야기가 가득해요. 연기가 끝나고 돌아간 그곳. 화면 밖 배우들의 방에 노크를 하는 기분입니다. **현**

작가님은 배우를 인터뷰할 때면 마치 '사랑에 빠진 것 같다'고 하셨어요. 에디터들 또한 책을 만들 때마다 그 책과 사랑에 빠지곤 합니다. 이번에도 역시 진정한 사랑을 만난 듯, 원고를 읽는 내내 함께 울고 웃었답니다. 특히 행복했던 건, 정말 배우의 공간에서 함께 대화하는 기분이 들었다는 거예요. 주민님들도 이곳으로 얼른 초대하고 싶었습니다. 배우의 방에 함께 놀러 가는 상상을 하면서 기다리고 있었어요! **령**

배우의 방

1판 1쇄 발행일 2022년 4월 19일
1판 5쇄 발행일 2024년 7월 15일

지은이 정시우
발행인 김학원
발행처 (주)휴머니스트출판그룹
출판등록 제313-2007-000007호(2007년 1월 5일)
주소 (03991) 서울시 마포구 동교로23길 76(연남동)
전화 02-335-4422 **팩스** 02-334-3427
저자 · 독자 서비스 humanist@humanistbooks.com
홈페이지 www.humanistbooks.com
시리즈 홈페이지 blog.naver.com/jabang2017
디자인 스튜디오 고민 **용지** 화인페이퍼 **인쇄** 삼조인쇄 **제본** 해피문화사

자기만의 방은 (주)휴머니스트출판그룹의 지식실용 브랜드입니다.

ISBN 979-11-6080-831-5 03810